Inhalt

Heimat ist ...

Inhalt

Aspekte

Mittelstufe Deutsch

Lehr- und Arbeitsbuch 2
Teil 1

von
Ute Koithan
Helen Schmitz
Tanja Sieber
Ralf Sonntag

Filmseiten von Ralf-Peter Lösche

Klett-Langenscheidt
München

Von
Ute Koithan, Helen Schmitz, Tanja Sieber, Ralf Sonntag
Filmseiten von Ralf-Peter Lösche

Redaktion: Cornelia Rademacher und Carola Jeschke
Gestaltungskonzept und Layout: Andrea Pfeifer
Umschlaggestaltung: Andrea Pfeifer; Umschlag-Fotos: Getty
Zeichnungen: Daniela Kohl
Satz und Litho: kaltnermedia GmbH, Bobingen

Verlag und Autoren danken Evelyn Farkas, Margarete Rodi und Rita Tuggener für die Begutachtung
sowie allen weiteren Kolleginnen und Kollegen, die *Aspekte* erprobt und mit wertvollen Anregungen
zur Entwicklung des Lehrwerks beigetragen haben.

Aspekte Band 2, Teil 1 – Materialien

Lehr- und Arbeitbuch 2, Teil 1, mit Audio-CDs	606015
Lehrerhandreichungen 2	606011
DVD 2	606013

Hinweis: Die Zuordnung der Vorschläge in den Lehrerhandreichungen ist durch die Angabe der Module und
der Aufgaben sowohl für die einbändige als auch für die zweibändige Ausgabe von **Aspekte** eindeutig. Die
Seitenverweise in den Lehrerhandreichungen beziehen sich ab Kapitel 6 nur auf die einbändige Ausgabe.

Symbole in Aspekte

 Hören Sie auf der CD 1 zum Lehrbuch bitte Track 2.

▶ Ü 1 Hierzu gibt es eine Übung im entsprechenden Arbeitsbuchmodul.

 Rechercheaufgabe mit weiterführenden Links auf der Homepage

 Diese Aufgabe macht Sie mit den Aufgabenformaten des B2-Zertifikats
des Goethe-Instituts *P*_{GI} oder von TELC *P*_{TELC} vertraut.

Übungstest *Österreichisches Sprachdiplom Deutsch (ÖSD)* auf der Langenscheidt-Homepage

1. Auflage   1⁶ ⁵ ⁴ ³ ² | 2017 16 15 14 13

Gesamtherstellung: Print Consult GmbH, München

ISBN 978-3-12-606015-8

MIX
Papier aus verantwor-
tungsvollen Quellen
FSC® C084279
www.fsc.org

Inhalt

Inhalt

Inhalt

Heimat ist...

1a Was verbinden Sie mit dem Begriff „Heimat"? Was würden Sie fotografieren, um Heimat darzustellen?

b Begründen Sie Ihre Auswahl.

Wenn ich Schnee und Berge sehe, denke ich an meine Heimat, deswegen würde ich den Winter in den Bergen fotografieren.

Am wohlsten fühle ich mich in meinem eigenen Bett, hier fühle ich mich sicher und geborgen. Aus diesem Grund ...

Sie lernen

Grammatik

8

2 Geruch, Geräusch, Geschmack ... – wann denken Sie an Heimat?

Immer wenn ich ... rieche, ...   *Das Geräusch von ... erinnert mich immer an ...*
Wenn ich ... fühle, dann ...   *Jedes Mal wenn ich ... sehe, ...*
Beim Geschmack von ... denke ich immer an ...

3 Welches Gefühl ist Ihnen vertrauter: Heimweh oder Fernweh? Erzählen Sie.

Neue Heimat _____

1 Lesen Sie die Überschrift des Artikels und sehen Sie sich das Bild an.
Um welche Textsorte handelt es sich?

☐ Sachtext ☐ Reportage

☐ Erfahrungsbericht ☐ Werbetext

2a Lesen Sie den Text. Was empfindet Doris bei ihrem Auslandsaufenthalt als positiv, was eher als negativ? Erstellen Sie eine Tabelle.

Mein Glück in der neuen Heimat

1 Kann ich es wirklich riskieren? Die Wohnung aufgeben, den Freundeskreis verlassen und in einem anderen Land komplett von vorne anfangen? Ich habe es gewagt: Ich bin vor einigen Jahren aus beruflichen
5 Gründen relativ spontan nach Neuseeland gezogen.

Fernweh hatte ich eigentlich nie und ich bin auch kein besonders abenteuerlicher Typ. Doch dann passierte Folgendes: Ich verlor plötzlich meinen Job. Nach endlos vielen erfolglosen Bewerbungen war ich frus-
10 triert. Dann fragte mich ein Freund, ob ich mir nicht vorstellen könnte, ins Ausland zu gehen. Tja, und jetzt lebe ich schon seit einer ganzen Weile ziemlich zufrieden in Wellington und arbeite als Krankenschwester.

Doch vorher gab es einiges zu erledigen: Zeugnisse
15 übersetzen lassen, Bewerbungen auf Englisch schreiben und meine Wohnung auflösen. Glücklicherweise habe ich schon nach kurzer Zeit eine Stelle gefunden und dann ging alles ganz schnell.

Als ich meinem Nachmieter dann die Schlüssel
20 übergeben hatte und im Januar 2006 ziemlich nervös im Flugzeug saß, fragte ich mich natürlich, ob das die richtige Entscheidung war. Aber ich muss sagen, ich habe es nicht bereut. Ich habe die Erfahrung gemacht, dass es wirklich Zeit braucht, bis man sich in einem fremden
25 Land eingelebt hat, und dass man sich diese Zeit auch geben muss. Es ist ein gutes Gefühl, noch einmal ganz von vorne anzufangen und es wirklich allein zu schaffen. So eine Auslandserfahrung erweitert einfach den eigenen Horizont. Man lernt die Kultur eines anderen
30 Landes kennen und lernt dadurch auch viel über die eigene Kultur. Am Anfang hatte ich Probleme mit der Sprache, aber mittlerweile ist mein Englisch richtig gut. Außerdem ist das Leben hier wirklich angenehm. Das Wetter und die Landschaft sind einfach super. Und ich
35 genieße es sehr, am Meer zu sein. Überraschend für mich war, dass das Leben hier lockerer als in Deutschland ist. Die Leute sind nicht immer so gestresst und viel freundlicher und ich habe schnell viele neue Freunde gefunden. In Deutschland dauert das ja oft ein bisschen
40 länger … Aber natürlich habe ich auch Heimweh und vermisse oft meine vertraute Umgebung, meine alten Freunde und meine Familie. Besonders am Anfang war das schlimm: Ich schickte meiner besten Freundin jeden Tag aus Heimweh mehrere E-Mails ins Büro. Und dann
45 wartete ich sehnsüchtig in meinem kleinen Zimmer auf Nachrichten.

Meine Erfahrungen haben mir gezeigt, dass man sich auch selber besser kennenlernt, wenn man ins Ausland geht. Hier habe ich erst gemerkt, wie deutsch
50 ich eigentlich bin. Und manchmal ist es schwer, dass ich eigentlich nie in meiner Muttersprache sprechen kann. Auch wenn ich jetzt wirklich gut Englisch spreche, kann ich trotzdem nicht immer ganz genau das ausdrücken, was ich denke oder fühle. Und, es klingt banal, aber mir
55 fehlt das deutsche Essen, besonders das Brot. Ob ich für immer hier bleibe, weiß ich noch nicht. Vielleicht ist das Heimweh ja auch irgendwann zu stark …

b Markieren Sie im Text alle Redemittel, mit denen Doris über ihre Erfahrungen spricht und sammeln Sie weitere im Kurs.

3 Waren Sie schon einmal länger im Ausland? Berichten Sie von Ihren Erfahrungen.

▶ Ü 1–2 *Ich habe ähnliche Erfahrungen wie Doris gemacht und zwar war ich für ein Jahr in …*
Im Gegensatz zu Doris / Während Doris …, habe ich …

4 Im Deutschen ist die Wortstellung im Satz bis auf die Position des Verbs relativ frei. Es gibt jedoch einige „Faustregeln".

a Ergänzungen im Mittelfeld. Lesen Sie die Sätze. Wo steht die Dativ-, wo die Akkusativ-Ergänzung? Markieren Sie.

Ich hatte meinem Nachmieter die Schlüssel übergeben. – Ich hatte ihm die Schlüssel übergeben. – Ich hatte sie meinem Nachmieter übergeben. – Ich hatte sie ihm übergeben.

Die Dativ-Ergänzung steht normalerweise _____ der Akkusativ-Ergänzung.

Ist die Akkusativ-Ergänzung ein Pronomen, steht sie _____ der Dativ-Ergänzung.

Ⓖ

▶ Ü 3–4

b Angaben im Mittelfeld. Für die Reihenfolge der Angaben im Mittelfeld gibt es keine festen Regeln. In der Tabelle finden Sie einen Satz, der die häufigste Reihenfolge zeigt. Ordnen Sie den Angaben die richtige Bezeichnung zu und ergänzen Sie die Regel.

kausal (warum?)   **lo**kal (wo? woher? wohin?)   **te**mporal (wann?)   **mo**dal (wie?)

Ⓖ

		Mittelfeld			
Ich	bin	vor einigen Jahren	aus beruflichen Gründen	relativ spontan	nach Neuseeland	gezogen.
		temporal				

Ⓖ

Die Angaben im Mittelfeld folgen häufig der Reihenfolge: _____ vor _____

vor _____ vor _____ → Merkformel: tekamolo.

Wenn man eine Angabe besonders betonen möchte, kann man sie z.B. auf Position 1 stellen:
Vor einigen Jahren bin ich aus beruflichen Gründen relativ spontan nach Neuseeland gezogen.

▶ Ü 5

c Ergänzungen und Angaben im Mittelfeld. Lesen Sie die Sätze und ergänzen Sie die Regel.

Ich schickte meiner besten Freundin jeden Tag aus Heimweh mehrere E-Mails ins Büro.
Und dann wartete ich sehnsüchtig in meinem kleinen Zimmer auf Nachrichten.

Gibt es im Satz Ergänzungen und Angaben, steht die Dativ-Ergänzung ____ oder nach

der temporalen Angabe und die Akkusativ-Ergänzung ____ der lokalen Angabe.

Präpositional-Ergänzungen stehen normalerweise _____ den Angaben, am Ende des

Mittelfelds.

Ⓖ

▶ Ü 6

5 Schreiben Sie einen Satz mit Ergänzungen und Angaben auf ein Blatt. Zerschneiden Sie den Satz in Satzglieder, mischen Sie die Zettel und geben Sie sie an Ihren Nachbarn / Ihre Nachbarin weiter. Er/Sie bringt die einzelnen Zettel wieder in eine korrekte Reihenfolge.

 6 Jemand möchte in Ihr Land auswandern. Stellen Sie wichtige Informationen zusammen.

Ausgewanderte Wörter

1a Im Deutschen werden viele Wörter aus dem Englischen (Anglizismen) und anderen Sprachen verwendet.
Sammeln Sie im Kurs Anglizismen, die Ihnen einfallen.

Sales account manager Germany

Job-Beschreibung:

Wir suchen einen *Sales account manager(in)*, mit einer Schlüsselposition als Key account manager, kombiniert mit einer regio... Sie sind verantwortlich für... das Verkaufen der komple... Metris Gesamtlösungen fü...

BEAUTY
COTTAGE
WELLNESSFARM &
BEAUTY SPA

b Im Zusammenhang mit dem Gebrauch von Anglizismen sprechen manche Menschen abwertend von „Denglisch" (zusammengesetzt aus „Deutsch" und „Englisch"), andere sehen die Verwendung englischer Begriffe positiv. Lesen Sie die Zitate und besprechen Sie sie mit Ihrem Partner / Ihrer Partnerin. Diskutieren Sie dann im Kurs.

> *Mich regen die Leute auf, die sich wichtig machen, indem sie möglichst viele englische Wörter verwenden. Ich finde das peinlich!*

Rainer Buck (Radio- und TV-Sprecher)

> *Sprachen sind offene Systeme, immer im Fluss. Das müssen sie sein, denn sie sind dazu da, alles auszudrücken, was wir denken können.*

Florian Coulmas (Sprachforscher)

eine Meinung ausdrücken
Ich denke, man kann das (nicht) so sehen, denn …
Meiner Meinung nach ist das Unsinn, denn …
Ich finde, dass man zwar einerseits …, andererseits ist es aber auch wichtig zu sehen, dass …
Ich bin da geteilter Meinung. Auf der einen Seite …, auf der anderen Seite …

▶ Ü 1

2 Gegen die Diskussionen über den angeblichen „Untergang der deutschen Sprache" startete der deutsche Sprachrat eine Aktion.

a Lesen Sie den ersten Abschnitt des Textes auf Seite 13 und erklären Sie die Aktion.

b Lesen Sie dann den ganzen Text und erstellen Sie eine Übersicht. Benutzen Sie auch ein Wörterbuch.

Sprache	Wort	Bedeutung	deutsches Wort
Kiswahili	nusu kaput	die Narkose	kaputt
…			

Trotz „noiroze" zur „arubaito"

Erstaunlich viele deutsche Wörter haben den Sprung in eine andere Sprache geschafft

Von Thomas Häusler

1 Wer kennt sie nicht, die Klage vom Niedergang der deutschen Kultursprache, bedingt durch die vielen neuen Wörter aus anderen Sprachen, die im Deutschen verwendet
5 werden. Der deutsche Sprachrat hatte das Klagen satt und forderte die Menschen weltweit auf, nach aus dem Deutschen „ausgewanderten Wörtern" zu suchen und sie nach München zu melden.

10 Die sportliche Idee des Rats hat sich ausgezahlt – sechstausendfach. So viele Wortmeldungen gingen ein. Eine Bereicherung: Neben den bekannten Klassikern wie *sauerkraut*, *kindergarten* und *weltschmerz* tauchte eine Vielzahl
15 neuer Wörter auf. Das schönste Beispiel ist vielleicht der Begriff *nusu kaput* aus dem ostafrikanischen Kiswahili. In der Sprache bedeutet *nusu* so viel wie ‚halb', *kaput* eben ‚kaputt', und als Summe ergibt das: ‚Narkose'.

20 Das Beispiel zeigt, wie die meisten Wörter den Sprung in eine andere Sprache schaffen. Nämlich dann, wenn es für etwas (Neues) noch kein Wort in dieser Sprache gibt. Besonders ins Russische sind deutsche Wörter
25 ausgewandert. Vom *vorschmack* (Hering-Vorspeise) bis zum *butterbrot* (Sandwich, allerdings ohne Butter).

Die ausgewanderten Wörter spiegeln oft jenes Bild wider, das sich viele Völker von
30 den Deutschen machen. So grenzen Finnen gerne die *besservisseri* aus, genauso wie die serbischen Schüler den *štreber*. Ihre Hausmeister nennen die Finnen *vahtimestari* (von Wachtmeister), während die Japaner mit der
35 *arubaito* eine Teilzeitarbeit bezeichnen, die neben dem Hauptjob verrichtet wird. Die Engländer wiederum kommandieren ihre Hunde bevorzugt auf Deutsch herum: *Platz! Pfui!*

40 Besonders erfolgreich waren und sind die Wörter aus dem Oktoberfest-Komplex. *Kipp es!* heißt auf Finnisch und in Argentinien so viel wie ‚Prost!'. Das Wort *gemütlichkeit* bedeutet im Amerikanischen ‚Volksfest', und
45 wenn ein Tscheche eine *runda* spendiert, so bekommt jeder im Lokal was zu trinken. Die Japaner bestellen ab und zu ein *kirushuwassa* (Kirschwasser), und wenn die Franzosen *un schnaps* zu viel hatten, beschimpfen sie ihren
50 Freund schon mal als *blödman*.

Eine gewisse Freude kann der Sprachrat nicht verbergen, wenn er meldet, dass es ein deutsches Wort sogar in die britische Jugendsprache geschafft hat: Statt *mega* heißt es in
55 London und Liverpool nun *uber*. Sogar in der Computerdomäne konnten sich deutsche Ausdrücke festsetzen: Israeli nennen das @-Zeichen *strudel*, und die Russen sagen *brandmauer* für die Schutzsoftware, die neu-
60 deutsch ‚Firewall' genannt wird.

Den größten Triumph im Wettstreit der Sprachen hat für uns aber das Wort *Handy* errungen. Es wurde nämlich im deutschen Sprachraum erfunden, auch wenn es englisch
65 klingt. Doch nun sind immer mehr Amerikaner zu hören, die ihr *mobile* auch *handy* nennen. Ist das nicht cool?

3a Gibt es in Ihrer Sprache deutsche Wörter? Überlegen und sammeln Sie gemeinsam im Kurs.

b Welche deutschen Wörter würden Sie gerne in Ihrer Sprache „aufnehmen"? Gibt es deutsche Wörter, die Sie besonders schön finden oder die etwas bezeichnen, wofür es in Ihrer Sprache kein Wort gibt? Wählen Sie drei Wörter und stellen Sie sie vor.

Missverständliches

1a Dass man irgendwo fremd ist, merkt man oft an Missverständnissen. Hören Sie vier Beispiele von interkulturellen Missverständnissen und machen Sie Notizen.

Beispiel 1: in Deutschland, Berlin; Gast aus Frankreich; Schild „Taxi frei" …

b Welche interkulturellen Missverständnisse haben Sie erlebt, von welchen haben Sie gehört? Berichten Sie.

über interkulturelle Missverständnisse berichten
In … gilt es als sehr unhöflich, …   Ich habe gelesen, dass man in … nicht …
Von einem Freund aus … weiß ich, dass man dort leicht missverstanden wird, wenn man …
Als ich einmal in … war, ist mir etwas sehr Unangenehmes/Lustiges passiert. …
Wir hatten einmal Besuch von Freunden aus …   Wir konnten nicht verstehen, warum/dass …

▶ Ü 1

2a Lesen Sie den Artikel und finden Sie Überschriften zu den drei Absätzen (Zeile 6–43).

Lerne die Regeln und verstehe das Spiel

1 **Stellen Sie sich einen Mannschaftssport vor – Basketball, Fußball oder Baseball –, den Sie schon seit Jahren spielen. Wie für jede Sportart gibt es Regeln, die, egal wo man spielt, gleich** 5 **sind.**

Das Phänomen Kultur ist damit vergleichbar: Man spielt in einem Team. Wie für jedes Spiel gibt es bestimmte Regeln. Für das „Spiel" Kultur gilt jedoch, ändert man den Wohnort und damit das 10 Team, dann verändern sich auch die Spielregeln. Im Gegensatz zum Sport gibt es keine Regeln, die immer und überall gültig sind. In jedem Land gelten andere Regeln. Daher müssen Sitten und Gebräuche anderer Kulturen erlernt und erfahren 15 werden. Ansonsten kann es passieren, dass man Fußball spielen möchte, während alle anderen Basketball spielen.

Auf die kurze Frage „Was ist eigentlich Kultur?" gibt es keine einfache Antwort. Nimmt man jedoch 20 die am häufigsten gebrauchte Definition, besteht Kultur aus den Werten, Normen und Verhaltensweisen, die von den Mitgliedern einer Gesellschaft geteilt werden und ihr Verhalten beeinflussen. Diese geteilten Werte einer Gesellschaft sind er 25 lernt und werden nicht biologisch vererbt. Durch die Erziehung in einer Kultur lernen wir die wichtigsten Regeln und Verhaltensweisen, um den Erwartungen dieser Gesellschaft gerecht zu werden.

Jede Kultur hat eigene Vorstellungen davon, 30 wie sich ein Mensch „richtig" oder „falsch" verhält, da es kulturspezifische Verhaltensmuster sind. Wenn Menschen aus mehreren Kulturen aufeinandertreffen, begegnen sich auch unterschiedliche Weltansichten. Fehlinterpretationen, Missver 35 ständnisse und Probleme entstehen oft deshalb, weil jede Seite dazu tendiert, die andere Gruppe aus der eigenen kulturellen Sicht zu betrachten. Für das bessere Verständnis anderer Kulturen ist es daher wichtig, sich darüber bewusst zu werden. Es 40 gibt in der Auseinandersetzung mit einer anderen Kultur kein „richtig oder falsch", sondern das Verhalten und die Sitten sind anders und unterschiedlich.

b Was sagt der Text zu den Ausdrücken: Spielregel, Kultur und Verhaltensmuster? Machen Sie Notizen.

c Warum ist es für das bessere Verständnis anderer Kulturen wichtig, kulturelle Unterschiede zu erkennen? Diskutieren Sie.

▶ Ü 2–3

3 Verstehen – missverstehen: Welche Möglichkeiten kennen Sie, im Deutschen etwas zu verneinen? Sammeln Sie, nutzen Sie auch die Redemittel aus Aufgabe 1b.

kein, niemand, autofrei, ...

a Verneinen Sie die unterstrichenen Wörter.

1. Hast du <u>schon einmal</u> ein interkulturelles Missverständnis erlebt?
2. Ist das Getränk <u>mit Alkohol</u>?
3. Er hat ihr <u>etwas</u> Neues erzählt.
4. Hat denn <u>jemand</u> eine Idee?
5. Wir können heute <u>noch</u> fertig werden.
6. Wir machen jetzt <u>eine Pause</u>.
7. So etwas kann man <u>überall</u> kaufen.
8. Ich finde die Reaktion total <u>verständlich</u>.
9. Wir haben <u>immer</u> über diese Missverständnisse gesprochen.
10. Ich finde ihr Verhalten sehr <u>tolerant</u>.

1. Hast du noch nie ...

b Negation mit Wortbildung. Ergänzen Sie Beispiele in der Tabelle.

	Verb	Substantiv	Adjektiv
un-		*die Unsicherheit*	
in-			
des-/dis-			
a-/ab-			
non-			
miss-			
-los/-frei			
-leer			

▶ Ü 4–5

4a Position von *nicht*. Lesen Sie die Sätze. Kreuzen Sie an, was verneint ist: ein Satzteil oder der ganze Satz?

	Satzteil	Satz
1. Sie kommt heute nicht.	☐	☐
2. Nicht sie ist heute gekommen, sondern ihre Freundin.	☐	☐
3. Sie ist heute nicht gekommen.	☐	☐
4. Sie ist heute nicht zu früh gekommen.	☐	☐
5. Sie kommt heute nicht zu uns.	☐	☐

b Ergänzen Sie die Regel.

Nicht verneint einen ganzen Satz: Es steht am _____ des Satzes bzw. _____ dem zweiten Teil der Satzklammer (z.B. Partizip, Infinitiv, trennbarer Verbteil), vor Adjektiven (z.B. *gut, früh, teuer*), _____ Präpositional-Ergänzungen (z.B. *Ich interessiere mich nicht für ...*) und Lokalangaben (z.B. *Sie kommt nicht dorthin.*)

Nicht verneint einen Satzteil: Es steht direkt _____ diesem Satzteil.

▶ Ü 6

5 Notieren Sie einen Satz, mit oder ohne Negation, auf einem Zettel. Alle Zettel werden gemischt. Ziehen Sie einen Zettel, lesen Sie den Satz vor und sagen Sie dann das Gegenteil.

Zu Hause in Deutschland

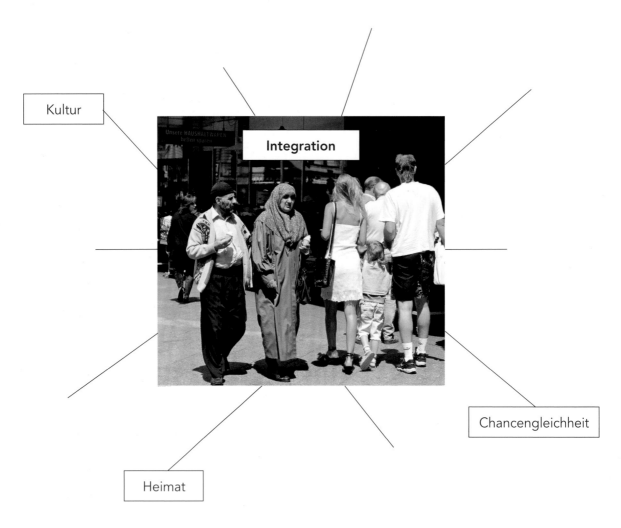

Kultur

Integration

Chancengleichheit

Heimat

1 Klären Sie, was die Begriffe mit Integration zu tun haben, und ergänzen Sie weitere Begriffe. Was bedeutet für Sie Integration? Diskutieren Sie.

1.6

2a Hören Sie einen Radiobeitrag zum Thema „Integration". Der Beitrag ist in drei Abschnitte aufgeteilt. Was ist der Schwerpunkt der einzelnen Abschnitte? Geben Sie jedem Abschnitt eine passende Überschrift.

Abschnitt 1: _____

Abschnitt 2: _____

Abschnitt 3: _____

b Hören Sie den Beitrag noch einmal in Abschnitten.

1.6

Abschnitt 1: Ergänzen Sie die Informationen.

Anzahl der Menschen in Deutschland mit Migrationshintergrund: _____

Davon deutsche Staatsbürgerschaft: _____

Herkunftsland mit den meisten Zuwanderern: _____

keinen Schulabschluss: _____   keinen Berufsabschluss: _____   Arbeitslosenquote: _____

1.7

Abschnitt 2: Notieren Sie zu jeder Aussage einen Schlüsselbegriff und erläutern Sie anhand der Begriffe die Meinungen der befragten Personen.

Person 1:	Person 2:	Person 3:
Sprache		
Person 4:	**Person 5:**	**Person 6:**

1.8

Abschnitt 3: Ergänzen Sie die Zusammenfassung.

Mit diesem Projekt sollen _____ gefördert werden. Das Projekt findet

vorerst an _____ Schulen in _____ statt. Die Schüler absolvieren nicht nur

verschiedene Berufspraktika, sondern erhalten auch _____

_____.

Ziel ist die Verbesserung _____ und damit die Verhinderung

_____.

▶ Ü 1

1.9

3a Hören Sie Abschnitt 2 noch einmal. Wie drücken die befragten Personen ihre Meinung aus? Notieren Sie die Redemittel und sammeln Sie weitere.

eine Meinung äußern	auf Meinungen reagieren
	Da hast du / haben Sie völlig recht.
	Ich bin ganz deiner/Ihrer Meinung.
	Ich stimme dir/Ihnen zu.
	Der Meinung bin ich auch, aber ...
	Das ist sicher richtig, allerdings ...
	Ich sehe das (etwas/völlig) anders, denn ...
	Da muss ich dir/Ihnen aber widersprechen.
	Ich bezweifle, dass ...

▶ Ü 2

b Diskutieren Sie über den Radiobeitrag. Was müssen Staat, Gesellschaft und der Einzelne leisten, damit Integration gelingen kann? Berichten Sie auch von eigenen Erfahrungen und verwenden Sie die gesammelten Redemittel.

▶ Ü 3

Zu Hause in Deutschland

4a Arbeiten Sie zu dritt. Jeder liest einen Text und markiert die wichtigsten Informationen.

Koko N'Diabi Roubatou Affo-Tenin kann ihre Herkunft nicht verbergen, allerdings läge ihr auch nichts ferner: Ihr Haar, in Zöpfchen geflochten, bindet die Togoerin auf dem Rücken zusammen; in ihrem Kleid leuchtet sie farbenfroh inmitten hellgrauer Häuser. „Ich trage nur afrikanische Kleidung, weil ich mich darin wohlfühle."

Zweimal floh sie vor der eigenen Familie: Wanderarbeiter, die das Mädchen an einen Fremden verheiraten wollten. Sie besucht in der nächsten Stadt die Schule, wird schwanger, muss für den kleinen Sohn sorgen, verkauft Feuerholz und selbstgebackene Kekse. Aber Koko will mehr. Nach einer Odyssee durch die Wüste und übers Meer erreicht sie ihr Traumziel Berlin, studiert Betriebswirtschaft.

Heute leitet sie mit ihrem Mann eine Hausverwaltung in Berlin; ihr Sohn ist Ingenieur, Koko fühlt sich zu Hause: „Ich hatte Glück, Diskriminierung habe ich nicht erlebt. Noch nicht", fügt sie nachdenklich an. Ihr Selbstbewusstsein ist vielleicht der beste Schutz: „Ich bin Deutsch-Afrikanerin und will zeigen, dass Deutschland nicht nur blond und blauäugig ist."

Ivan Novoselić kam vor fünfzehn Jahren mit seiner Familie aus Kroatien nach Bochum und arbeitet in der Produktion eines großen Automobilherstellers. Seine Kinder gehen in Deutschland zur Schule, seine jüngste Tochter wurde hier geboren. „Aber trotzdem fühle ich mich hier nicht wirklich zu Hause. Wir werden immer Ausländer bleiben. Ich habe das Gefühl, wir können machen, was wir wollen. Nachbarn und Kollegen sehen uns immer als ‚die Fremden'."
Die meisten Freunde der Familie stammen auch aus Kroatien. Private Kontakte zu Deutschen gibt es kaum. Seine Kinder kennen Kroatien nur aus dem Urlaub, aber hier sind sie auch nicht zu Hause. Sie fühlen sich zerrissen, leben zwischen zwei Kulturen. Ivan Novoselić denkt oft darüber nach, ob er wieder nach Kroatien gehen soll. „Bis zur Rente bleibe ich noch hier, aber dann will ich zurück. Die Kinder sind dann alt genug. Sie können dann selbst entscheiden, wo sie leben wollen."

Sandeep Singh Jolly, Gründer der Berliner Software- und Telekomfirma teta, wird nach 24 Jahren in Deutschland immer noch gelegentlich gefragt, wann er denn „wieder mal nach Hause" fahre. „Ich sage dann gern: ‚Jeden Abend!'"

Als er 1982 nach Deutschland kam, wurde sein Schulabschluss von einer Elite-Highschool in Bombay nicht anerkannt. Nachdem er in Windeseile Deutsch gelernt, die Hochschulreife nachgeholt und nebenbei noch das Charlottenburger Gewürz- und Gemüsegeschäft der Familie geführt hatte, ließ man ihn wegen einer Ausländerquote ein Jahr lang warten, bis er endlich Informatik studieren durfte. Doch Sandeep Jolly ließ sich nicht ausbremsen. Während des zweiten Semesters gründete er mit Kommilitonen eine erste Firma. Und dann ging es eigentlich immer so weiter.

Was ist das Geheimnis seines Erfolgs? „Ich habe mich von Anfang an für Deutschland entschieden", sagt er. Zurückgehen war keine Option, und Scheitern kam nicht infrage. Er musste um jeden Preis in dem fremden Land zurechtkommen.

Fragt man Herrn Jolly, der längst deutscher Staatsbürger ist, nach seiner Identität, dann sagt er: „Ich bin Deutsch-Inder." An der deutschen Unternehmenskultur liebt er das rationale Planen und Projektieren, an der indischen die Flexibilität und Gelassenheit. Es falle ihm oft schwer, die „deutsche Zaghaftigkeit, den mangelnden Kampfgeist und den Sozialneid" zu verstehen.

b Notieren Sie die wichtigsten Informationen zu „Ihrer" Person.

Koko N'Diabi Roubatou Affo-Tenin

kommt aus Togo

Ivan Novoselić

Sandeep Singh Jolly

c Stellen Sie „Ihre" Person vor. Ihre Partner notieren die Informationen in dem entsprechenden Kasten.

d Was sagen die drei Personen zum Thema „Identität" oder „Migration"? Welche Aussage finden Sie besonders interessant?

▶ Ü 4

5 Schreiben Sie in einem Forum einen Beitrag zum Thema „Integration". Gehen Sie dabei auf folgende Punkte ein:

- Beschreiben Sie, was für Sie persönlich Integration bedeutet.
- Welche Maßnahmen müssen erfolgen, damit Integration funktioniert?
- Wie ist die Situation in Ihrem Land?
- Berichten Sie von eigenen Erfahrungen.

6 Ihre Sprachschule veranstaltet einmal pro Jahr ein großes Fest, das den ganzen Tag dauert. Dieses Jahr soll es ein multikulturelles Fest sein. Sie sollen zu zweit dieses Fest planen. Überlegen Sie, was für ein Programm Sie anbieten können, wer welche Aufgaben übernimmt und was Sie alles brauchen und organisieren müssen. Machen Sie Ihrem Partner / Ihrer Partnerin Vorschläge und entwickeln Sie dann gemeinsam ein Programm.

Vorschläge machen
Wie wär's, wenn ...?   Was hältst du von folgendem Vorschlag: ...?   Ich hätte da eine Idee: ...
Wir könnten doch ... / Wir sollten auch ...   Ich könnte mir vorstellen, dass wir ...

▶ Ü 5

Fatih Akın (* 25. August 1973 in Hamburg)

Filmregisseur

Fatih Akın

Fatih Akın ist deutscher Filmregisseur, Drehbuchautor, Schauspieler und Produzent türkischer Abstammung. Sein Vater übersiedelte 1965 nach Deutschland. Seine Mutter folgte drei Jahre später. Geboren und aufgewachsen ist Akın im multikulturellen Hamburger Stadtteil Altona. Im Alter von 16 Jahren stand für ihn nach ersten Schauspielerfahrungen auf der Schule fest, dass er ins Filmgeschäft will. Erste Videoproduktionen mit Freunden und einer Super-8-Kamera entstanden und er wurde Mitglied einer Off-Theatergruppe am Hamburger Thalia Theater. Seit seiner Schulzeit schreibt Akın Kurzgeschichten und kurze Drehbücher.

1993 begann Akın mit Aushilfstätigkeiten vor und hinter den Filmkulissen und arbeitete zunehmend als Autor, Regisseur und Schauspieler. 1994–2000 absolvierte er das Studium „Visuelle Kommunikation" an der Hamburger Hochschule für bildende Künste. Aus der Zusammenarbeit mit dem Produzenten Ralph Schwingel gingen zunächst zwei Kurzfilme hervor; vier preisgekrönte Spielfilme sollten folgen. 1998 debütierte Akın als Spielfilmregisseur mit „Kurz und schmerzlos". 1999 hatte er eine Hauptrolle im Thriller „Kismet".

2004 gewann Fatih Akıns Film „Gegen die Wand" den Goldenen Bären auf dem Berliner Filmfest. Als ungewöhnlich frühe Anerkennung seines Filmschaffens wurde Fatih Akın 2005 in die Jury der Filmfestspiele von Cannes eingeladen, dem wichtigsten europäischen Filmfestival. 2005 veröffentlichte Fatih Akın seinen Film „Crossing the Bridge – The Sound of Istanbul", einen Film über die Musik Istanbuls. Mit seinem Film „Auf der anderen Seite" gewann Akın 2007 im Wettbewerb des 60. Filmfestivals von Cannes den Drehbuchpreis.

Akın erklärte die besondere Perspektive von Regisseuren nicht-deutscher Herkunft in einem Interview: „Unser Blick auf die deutsche Gesellschaft ist ein anderer. Und dadurch auch der auf das Kino. Wir haben noch einen zweiten Blick, den unserer Herkunftsländer. Darum sehen wir das Land durch ganz andere Augen. Wir sehen Sachen, die andere Leute nicht mehr wahrnehmen. Das macht unsere Filme anders."

Mit seiner deutsch-mexikanischen Frau Monique Obermüller und seinem Sohn wohnt Akın in Hamburg. Obermüller ist Schauspielerin, sie tritt in einigen seiner Filme auf und unterstützt ihren Mann organisatorisch. Akıns älterer Bruder Cem Akın arbeitet hauptberuflich im türkischen Konsulat und tritt gelegentlich als Darsteller in seinen Filmen auf. Fatih Akın gilt als zielstrebig und temperamentvoll. In seiner Freizeit legt er in Szene-Kneipen Platten auf.

Mehr Informationen zu Fatih Akın

Sammeln Sie Informationen über Persönlichkeiten aus dem In- und Ausland, die zum Thema „Heimat" interessant sind, und stellen Sie sie im Kurs vor. Sie können dazu die Vorlage „Porträt" im Anhang verwenden. Beispiele aus dem deutschsprachigen Bereich: Feridun Zaimoglu – Minh-Khai Phan-Thi – Goran Kovačević – Gerald Asamoa – Wladimir Kaminer – Patricia Kaas

1 Wortstellung im Satz

Dativ- und Akkusativ-Ergänzungen

Dativ-Ergänzungen stehen vor Akkusativ-Ergänzungen.	Ich gebe dem Mann die Schlüssel.
Aber: Ist die Akkusativ-Ergänzung ein Pronomen, steht sie **vor** der Dativ-Ergänzung.	Ich gebe sie dem Mann / ihm.

Reihenfolge der Angaben im Mittelfeld

Ich	bin	Mittelfeld				gezogen.
		vor einigen Jahren	aus beruflichen Gründen	relativ spontan	nach Neuseeland	
		temporal	**kausal**	**modal**	**lokal**	

Will man eine Angabe betonen, so ändert sich die Reihenfolge. Man kann z.B. das, was man betonen möchte, auf Position 1 stellen.
Aus beruflichen Gründen bin ich vor einigen Jahren spontan nach Neuseeland gezogen.

Reihenfolge von Ergänzungen und Angaben im Mittelfeld

Ich	habe	Mittelfeld					geschickt.
		meiner besten Freundin	jeden Tag	aus Heimweh	mehrere E-Mails	ins Büro	
		Dativ	**temporal**	**kausal**	**Akkusativ**	**lokal**	

Die Dativergänzung kann auch nach der Temporalangabe stehen.
Ich habe jeden Tag meiner besten Freundin aus Heimweh mehrere E-Mails ins Büro geschickt.
Präpositional-Ergänzungen stehen normalerweise nach den Angaben.

2 Negation

Negationswörter

etwas	↔	nichts	schon/bereits	↔	noch nicht
jemand	↔	niemand	schon/bereits einmal	↔	noch nie
irgendwo	↔	nirgendwo/nirgends	immer	↔	nie/niemals
			(immer) noch	↔	nicht mehr

Negation mit Wortbildung

miss-	verneint Verben, Substantive und Adjektive
un-, in-, des-/dis-, a-/ab-, non-	verneinen Substantive und Adjektive
-los/-frei, -leer	verneinen Adjektive

Position von _nicht_

Wenn _nicht_ einen ganzen Satz verneint, steht es im Satz ganz hinten oder vor dem zweiten Verbteil (z.B. Partizip, Infinitiv, trennbarer Verbteil), vor Adjektiven (_gut, früh, teuer, …_) und vor Präpositional-Ergänzungen (_Ich interessiere mich nicht für …_) sowie lokalen Angaben (_Sie kommt nicht dorthin._). Wenn _nicht_ einen Satzteil verneint, steht es direkt vor diesem Satzteil.

1a Was bedeutet das Wort „Auswandern"? Erklären Sie.

b Warum verlassen Menschen dauerhaft ihr Heimatland, ihre Familie und Freunde? Sammeln Sie Gründe.

c Können Sie sich vorstellen, selbst einmal auszuwandern? Wohin würden Sie gehen? Welche Schwierigkeiten könnten mit der Zeit auftreten?

Eva

Uwe

Yvonne

Denise

Janine

2a Sehen Sie den ganzen Film. Fassen Sie den Inhalt kurz zusammen.

b Was sagen die Personen im Film zu ihrem Neubeginn? Notieren Sie die Namen.

1. _____ Und dann war es so, dass ich ein kleines Geschäft in Deutschland hatte, und ... Computerbereich lief nicht mehr so gut.

2. _____ Ich kannte hier keinen und ich konnte auch gar kein Spanisch, und da waren so viele Kinder und alle sprechen halt in Spanisch.

3. _____ Ich war noch klein, und ich war erst zwölfeinhalb, und da musste ich halt mit. Ich konnte mich ja nicht dagegen wehren.

4. _____ Noch sind wir in einem Alter, wo man noch mal was Neues anfangen kann, und da haben wir das in Angriff genommen.

5. _____ Wir kommen im nächsten Jahr runter, machen erst mal Urlaub und dann gucken wir uns das mal an.

c Wie finden Sie die Familie?

3 Klären Sie die Bedeutung folgender Wörter und Wendungen aus dem Film:

1 etwas in Angriff nehmen   a traurig werden
2 sich durchbeißen   b der Lebens- oder Ehepartner
3 ein „Mann für alle Fälle"   c die Jahre nach dem Arbeitsleben
4 das Herz wird schwer   d jemand, der vielfältig begabt ist
5 die „bessere Hälfte"   e beginnen, etwas zu tun
6 der Lebensabend   f etwas trotz Widerständen durchsetzen

1 ◗◗ 4 Bilden Sie zwei Gruppen. Sehen Sie die erste Sequenz des Films und beantworten Sie die Fragen. Tauschen Sie die Ergebnisse im Kurs aus.

Gruppe A:
Was haben die Eltern in Deutschland beruflich gemacht? Welche Motive hatten sie, Bielefeld zu verlassen? Warum haben sie Spanien gewählt?

Gruppe B:
Wie haben die jüngsten Kinder der Knells (Yvonne und Denise) reagiert, als sie von den Auswanderungsplänen ihrer Eltern erfahren haben?

2 ◗◗ 5a Sehen Sie die zweite Filmsequenz und machen Sie Notizen zur Situation der Knells in Alicante: Wohnverhältnisse, Arbeit und Einkommen, Schule, Sprache, Behörden, Integration, ... Sprechen Sie dann im Kurs.

b Was machen die Knells Ihrer Meinung nach gut und was sollten sie anders machen?

c Was glauben Sie: Warum zögert die älteste Tochter (Janine) noch, zu ihren Eltern nach Spanien zu ziehen?

6 Sprechen Sie mit Ihrem Partner / Ihrer Partnerin über die Grafik.

a Was sagt die Statistik zu den Zahlen deutscher Auswanderer aus? Welche Gründe für die Veränderungen vermuten Sie?

b Wie erklären Sie sich die Rangfolge der beliebtesten Auswanderungsländer?

c Diskutieren Sie Ihre Vermutungen zu Aufgabe 6a und b im Kurs.

d Welche Länder sind in Ihrer Heimat beliebte Auswanderungsziele?

Auf der Suche nach dem Glück in der Ferne

So viele Deutsche wanderten aus (in 1 000)

1960 1970 1980 1990 2000 '05

94 61 54 109 111 145

Die beliebtesten Ziele 2005 (Zahl der Auswanderer)

Land	Zahl der Auswanderer
Schweiz	14 410
USA	13 570
Österreich	9 310
Polen	9 230
Großbritannien	9 010
Spanien	7 320
Frankreich	7 320
Italien	3 440
Niederlande	3 400
Kanada	3 030
Türkei	2 800
Australien	2 510
Belgien	2 490
Russland	2 420
China	2 030

© Globus
G 1238
Quelle: Stat. Bundesamt
bis 1990 früheres Bundesgebiet

Sprich mit mir!

1 Sind Sie fit in Kommunikation? Bearbeiten Sie die Aufgaben A bis F. Manchmal gibt es mehrere Antworten.

A Sehen Sie sich die Zeichnung an. Was will Marie ihrem Mann sagen? Notieren Sie eine „Übersetzung".

_____

_____

_____

_____

_____

_____

B Sehen Sie sich das gleiche Bild aus zwei unterschiedlichen Perspektiven an. Wie wirkt die Frau auf Bild A? Wie auf Bild B? Notieren Sie je ein passendes Adjektiv.

_____   _____

C Was bedeuten diese Piktogramme? Was soll, kann, darf man hier (nicht) tun?

_____   _____

_____   _____

D Welche Informationen transportieren diese Augen und Münder?

1 _____   2 _____   3 _____

4 _____   5 _____   6 _____

E Was sagen Ihnen die folgenden Blumen? Notieren Sie ein Stichwort.

_____   _____   _____

F Hören Sie zu und kreuzen Sie an. Welche Szene bedeutet etwas Positives (+)? Welche etwas Negatives (-)?

1.10

	+	–			+	–
Szene A	☐	☐		Szene G	☐	☐
Szene B	☐	☐		Szene H	☐	☐
Szene C	☐	☐		Szene I	☐	☐
Szene D	☐	☐		Szene J	☐	☐
Szene E	☐	☐		Szene K	☐	☐
Szene F	☐	☐		Szene L	☐	☐

2 Vergleichen Sie Ihre Ergebnisse im Kurs. Gibt es Unterschiede? Wenn ja, wie können Sie diese erklären?

3a Wir kommunizieren auf unterschiedlichen Wegen. Welche wurden bisher angesprochen?

b Kennen Sie noch andere Wege, über die wir Botschaften senden und empfangen? Recherchieren Sie im Internet mithilfe der Stichworte „zwischenmenschliche Kommunikation" und „nonverbale Kommunikation".

Gesten sagen mehr als tausend Worte ...

1a Was könnten diese Handbewegungen bedeuten? Ordnen Sie die Bedeutungen a–d den Bildern zu.

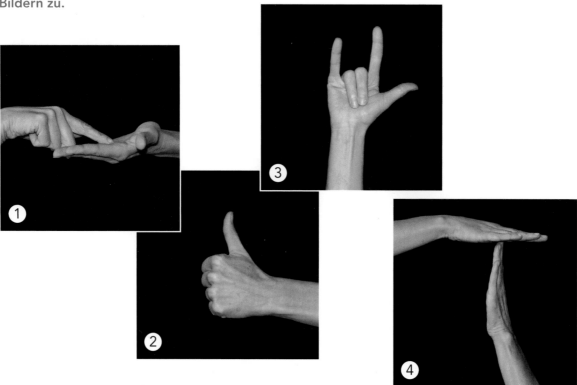

a Diese Geste kommt aus dem American Football und bedeutet *time out* (Auszeit).	**c** Die gebräuchlichste Bedeutung dieser Geste ist das *o.k.* In Japan dagegen bedeutet sie *Mann*.
b Diese Geste stammt aus Israel und bedeutet: *Bevor ich dir das glaube, wächst mir Gras aus der Hand.*	**d** Diese Geste stammt aus der Gebärdensprache und bedeutet: *Ich liebe dich.*

▶ Ü 1 **b** Kennen Sie noch andere Gesten? Zeigen Sie sie und lassen Sie die anderen Kursteilnehmer raten, was sie bedeuten.

2a Was ist Körpersprache? Muss man sie lernen?

1.11 **b** Hören Sie einen Beitrag zum Thema „Körpersprache". Welche Aspekte werden genannt?

c Hören Sie noch einmal und ergänzen Sie die Satzanfänge.

a Körpersprache drückt sich aus in <u>Mimic, Körperbewegung, Gesten, Tonfall</u>

b Menschen verraten ihre Emotionen, weil <u>unser Körper kann nicht lügen</u>

c Fast alle Erdbewohner benutzen <u>die gleiche Mimik</u>

d Jedes Baby versteht Lächeln als <u>etwas positives</u>

e Gesten sind <u>kultur spezifisch</u>

▶ Ü 2–3 f Körpersignale aus anderen Kulturen <u>bedeutet oft etwas anderes</u>

26

3a Vergleiche anstellen. Ergänzen Sie in den Sätzen *als* oder *wie*.

1. Botschaften der Körpersprache nehmen wir genauso schnell wahr, _wie_ wir gesprochene Sprache aufnehmen.

2. Instinktiv achten wir viel mehr auf Körpersprache, _als_ wir meinen.

3. Körpersignale aus anderen Kulturen bedeuten oft etwas anderes, _als_ man denkt.

1.12

b Hören Sie zur Kontrolle nochmals drei Sätze aus dem Beitrag zur Körpersprache.

c Ergänzen Sie die Regel.

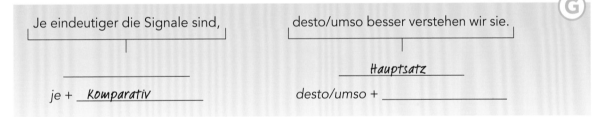

1. *so/genauso* + Grundform + _____   2. Komparativ + _____   3. *anders* + _____

Ⓖ

▶ Ü 4–5

d Unterstreichen Sie in den folgenden Sätzen die Verben. Bestimmen Sie Haupt- und Nebensatz.

1. Je eindeutiger die Signale sind, desto besser verstehen wir sie.

2. Je länger ein Gespräch dauert, umso klarer wird das Ausdrucksmuster von Körpersignalen.

e Markieren Sie in jedem Teilsatz die Konnektoren. Ergänzen Sie dann die Regel.

Ⓖ

Je eindeutiger die Signale sind,	desto/umso besser verstehen wir sie.
	Hauptsatz
je + _Komparativ_ _____	desto/umso + _____

4 Bilden Sie Vergleichssätze mit *je ... , desto/umso*.

1. Man versteht Körpersprache gut. Es gibt wenig Missverständnisse. 2. Man nimmt Körpersignale schnell wahr. Man kann angemessen reagieren. 3. Man erkennt Reaktionen des Kunden leicht. Man kann Verkaufsverhandlungen optimieren. 4. …

▶ Ü 6–7

5 Stellen Sie ein Gefühl pantomimisch dar. Die anderen raten.

Früh übt sich …

1 Welche Fremdsprachen sprechen Sie? Wann haben Sie begonnen, eine Sprache zu lernen? Welches Alter ist Ihrer Meinung nach das beste, um eine Sprache zu lernen?

2a Lesen Sie den Text. Welche Meinung hat der Autor zum Thema „Frühes Fremdsprachenlernen"?

Früh übt sich – auch beim Fremdsprachenlernen

1 Frühes Lehren und Lernen fremder Sprachen in der Grundschule ist nichts Neues. Die Waldorfschulen praktizieren es bereits seit 1919. Je früher man einem Kind nämlich die Gelegenheit gibt,
5 mehrere Sprachen zu hören, umso früher beginnt es auch, diese Sprachen zu verstehen und zu sprechen. Dass beim frühen Lernen eine bessere Sprachbeherrschung erreicht werden kann, wird häufig mit zwei Argumenten bestritten. Kinder, so
10 heißt es, brauchten Zeit zum Spielen; Lernen könnten sie später. Außerdem sollten sie zunächst ihre Muttersprache „richtig" können, ehe sie sich mit anderen Sprachen befassen.

Beide Argumente sind falsch. Es ist wissen-
15 schaftlich nachgewiesen, dass die Möglichkeiten und die Bereitschaft zum Lernen gerade in der frühen Kindheit am stärksten ausgeprägt sind und darum weit mehr als heute üblich genutzt werden sollten; der Muttersprachenerwerb ist in
20 der Regel spätestens im fünften Lebensjahr grundlegend abgeschlossen. Kinder, die zwei- oder mehrsprachig aufwachsen, können die Sprachen, die sie lernen, zwar kurzfristig „mischen"; aber es ist nicht richtig, dass sie bei der Kenntnis zweier
25 oder mehrerer Sprachen keine von ihnen so gut beherrschen wie Kinder, die einsprachig aufwachsen. Langfristig verfügen sie nämlich über einen größeren Wortschatz in all den Sprachen, die sie kennen, sie sind vielseitiger in ihrer allgemeinen
30 Lernbereitschaft, und sie sind in ihrer Auffassungsgabe einsprachig aufwachsenden Kindern überlegen.

Kinder sind also kleine Sprachgenies, und zwar nicht nur dann, wenn sie ihre Muttersprache lernen.
35 Auch in der Grundschule ist ihr Sprachtalent noch immer stark ausgeprägt, und sie können hier fremde Sprachen schneller und besser erwerben, als es später jemals möglich sein wird. Auf eine einfache Formel gebracht kann man deshalb sagen: Je früher
40 man einem Kind Gelegenheit gibt, zwei oder mehr Sprachen zu hören, umso früher beginnt es auch, diese Sprachen zu verstehen und zu sprechen.

Ein zweiter Grund, der für frühes Fremdsprachenlernen spricht, ist die Tatsache, dass Kin-
45 der perfekte Imitatoren sind. Was sie hören, sprechen sie perfekt nach, und dabei ist es ihnen völlig gleichgültig, ob es sich um ihre Muttersprache oder um eine andere Sprache handelt.

Authentische Sprachvorbilder sind deshalb die
50 beste Voraussetzung für ein richtiges „Einhören" in eine andere Sprache. Im Idealfall sollte früher Fremdsprachenunterricht darum von Lehrerinnen und Lehrern erteilt werden, die Muttersprachler sind. Deutsche Fremdsprachenlehrer, die eine an-
55 dere Sprache selbst als Fremdsprache gelernt haben, sind nur selten in der Lage, in Aussprache, Intonation und spontaner Sprachbeherrschung so perfekt zu sein wie jemand, der eine Sprache von klein auf benutzt hat. Hier liegt eine der gegen-
60 wärtigen Schwachstellen bei der Einführung von Fremdsprachen in der Grundschule. Die meisten Lehrerinnen und Lehrer erteilen zurzeit Unterricht in einer fremden Sprache, ohne dafür ausreichend – wenn überhaupt – vorbereitet worden zu
65 sein. Nur wenige Grundschullehrer können mit ihrem Examen zugleich auch die Lehrbefähigung für eine Fremdsprache erwerben. Die meisten unterrichten dieses Fach darum bis jetzt mit viel Begeisterung, mit grundschulpädagogischem En-
70 gagement, aber ohne ausreichende fremdsprachliche Kompetenz.

b Notieren Sie aus dem Text:

Pro-Argumente	Contra-Argumente	jetzige Situation
- Sprachen früher lernen → Sprachen besser beherrschen - Kinder sind die perfekte Imitatoren	Kinder brauchen Zeit zum Spielen - Lernen kommt später	

c Notieren Sie Informationen aus Ihrer Perspektive:

– Für Sie interessante Aspekte und Argumente aus dem Text
– Eigene Erfahrungen
– Ihre Meinung

d Arbeiten Sie in zwei Gruppen. Jede Gruppe sammelt Redemittel zu einem Bereich. Tauschen Sie anschließend Ihre Redemittel aus.

A Sich über einen Text äußern

Ein Thema angeben	Interessante Inhalte benennen	Eigene Argumente nennen
In dem Text geht es um ... Es handelt sich in dem Text um ... Der Text spricht über ... Im Text steht ...	Ich finde besonders interessant, ... Was eigentlich interessant ist ... Es ist von Erwähnungswert ... / merkwürdig Eine Interpretation könnte ... sein	Ich möchte noch ergänzen, ... Man muss ... bemerken Ich möchte hinzufügen ...

B Diskutieren

Zustimmung ausdrücken	Ablehnung ausdrücken	Zweifel ausdrücken
Ja, das stimmt. gleiche Meinung Sie haben recht. zustimmen	Ich bin anderer Meinung ...	Ich bin da nicht sicher ...

TELC

e Diskutieren Sie mit Ihrem Partner / Ihrer Partnerin über den Inhalt des Textes, bringen Sie Ihre Erfahrungen ein und äußern Sie Ihre Meinung. Begründen Sie Ihre Argumente. Sprechen Sie über mögliche Lösungen.

▶ Ü 1–2

Smalltalk – die Kunst der kleinen Worte _____

1a Stellen Sie sich folgende Situation vor: Sie sind bei der Arbeit und warten in einem Besprechungsraum auf jemanden, der einen Vortrag halten soll. Mit Ihnen sind noch zwei Personen im Raum, die Sie nicht kennen. Wie kommen Sie mit den anderen ins Gespräch? Sammeln Sie im Kurs Ideen für geeignete Themen. Sammeln Sie auch Themen, die man lieber vermeiden sollte.

b Lesen Sie den Text und machen Sie Notizen. Welche Tipps gibt der Text zu den Punkten: „Gespräche beginnen", „Themenwahl" und „Sympathie gewinnen"?

Geschickt Smalltalken

1 Sie sitzen bei einem geschäftlichen Dinner und ausgerechnet Ihr Tischnachbar ist ein Langeweiler. Worüber sollen Sie mit dem reden? Später wird Ihnen der Chef Ihres Mannes vorgestellt. Was erzählen Sie dem? Die Kunst des Smalltalkens will gelernt sein.
Jürgen Hesse, Gründer und Inhaber des „Büros für Berufsstrategie", gibt Seminare zum Thema
5 Smalltalk und hat zwei Bücher darüber geschrieben:

Es ist wirklich eine hohe Kunst, ein Gespräch zu eröffnen und damit das Ping-Pong-Spiel Kommunikation zu starten. Es kann immer mal passieren, dass Sie bei einer Party neben dem langweiligsten Tisch-
10 nachbarn sitzen, jemand, bei dem Sie keine Ahnung haben, worüber Sie sich mit ihm unterhalten sollen. Dann ist es am einfachsten, Sie greifen etwas aus der unmittelbaren Umgebung heraus. „Wie schmeckt Ihnen der Schweinebraten?" Dazu kann jeder was
15 sagen. Beginnen Sie das Gespräch aber nie direkt mit einer Frage. Geben Sie dem anderen Zeit, sich darauf einzustellen, dass er gleich etwas sagen muss, zum Beispiel indem Sie erstmal feststellen: „Mhh, das riecht aber gut." Ein Thema, über das man immer ins
20 Gespräch kommt, ist tatsächlich das Wetter. Untersuchungen haben gezeigt, dass sich die Menschen immer mehr fürs Wetter interessieren. Sie können sich auch über Krankheiten unterhalten. Und ich habe schon wunderbare Gespräche über Sternzeichen
25 geführt. Entscheidend ist, dass Sie ein Thema finden, das der andere interessant findet. Es geht weniger darum, sich selbst gut darzustellen, als dem anderen die Möglichkeit zu geben, sich zu präsentieren und wohl zu fühlen. Wenn Sie beim Gegenüber punkten
30 müssen, weil es sich zum Beispiel um den Chef Ihres Mannes oder die zukünftige Schwiegermutter handelt, geht es darum, Sympathien zu gewinnen. Das funktioniert am besten, wenn Sie Gemeinsamkeiten feststellen, zum Beispiel: „Sie kommen aus München,
35 ich auch." Genauso gut ist es, wenn Sie eine Leidenschaft teilen – fürs Theater oder für Fußball.

2a Hören Sie, wie drei Personen in der in Aufgabe 1a beschriebenen Situation versuchen, ein Gespräch zu beginnen. Sie hören zu jeder Person zwei Varianten. Machen Sie Notizen zu den Punkten „Themenwahl" und „Sympathie gewinnen."

Gespräch 1, Variante 1   *spricht negativ über einen Kollegen, ...*

b Hören Sie die Gespräche noch einmal und ergänzen Sie Ihre Notizen. Bewerten Sie die sechs Gespräche mithilfe Ihrer Notizen aus Aufgabe 1b. Welches Gespräch gefällt Ihnen am besten und warum?

1.16
c Hören Sie nun die Auswertung der Gespräche durch einen Experten. Vergleichen Sie seine Meinung mit Ihren Beurteilungen. Erstellen Sie eine Übersicht mit Tipps zur Eröffnung eines Gesprächs (was man tun soll – was man vermeiden soll).

3a Das Thema „Wetter" eignet sich fast immer für Smalltalk. Sammeln Sie Sätze, mit denen Sie ein Gespräch zu diesem Thema eröffnen können.

Heute ist es aber wieder heiß.   *Regnet es bei Ihnen in … auch so oft?*

b Obligatorisches *es*. Lesen Sie die Sätze und markieren Sie das Subjekt.

Oft geht es einfach nur darum, Sympathien zu gewinnen. – Genauso gut ist es, wenn Sie eine Leidenschaft teilen. – Für den Beginn eines Gesprächs gibt es unzählige Möglichkeiten. – Es regnet. – Wie geht es Ihnen? – In dem Vortrag heute geht es um … – In unserem Unternehmen kommt es vor allem darauf an …

▶ Ü 1

c Ergänzen Sie die Regel mit den Wörtern *es* und *Subjekt*.

Ⓖ

Im deutschen Satz steht immer ein _____. Das Wort _____ übernimmt die Rolle des Subjekts, z.B. bei Wetterverben (*es regnet, …*) und bei andern festen lexikalischen Verbindungen mit *es* (*Wie geht es dir?, es geht um …, es ist gut/schlecht/schön …, es gibt, …*).

d *Es* als Platzhalter auf Position 1. Vergleichen Sie die Sätze, markieren Sie *es* und ergänzen Sie die Regel mit *es*, *Position 1* und *Verb*.

Ⓖ

Es	ist	wirklich eine hohe Kunst, ein Gespräch zu eröffnen.	Ein Gespräch zu eröffnen	ist	wirklich eine hohe Kunst.
Es	sind	noch nicht viele Leute da.	Viele Leute	sind	noch nicht da.

Im Aussagesatz muss die _____ immer besetzt sein, damit das _____ auf Position 2 stehen kann. Ist die Position 1 von einem anderen Satzglied oder einem Nebensatz besetzt, entfällt _____.

e *Es* als Akkusativ-Ergänzung. Lesen Sie die Sätze und ergänzen Sie die Regel.

Ich kann es kaum glauben, dass der Referent wieder zu spät kommt.

Dass der Referent wieder zu spät kommt, kann ich kaum glauben.

Ⓖ

In Hauptsätzen steht *es* oft auch als Akkusativ-Ergänzung und verweist dann auf einen Nebensatz mit _____ oder Infinitiv mit *zu*. Wenn der Nebensatz vorangestellt ist, entfällt _____.

▶ Ü 2–3

4 Üben Sie Smalltalk. Wählen Sie eine der Situationen und beginnen Sie ein Gespräch.

A Sie warten mit einer Kollegin aus der Nachbarabteilung darauf, dass der Kopierer frei wird.
B Sie sind zum ersten Mal zum Abendessen bei Ihrem neuen Kollegen eingeladen.

Wenn zwei sich streiten ...

1a Sehen Sie sich die Fotos und Informationen zu den Personen an. Wer teilt Kritik aus, wer steckt Kritik ein? Begründen Sie.

Die Gepäckermittlerin:
Tanja Block, 35, Gepäckermittlerin
bei einer Fluggesellschaft

Kritik-Motto:
Immer ruhig bleiben – nichts persönlich
nehmen.

Der Literaturkritiker:
Walter Volkmann, 56,
Ressortleiter Feuilleton

Kritik-Motto:
Ein sonniges Gemüt
bewahren – und immer
ehrlich sein!

Die Lehrerin:
Simone Ritterbusch,
31, unterrichtet
Deutsch und Wirt-
schaft an einer Saar-
brücker Berufsschule

Kritik-Motto:
Kritik und Respekt gehören zusammen!

b Erstellen Sie eine Liste mit Berufen, in denen man viel oder wenig Kritik üben muss.

c Wann kritisieren Sie? Wann werden Sie kritisiert? Sprechen Sie im Kurs.

Es kommt darauf an: Zu Hause kritisiere ich oft, aber in meinem Job im Hotel kritisiere ich selten. Da muss
ich mir die Kritik von den Gästen anhören.

1.22

2a Hören Sie ein Interview einmal. Was sagen die Personen aus Aufgabe 1 zum Thema „Kritik".
Entscheiden Sie beim Hören, ob die Aussagen richtig oder falsch sind.

TELC

Tanja Block

	r	f
1. Wir werden für etwas kritisiert, was andere Personen verschuldet haben.	✓	☐
2. Ich frage die Menschen sofort, wie ich ihnen helfen kann.	☐	✓
3. Wenn Gäste sehr wütend sind, wollen sie immer gleich meinen Chef sprechen.	✓	☐

Walter Volkmann

	r	f
4. Die Leser erwarten eine eindeutige Kritik, wenn ich ein Buch bespreche.	✓	☐
5. Bei meiner Kritik berücksichtige ich auch immer den Autor als Mensch.	☐	✓
6. Ich ärgere mich über Kritiker, die Bücher bewerten, ohne sie richtig zu lesen.	✓	☐

Simone Ritterbusch

	r	f
7. Schüler reagieren bei Kritik schnell aggressiv.	✓	✓
8. Ich kann keine Schüler kritisieren, die älter sind als ich.	☐	✓
9. Ich muss Schüler aktiv auffordern, Verbesserungen vorzuschlagen.	✓	☐
10. Es gibt Formen der Kritik, die die Schüler verunsichern.	☐	☐

b Hören Sie noch einmal. Wie gehen die Personen mit Kritik um? Welche Einstellungen haben sie zu Kritik?

c Welcher Einstellung stimmen Sie zu? Welcher nicht? Diskutieren Sie im Kurs.

▶ Ü 1

3a Der nachfolgende Text trägt die Überschrift „Richtig streiten". Sammeln Sie im Kurs fünf Fragen an den Text.

1. Worauf muss man beim Streiten achten?   *2. Wie ...*

b Lesen Sie nun den Text. Welche Informationen finden Sie zu Ihren Fragen?

Richtig streiten

1 So lange es die Menschheit gibt, gibt es auch Konflikte. Wir finden sie in allen zwischenmenschlichen Beziehungen, denn nur selten lassen sich alle individuellen Wünsche und Vorstellungen
5 harmonisch verbinden. Und können sich zwei nicht einigen, so stehen sie vor einem Konflikt.

Viel wichtiger als der Streitgegenstand sind die Gründe des Konflikts. Wie bei einem Eisberg sind die Ursachen oft sehr weitreichend und zunächst
10 unter der sichtbaren Oberfläche verborgen. Sie können in der Vergangenheit liegen oder die Wirkung von Ereignissen sein, die auf den ersten Blick mit der aktuellen Situation gar nichts zu tun haben. Sie hängen zusammen mit den Hoffnungen, Er-
15 fahrungen und Ängsten der beteiligten Personen.

Streiten ist etwas Alltägliches, alle tun es und daher scheint der Streit wichtig für uns. Für Konflikte gibt es oft erstaunlich viele Lösungen. Die Fähigkeit, Probleme zu überwinden, ist eine
20 kreative und kraftvolle menschliche Eigenschaft. Erst, wenn die Menschen ihre Herzen verschließen und Gewalt eine Rolle spielt, wird aus dem Konflikt eine Bedrohung.

Konflikte können aber durchaus positiv und
25 kreativ verlaufen.

Zuerst müssen wir akzeptieren, dass zu einem Streit immer mindestens zwei Parteien gehören. Das können z.B. Bruder und Schwester sein, die sich um ein Spielzeug streiten, oder zwei Kollegen,
30 die beide die Führungsrolle im gemeinsamen Projekt übernehmen wollen. In den meisten Fällen sind auch dritte Personen involviert. So wird z.B. die Mutter als vermittelnde Person im Streit der Geschwister zu Hilfe geholt. Nur, wer alle
35 Parteien wahrnimmt und nicht sich allein ins Zentrum des Gesprächs stellt, kann konstruktiv streiten.

Für einen positiven Verlauf können wir einige Regeln befolgen und so Eskalationen und ausweg-
40 lose Situationen vermeiden:
1. Analysieren Sie Ihr Konfliktverhalten: Wie hat Ihr letzter Streit angefangen? Mit welchen Worten oder Gesten wurde aus dem Gespräch ein Streit? Wer sein eigenes Verhalten bewusst wahrnimmt,
45 beginnt mit der Gestaltung des eigenen Konfliktprozesses.
2. Vertreten Sie Ihren Standpunkt: Können Sie auch Nein sagen? Üben Sie in Gesprächen, Ihre Ansicht zu vertreten. Sammeln und strukturieren
50 Sie Ihre Argumente.
3. Sprechen Sie über sich selbst: Formulieren Sie positive Ich-Aussagen (*Ich wünsche mir* statt *Ich will nicht*), damit Ihr Gegenüber Ihre Position erkennen kann. Vermeiden Sie negative Du-Aussagen
55 wie *Du musst endlich aufhören* ...
4. Üben Sie das aktive Zuhören: Versuchen Sie zu verstehen, was Ihr Partner Ihnen mit Worten und Gesten mitteilt. Versetzen Sie sich in seine Person. Verstehen heißt dabei nicht, dem anderen
60 recht zu geben.

Wer also übt, das zu sagen, was er wirklich sagen möchte, und lernt, den anderen zu verstehen, hat sehr gute Voraussetzungen, um eine positive und anregende Streitkultur zu gestalten.
65 Unsere Konflikte sind gleichzeitig unsere Chancen, uns weiterzuentwickeln. Nutzen wir sie.

c Welche Informationen waren neu bzw. besonders interessant für Sie?

d Erklären Sie die Tipps in Zeile 41–60 mit eigenen Worten und einem Beispiel.

Wenn zwei sich streiten ...

1.23

4a **Hören Sie vier Dialoge und machen Sie sich Notizen zu den folgenden Fragen:**

– Was ist der Anlass / das Thema des Gesprächs?
– Welcher Dialog ist ein Gespräch, in dem Kritik geübt wird? Welcher ist ein Streit?

b **Welche Faktoren führen zu einem konstruktiven Ende? Welche führen zu einem negativen Ausgang? Sammeln und diskutieren Sie im Kurs.**

5a **Arbeiten Sie in Gruppen. Sehen Sie sich die Bilder an. Wer ist das? Worum geht es?**

b **Wählen Sie einen der drei Textanfänge und schreiben Sie aus der Sicht einer Person weiter. Wie handelt, denkt, fühlt die Person?**

Liebes Tagebuch,
immer dieser Stress bei uns. Das nervt. Ständig räume ich die Küche auf. Heute auch. Und ...

Hallo Tom,
ich kann dir wieder aus unserer tollen WG berichten. Hier gibt es echte Überraschungen
...

Liebe Sonja,
Du glaubst ja nicht, was heute passiert ist. Peter und ich wollten uns einen gemütlichen Abend machen und ...

▶ Ü 2

6a Partnerarbeit – Rollenspiel. Entscheiden Sie sich für eine der drei Situationen und überneh-men Sie eine Rolle. Verwenden Sie positive Ich-Aussagen.

Gefühle und Wünsche ausdrücken

Ich denke, dass ...

Ich würde mir wünschen, dass ...

Ich glaube, dass ...

Ich freue mich, wenn ...

Mir geht es ..., wenn ich ...

Ich fühle mich ..., wenn ...

Für mich ist es schön/gut/leicht ...

...

Tabea, 26 (Studentin)
- möchte die Mitschrift von Markus, weil sie die letzten bei-den Male nicht im Seminar war,
- meint, dass Markus ihr als Freund helfen sollte,
- hat Angst vor der Prüfung, weil sie nur wenig verstanden hat.

Markus, 28 (Student)
- ist sauer, weil Tabea ihm nie bei etwas geholfen hat und es das dritte Mal ist, dass Tabea seine Mitschrift haben möchte,
- fühlt sich ausgenutzt,
- muss viel für die Prüfung lernen, weil das Seminar schwer ist.

Bill, 40 (macht Umschulung)
- wohnt mit Constanze in einer WG,
- will für eine Prüfung lernen,
- kann sich nicht konzentrieren,
- meint, dass Constanze einen eigenen Proberaum braucht.

Constanze, 30 (Musikerin)
- muss noch Cello üben,
- hat heute Proben und morgen ein wichtiges Konzert,
- fühlt sich noch unsicher.

Jolanta, 27 (Telefonistin)
- möchte im Urlaub ihre Ruhe haben,
- hat einen sehr hektischen Alltag,
- möchte, dass sie zusammen mit Stefan entspannen kann,
- findet, dass Stefan zu wenig Rücksicht nimmt.

Stefan, 34 (Bibliothekar)
- möchte im Urlaub etwas erleben,
- fand den Strandurlaub letztes Jahr langweilig,
- möchte, dass Jolanta seine Interessen teilt (Sport, Natur, Leute kennenlernen),
- findet, dass in diesem Urlaub seine Wünsche berücksichtigt werden sollen.

b Spielen Sie die Dialoge vor und diskutieren Sie anschließend im Kurs. Was ist gut gelaufen? Wo haben die Tipps aus dem Text aus Aufgabe 3b geholfen?

▶ Ü 3

Massimo Rocchi (* 11. März 1957, Cesena, Italien)

Schauspieler und Komiker

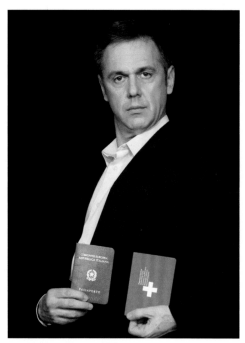

Massimo Rocchi, „Sozialunterhalter"

„Ich glaube nicht an das Lächeln als Lösung, sondern an die Kraft des Lächelns."

Der Schauspieler und Komiker Massimo Rocchi wurde 1957 in Italien geboren. 1976 legte er in Cesena sein Abitur ab und studierte im Anschluss Theaterwissenschaften in Bologna.

1978 nahm er im französischen Boulogne-Billancourt bei Etienne Decroux, dem Vater der modernen Pantomime, am Unterricht *Mime-Corporel* teil. In den folgenden drei Jahren besuchte er die École Internationale Marcel Marceau, wo er 1982 das Abschlussdiplom erhielt.

Heute hat Massimo Rocchi die italienische und Schweizer Staatsbürgerschaft und lebt in Basel, in „Europa und der Schweiz", wie man auf seiner Homepage erfahren kann, und bezeichnet sich als „Svitaliano".

Massimo Rocchi beschäftigt sich gerne mit Themen aus dem Bereich der Kommunikation und der Sprache. In seinen Programmen benutzt er die Sprachen Deutsch, Französisch, Spanisch und Italienisch, zwischen denen er gerne in ein und demselben Stück hin- und herspringt.

Dabei karikiert er häufig Klischees und Stereotypen von Nationalitäten, besonders gerne die Berner, und spielt mit sprachlichen Eigenheiten und Absurditäten.

Mit seinen humoristischen Stücken, in denen er sich immer wieder auf kommunikative Themen, das Verstehen und Nichtverstehen der Menschen bezieht, hat Massimo Rocchi zahlreiche Preise in Frankreich, Italien, Österreich, Deutschland und in der Schweiz gewonnen.

Auf nur eine Berufsbezeichnung lässt sich Massimo Rocchi nicht festlegen. So wird er nicht nur als Schauspieler und Komiker, sondern auch als Clown oder Kaberettist beschrieben. Als Clown sicher wegen seiner Gastauftritte im Zirkus Knie.

Für einen Kabarettisten hält sich Rocchi selbst allerdings nicht. Nach seiner Aussage ist er ein Sozialunterhalter: „... ein Sozialunterhalter allerdings, der an den renommiertesten Häusern der Schweiz und in Deutschland auftritt ..."

Massimo Rocchi im Zirkus Knie

Mehr Informationen zu Massimo Rocchi

Sammeln Sie Informationen über Persönlichkeiten aus dem In- und Ausland, die für das Thema „Kommunikation" interessant sind, und stellen Sie sie im Kurs vor. Sie können dazu die Vorlage „Porträt" im Anhang verwenden. Beispiele aus dem deutschsprachigen Bereich: Ruth Cohn – Paul Watzlawick – Ludwig Eichinger

Grammatik-Rückschau

1 Vergleichssätze mit *als* und *wie*

1 *so/genauso* + Grundform + *wie*	Botschaften der Körpersprache nehmen wir <u>genauso schnell</u> wahr, <u>wie</u> wir gesprochene Sprache aufnehmen.
2 Komparativ + *als*	Instinktiv achten wir viel <u>mehr</u> auf die Körpersprache, <u>als</u> wir meinen.
3 *anders / anderer, anderes, andere* + *als*	Körpersignale aus anderen Kulturen bedeuten oft etwas <u>anderes</u>, <u>als</u> man denkt.

2 Vergleichssätze mit *je ... , desto/umso*

Je eindeutiger die Signale sind,	desto/umso besser verstehen wir sie.
Nebensatz	Hauptsatz
je + Komparativ	desto/umso + Komparativ

3 Das Wort *es*

Obligatorisches *es* bei

Wetterverben	es nieselt, es regnet, es hagelt, es schneit, es gewittert, es stürmt
festen lexikalischen Verbindungen	Wie geht es dir/Ihnen?, es geht um …, es ist gut/schlecht/schön …, es gibt …, es kommt darauf an …, es handelt sich um …

Es, das durch ein Subjekt ersetzt werden kann

Es kann auch als Subjekt bei Verben stehen, wenn kein Subjekt genannt werden kann/soll. Wird das Subjekt genannt, entfällt *es*.

Es hat geklingelt. → *Der Postbote / Jemand / … hat geklingelt.*
Wie gefällt es Ihnen? → *Wie gefällt Ihnen die Feier / der Abend / das Theater / …?*

Es als Platzhalter auf Position 1

Im Aussagesatz muss die erste Position immer besetzt sein, damit das Verb auf Position 2 stehen kann. Ist die Position 1 von einem anderen Satzglied oder einem Nebensatz besetzt, entfällt *es*.

Es	ist	wirklich eine hohe Kunst, ein Gespräch zu eröffnen.
Es	sind	noch nicht viele Leute da.

Ein Gespräch zu eröffnen	ist	wirklich eine hohe Kunst.
Viele Leute	sind	noch nicht da.

Es als Akkusativ-Ergänzung

In Hauptsätzen steht *es* oft auch als Akkusativ-Ergänzung und verweist dann auf einen Nebensatz mit *dass* oder Infinitiv mit *zu*. Wenn der Nebensatz vorangestellt ist, entfällt *es*.

Ich kann es kaum glauben, dass der Referent wieder zu spät kommt.
Dass der Referent wieder zu spät kommt, kann ich kaum glauben.
Der Referent findet es ärgerlich, wieder verspätet zu sein.
Wieder verspätet zu sein, findet der Referent ärgerlich.

Was man mit dem Körper sagen kann _____

1a Sehen Sie sich einige Bilder und Sätze aus dem Film an. Welches Bild passt zu welchem Satz? Notieren Sie die Buchstaben.

Bild _____ 1. Da Körpersprache überwiegend kulturabhängig ist, kann es zu Missverständnissen kommen.

Bild _____ 2. Die Anwesenheit anderer, gleichgestimmter Menschen verstärkt unsere Emotionen.

Bild _____ 3. Es geht darum, Hemmungen abzubauen, Ausdrucksfähigkeit zurückzuerlangen.

Bild _____ 4. Kommunikation durch Bewegung – die Sprache des Körpers zur Kunst erhoben.

Bild _____ 5. Wenn ich so sitzen bleiben würde, würde ich die Stimmung dieser Haltung automatisch annehmen.

b Sehen Sie nun den Film. Waren Ihre Vermutungen richtig?

2a Lesen Sie die folgenden Fragen und sehen Sie die erste Filmsequenz. Ordnen Sie die Wörter zu.

Angst – Ekel – Gestik – Haltung – Lachen – Mimik – Nachahmung – Neurobiologie – Wut

1. Aus welchen drei Elementen besteht Körpersprache?

_____

2. Welche Beispiele für angeborene Körpersprache werden im Film genannt?

_____

3. Wie eignet man sich erlernbare Körpersprache an?

Durch _____

4. Welche medizinische Fachdisziplin beschäftigt sich mit Körpersprache?

_____

b Erlernte, kulturabhängige Körpersprache kann zu Missverständnissen führen. Ein Beispiel gibt es im Film: Was ist bei Japanern anders als bei Deutschen?

c Nennen Sie aus Ihrer Erfahrung weitere kulturelle Unterschiede in der Körpersprache.

3 a Gespräche zwischen einem Arzt und einem Patienten. Dabei spielt die Körpersprache eine wichtige Rolle. Warum?

2 ■■ b Sehen Sie die zweite Sequenz und notieren Sie Elemente der Körpersprache, an denen sichtbar wird, dass das Gespräch misslingt bzw. gelingt. Sprechen Sie dann im Kurs.

misslungenes Gespräch	gelungenes Gespräch
kein Blickkontakt vom Arzt	eine freundliche Begrüßung
...	...

c Sammeln Sie im Kurs aus Ihrer eigenen Erfahrung weitere Beispiele für gelungene oder misslungene Kommunikation durch Körpersprache.

4 Überlegen Sie sich mit einem Partner / einer Partnerin eine Situation (beim Arzt, Bewerbungs-gespräch, auf einer Behörde, ...).
Legen Sie fest, wie das Gespräch verlaufen soll – positiv oder negativ?

Spielen Sie diese Szene. Achten Sie dabei beson-ders auf Mimik, Gestik und Haltung.

Diskutieren Sie danach die Spielszenen im Kurs.

3 ■■ 5 a In speziellen Seminaren wird die Körpersprache trainiert. Sehen Sie jetzt die dritte Filmsequenz. Wer nimmt an diesem Seminar teil? Was ist das Ziel des Seminars?

b Durch den bewussten Einsatz von Körpersprache kann man sich selbst beeinflussen. Auch der Schauspieler nutzt das für seine Arbeit. Was demonstriert er im Film?

6 Spielen Sie zu zweit eine Begegnung mit einem Bekannten / einer Bekannten auf der Straße. Überlegen Sie sich dafür eine bestimmte emotionale Haltung: freundlich, schüchtern, wütend, ärgerlich, höflich, aggressiv, euphorisch, zynisch, ...
Setzen Sie bewusst Ihre Stimme und die Körpersprache ein.
Trauen Sie sich!

Arbeit ist das halbe Leben?

1a Kennen Sie die folgenden Berufe? Beschreiben Sie einen der Berufe.

1. Industriekaufmann/-frau *C* 2. Steuerberater/-in *P* 3. Dachdecker/-in *B*
4. Sozialarbeiter/-in *E* 5. Event-Manager/-in *A*

b Lesen Sie die Aussagen. Welcher Beruf aus Aufgabe 1a passt zu welcher Beschreibung?

c Welche Vorstellung haben wir von der beruflichen Tätigkeit anderer? Vergleichen Sie jeweils die Aussagen zu einem Beruf miteinander. Wer von den Außenstehenden beschreibt die Tätigkeit des anderen am besten?

▶ Meine Tochter ist immer viel auf Reisen. Ich glaube, sie hilft großen Firmen, wenn die irgendwo Veranstaltungen machen wollen. So etwas wie ein Firmenjubiläum feiern oder eine Abendveranstaltung für Kunden geben oder so. Wenn ich es richtig verstanden habe, dann macht meine Tochter den Firmen auch Vorschläge, wo und wie sie feiern könnten.

▷ *Ich bin verantwortlich für die Planung, Vorbereitung, Organisation sowie Nachbereitung von Veranstaltungen. Ich organisiere zum Beispiel Tagungen und Kongresse inklusive Rahmenprogramm und Feste jeglicher Art. Zu meinen Aufgaben gehört neben der Konzeption und Organisation auch die Vertragsgestaltung, Kalkulation und Angebotserstellung.*

▶ In dem Beruf meines Mannes muss man schwindelfrei sein und darf keine Höhenangst haben. Manchmal mache ich mir natürlich auch Sorgen um ihn. Im Grunde sorgt er dafür, dass niemand in seinem Haus nass wird oder friert.

▷ *Ich decke meistens Dächer. Außerdem montiere ich Dachfenster, Dachrinnen oder Blitzschutzanlagen. Ich bin immer auf verschiedenen Baustellen tätig und arbeite meist im Freien.*

▶ Ich weiß nicht ganz genau, was mein Sohn jeden Tag so macht. Hauptsächlich sitzt er wohl am Computer und bucht Geschäftsvorgänge oder erstellt Angebote. Manchmal muss er auch Lieferpapiere kontrollieren oder die Belegung der Maschinen in der Produktionshalle überprüfen.

▷ *Ich erstelle bzw. vergleiche Angebote, buche Geschäftsvorgänge, beschäftige mich mit Verkaufsförderungsmaßnahmen und bin auch zuständig für die Überprüfung der Maschinenbelegung und die Kontrolle der Lieferpapiere.*

▶ Mein Vater sitzt die meiste Zeit am Schreibtisch und ordnet die Rechnungen von anderen Leuten. Manchmal trifft er die Leute auch direkt und erklärt ihnen, wie sie Geld sparen können.

▷ *Ich berate meine Mandanten in steuerrechtlichen und betriebswirtschaftlichen Fragen. Die Erstellung von Buchführungen, Jahresabschlüssen und Steuererklärungen und die Vertretung meiner Mandanten vor dem Finanzamt gehört zu meinen Aufgaben.*

▶ Ich weiß, dass Frau Stadler mit Jugendlichen arbeitet, die Probleme haben. Sie betreut eine Wohngruppe und hilft diesen Jugendlichen, Lösungen für ihre Probleme zu finden und ein geregeltes Leben zu führen. Was sie da aber genau macht, kann ich nicht beschreiben.

▷ *Ich befasse mich mit Prävention, Bewältigung und Lösung sozialer Probleme. Momentan betreue ich eine Wohngruppe mit straffällig gewordenen Jugendlichen. Ziel ist, diesen Jugendlichen Selbstvertrauen und Strukturen zu vermitteln und sie so weit zu bringen, dass sie in unserer Gesellschaft zurechtkommen.*

2 Arbeiten Sie zu zweit. Ihr Partner / Ihre Partnerin nennt seinen/ihren Beruf oder einen Beruf, den er/sie gut kennt. Versuchen Sie, den Beruf zu beschreiben. Anschließend schildert er/sie selbst diese Tätigkeit. Haben Sie den Beruf treffend beschrieben?

3 Schreiben Sie einen Beruf auf eine Karte. Die Karten werden gemischt. Ziehen Sie eine Karte und beschreiben Sie den Beruf, der auf der Karte steht. Die anderen raten. Sie können den Beruf auch pantomimisch darstellen.

Mein Weg zum Job

1 Welche Möglichkeiten gibt es, eine Stelle zu finden? Sammeln Sie im Kurs.

Stellenanzeigen in der Zeitung …

 1.27 2a Sehen Sie sich die Bilder an und lesen Sie die Bildunterschriften. Hören Sie nun einen Radiobeitrag und nummerieren Sie die Bilder in der Reihenfolge, in der Sie die Personen hören.

Aylin Demir *Internet*
BWL-Studentin

Jan Hoffmann *Agenteur*
Bauzeichner

Sandy Wagner *Zeitung*
Bürokauffrau

Meike Wiking *Zeitschrift*
Grafikerin

Bernd Pechner *Ein Freund*
Koch

Cornelia Folkers *Agenteur*
Informatikerin

Sonja Badener *eigene Chef*
Schneiderin

Julian Freihof *Vitamin B*
Jurist

b Hören Sie den Beitrag noch einmal. Wie haben die Personen ihre Stelle gefunden? Notieren Sie und vergleichen Sie mit den Möglichkeiten, die Sie in Aufgabe 1 gesammelt haben.

▶ Ü 1–2   *Cornelia: Agentur für Arbeit*

3 Wie haben Sie schon einmal eine Stelle, einen Nebenjob, ein Praktikum o.Ä. gefunden?
▶ Ü 3   Berichten Sie.

4a Hören Sie einzelne Sätze aus dem Radiobeitrag noch einmal. In den Aussagen werden Sätze oder Satzglieder mit Konnektoren verbunden, die aus zwei Teilen bestehen. Welche sind das? Notieren Sie.

1.36

1. *nicht nur ..., sondern auch* 4. _____ 6. _____

2. _____ 5. _____ 7. _____

3. _____

b Ordnen Sie die Konnektoren ihrer Bedeutung nach in die Tabelle ein.

Ⓖ

Aufzählung	„negative" Aufzählung	Vergleich	Alternative	Einschränkung/ Gegensatz
nicht nur ..., sondern auch	weder noch	je ... desto/umso einerseits/ andererseits	entweder oder ~~weder noch~~	sowohl...als auch einerseits/andererseits zwar ... aber

entweder oder

c Verbinden Sie die Sätze mit zweiteiligen Konnektoren.

1. Wenn man mehr Kenntnisse hat, findet man leichter eine Stelle. *je ... desto*
2. Bei einer Bewerbung ist der Lebenslauf wichtig. Das Bewerbungsschreiben ist auch wichtig. *sowohl ... als*
3. Man kann eine Bewerbung per E-Mail schicken. Man kann sie auch mit der Post schicken. *nicht nur ... sondern*
4. Für viele Stellen ist eine geeignete Ausbildung wichtig. Außerdem ist auch genügend *nicht nur ... sondern* Berufserfahrung wichtig.
5. Viele Studenten finden nach dem Studium keinen Job in ihrer Stadt. Sie finden auch keinen Job in der Nähe. *weder ... noch*
6. Sich selbstständig zu machen ist risikoreich und anstrengend. Es kann jedoch auch Spaß machen. *zwar ... aber*
7. Es gibt viele freie Stellen. Aber die Arbeitslosenquote ist sehr hoch. *einerseits/andererseits* ▶ Ü 4–5

5a Lesen Sie die Beispielsätze. Welche Bedeutung hat der Konnektor *während* in den Sätzen? Ordnen Sie zu.

temporale Bedeutung (Zeit)	adversative Bedeutung (Gegensatz)

Während die anderen für die gleiche Arbeit gutes Geld verdienen, geht man als Praktikant meistens ohne einen Cent nach Hause. ➜ _____

Während ich das Praktikum gemacht habe, habe ich viel gelernt. ➜ _____

Während viele Leute viel Zeit in eine Bewerbung stecken, schicken andere immer das gleiche Standardschreiben. ➜ _____

Während ich den Sprachkurs in Berlin besucht habe, habe ich auch „Deutsch für den Beruf" gelernt. ➜ _____

b Bilden Sie für beide Bedeutungen von *während* Beispielsätze. ▶ Ü 6

Motiviert = engagiert

1a Motivation bei der Arbeit. Welcher Begriff gehört für Sie wohin? Ordnen Sie zu und begründen Sie.

Zeitdruck	Abwechslung	Verantwortung	Routine	Stress	Leistungsdruck
Herausforderungen	Überstunden	Teamarbeit	Aufstiegschancen		Freizeit

motivierend	demotivierend

b Was kann Menschen bei ihrer Arbeit außerdem motivieren, was demotivieren? Sammeln Sie und lesen Sie anschließend den Text.

Wenn Arbeit beglückt

Spaß statt Stress im Job: Es ist gar nicht so schwer, seine Mitarbeiter zu motivieren. Man muss nur wissen, wie.

1 Es ist der Traum jedes Vorgesetzten, ein gutes Team zu haben. Engagierte Mitarbeiter, die ihre Aufgaben voller Begeisterung erledigen und gut zusammenarbeiten. Die Realität sieht häufig 5 anders aus. Stress, Zeitdruck, Überstunden.

Wie zufrieden oder unzufrieden die Deutschen wirklich sind, schwankt je nach Umfrage. Laut dem Meinungsforschungs-Institut Gallup machen 68 Prozent aller Beschäftigten nur 10 Dienst nach Vorschrift. Einer anderen Umfrage zufolge haben allerdings mehr als zwei Drittel Spaß an der Arbeit.

Die Initiative Inqa, ein Bündnis aus Arbeitgebern, Gewerkschaften sowie Bund und Ländern, 15 hat 4.700 Deutsche gefragt: „Wie oft ist es in den letzten vier Arbeitswochen vorgekommen, dass Sie von Ihrer Arbeit begeistert waren?" Mit erschreckendem Ergebnis: 46 Prozent ist Begeisterung für den Job absolut fremd.

20 „Entscheidend für den Spaß im Job sind die Arbeitsbedingungen", sagt die Soziologin Tatjana Fuchs, die die Antworten der Beschäftigten ausgewertet hat. „Die Begeisterung für die Arbeit ist kein Persönlichkeitsfaktor. Es gibt 25 strukturelle Faktoren, die dazu führen, dass Mitarbeiter unwahrscheinlich zufrieden sind." Sie war überrascht, wie wenige von Arbeitsbedingungen berichteten, die ihre persönliche Entwicklung fördern. Dabei ist das eine ganz 30 entscheidende Voraussetzung für Zufriedenheit im Job. Beschäftigte brauchen eine lernfördernde Umgebung, die sie weiterbringt, und Aufstiegsmöglichkeiten im Unternehmen. Einen großen Einfluss hat auch, wie abwechslungsreich 35 die Arbeit ist und ob Platz für Kreativität ist.

„Die Anforderungen müssen mit den eigenen Interessen und Fähigkeiten übereinstimmen", sagt Jochen Menges vom Institut für Führung und Personalmanagement der Uni 40 Sankt Gallen. „Dieses Kompetenzerlebnis wird als sehr positiv empfunden." Sind die Anforderungen dagegen sehr hoch, entsteht Stress. Sind sie zu niedrig, ist es auch nichts: Es droht Langeweile.

45 Das Gehalt spielt dagegen eine geringere Rolle als allgemein angenommen. „Man kann allein durch ein hohes Einkommen nicht langfristig motivieren", sagt Tatjana Fuchs. Allerdings kann man mit zu niedrigen Gehältern Schaden 50 anrichten: „Arbeitgeber können ihre Beschäftigten unheimlich stark frustrieren, wenn sie ihnen ein Einkommen zahlen, das nach deren Ansicht in keinem adäquaten Verhältnis zu ihrer Leistung steht."

55 Eine wichtige Rolle spielt auch der Chef. „Führungskräfte haben einen entscheidenden Einfluss darauf, ob Mitarbeiter Spaß an der Arbeit haben", sagt Menges. Das betrifft die Aufgabenstellung ebenso wie den Umgang mit- 60 einander. Wie die Inqa-Umfrage zeigt, kann ein guter Führungsstil dauerhaft motivieren. Werden die Mitarbeiter aber mehr schlecht als recht geführt, demotiviert der Chef regelrecht. Der ideale Vorgesetzte pflegt einen respektvol- 65 len und anerkennenden Umgang mit seinem Team und unterstützt auch fachlich. Es sei jedoch verkehrt, nur auf die einzelne Führungskraft zu schauen, meint Fuchs. Vielmehr müssten sich die Unternehmen von einer Personalpolitik ab- 70 wenden, die nur auf Druck setze.

Frustrationspotenzial bieten auch arbeitsorganisatorische Probleme. Wer unter Zeitdruck steht, ständig gestört wird, widersprüchliche Informationen erhält oder sich an nicht funktio- 75 nierenden Arbeitsabläufen aufreibt, bringt selten noch Begeisterung für seinen Job auf. Auch die Angst um den Job wirkt demotivierend.

„Unternehmen haben es in der Hand, ob sie motivierte oder frustrierte Beschäftigte haben", 80 sagt Fuchs. Machen sie es richtig, können sie ihre Beschäftigten geradezu beglücken. „Studien belegen, dass es bei der Arbeit zu Glücksgefühlen ähnlich wie bei Extremsportarten kommen kann", sagt Fuchs. Die entscheidende Voraus- 85 setzung ist allerdings: Die Beschäftigten haben komplexe Aufgaben, an denen sie wachsen können.

2 Entscheiden Sie, welche Lösung (a, b oder c) richtig ist.

GI
TELC

1 Die Umfragen zur Zufriedenheit der Arbeitnehmer
a zeigen, dass engagierte Mitarbeiter nur ein Traum von Vorgesetzten sind.
b kommen zu ganz unterschiedlichen Ergebnissen.
c belegen, dass die Hälfte der Beschäftigten Spaß an ihrer Arbeit hat.

2 Wie sehr sich jemand für seine Arbeit begeistert,
a ist aus den Umfragen nicht hervorgegangen.
b hängt hauptsächlich von seiner Persönlichkeit ab.
c wird durch die Arbeitsbedingungen bestimmt.

3 Die Anforderungen, die die Tätigkeit an den Beschäftigten stellt,
a sollten eher niedrig sein, um die Arbeitnehmer nicht zu überfordern.
b sollten zu bewältigen sein und gleichzeitig eine Herausforderung darstellen.
c sollten Stress verursachen und die Mitarbeiter so zu mehr Leistung bringen.

4 Die Bezahlung
a ist der entscheidende Faktor bei der Motivation der Mitarbeiter.
b sollte der Leistung der Mitarbeiter entsprechen.
c sollte mit den Beschäftigten individuell vereinbart werden.

5 Für die Motivation der Mitarbeiter
a ist auch die fachliche Unterstützung durch den Chef wichtig.
b sollte der Chef vor allem auf Druck setzen.
c spielt der Vorgesetzte eine untergeordnete Rolle.

▶ Ü 1

3a Was trägt laut Text zur Motivation bzw. Demotivation von Mitarbeitern bei? Erstellen Sie eine Liste und vergleichen Sie mit Ihren Ergebnissen aus Aufgabe 1.

b Was motiviert bzw. demotiviert Sie persönlich bei der Arbeit am meisten? Notieren Sie jeweils die drei wichtigsten Faktoren.

▶ Ü 2

Teamgeist _____

1 Viele Firmen bieten ihren Mitarbeitern Events zur Teambildung an. Beschreiben Sie die Aktivitäten auf den Bildern. Wie kann damit Teamarbeit gefördert werden?

▶ Ü 1

2 Sie haben für eine zweitägige Mitarbeiterveranstaltung in Ihrer Firma das Veranstaltungsprogramm erarbeitet. Sie haben das Programm an Ihre Kollegin geschickt mit der Bitte um Durchsicht.

1.37

Hören Sie die Nachricht und korrigieren Sie während des Hörens die falschen Informationen oder ergänzen Sie die fehlenden Informationen. Sie hören den Text einmal.

GI

Donnerstag, 14.06.

Uhrzeit	Ort	TOP/Aktivität	Ansprechpartner
10:30–11:30	Tagungsraum „Gartenblick" im Hauptgebäude	Begrüßung und Vorstellung aller Teilnehmer	Herr Peter Berghammer Mobil: 0176-84 33 17 09 **1** _0179_
11:30–12:30		Die Vertreter der anwesenden Länder stellen die Ergebnisse des letzten Geschäftsjahres vor.	
12:30–14:00	Restaurant „Zur Post", Turmgasse 7 **2** _über den Turm_	Mittagspause	
14:00–19:00 **3** _18:00_	Tagungsraum „Gartenblick" im Hauptgebäude	Einschreibung in die Gruppen für den folgenden Tag; Fortsetzung vom Vormittag	
19:30	Treffpunkt: Haupteingang des Firmengebäudes **4** _Firmenparkplatz_	Abfahrt zum Restaurant „Rossini"	Frau Monika Schneevoigt Mobil: 0179-65 28 44 38
20:30	Restaurant „Rossini"	gemeinsames Abendessen	Restaurant „Rossini" Rathausplatz 11 Tel.: +49-(0)8821-87 74 88-0 Fax: +49-(0)8821-87 74 88-09

Freitag, 15.06.

Uhrzeit	Ort	TOP/Aktivität	Ansprechpartner
9:00	Parkplatz vor dem Hotel	**Gruppe A** Abfahrt zum Hochseilpark Wir lernen unsere Grenzen kennen und finden in der Gruppe Lösungen, um Hindernisse zu überwinden.	Herr Thomas Kaeser Mobil: 0179-34 77 92 51
9:00	Parkplatz hinter dem Hotel	**Gruppe B** Abfahrt zum Filmstudio Wir drehen einen Film und bringen unsere Kompetenzen und Kreativität ein.	5 *Koeker* Mobil: 0171-88 02 387
19:00	Hotel „Grüner Hof"	gemeinsames Abendessen	

3a **Konnektoren. Ergänzen Sie die Sätze und die Regel.**

ohne zu	um zu	(an)statt zu	ohne dass	damit	(an)statt dass

1. Wir finden in der Gruppe Lösungen, __um__ Hindernisse __zu__ überwinden. 2. ~~An~~*statt*
die Teilnehmer bis 19 Uhr ein__zu__planen, würde ich schon um 18 Uhr Schluss machen. 3. Ich gebe
dir die Änderungen telefonisch durch, *damit* ich das Ganze vom Tisch habe. 4. Ich hoffe, du
schaffst es, alles einzutragen, *ohne zu* verzweifeln. 5. *Anstatt dass* sie mir so lange auf die
Mailbox spricht, hätte sie mir auch später eine Mail schicken können. 6. Ich muss Thomas noch
anrufen, *damit* er wegen der Abfahrtszeiten Bescheid weiß. 7. Hoffentlich kann ich ihm das
sagen, *ohne dass* er gleich wieder genervt ist.

(G)

Subjekt im Hauptsatz = Subjekt im Nebensatz	Subjekt im Hauptsatz ≠ Subjekt im Nebensatz
um ... zu / damit,	*damit,*

b **Formulieren Sie die Sätze um. Verwenden Sie *ohne zu*, *um zu* und *(an)statt zu*.**

1. Sie hat angerufen, damit sie die Änderungen durchgeben kann.
2. Sie hat angerufen, aber sie hat die Änderungen nicht durchgegeben.
3. Sie hat angerufen, weil sie die Änderungen durchgeben wollte.
4. Sie hat nicht angerufen, sondern die Änderungen per Mail geschickt.

1. Sie hat angerufen, um die Änderungen durchzugeben.

▶ Ü 2–3

4 **Auf welche Art und Weise würden Sie gerne mit Kollegen an der Verbesserung der Teambildung arbeiten?**

Anstatt gemeinsam Kinderspiele zu machen, sollte/könnte man ... / Ich würde lieber ... als ... /
Um ein gut funktionierendes Team zu bilden, muss/müssen ... / Bei... lernt man ...

Werben Sie für sich!

1a Der Lebenslauf. Lesen Sie die Kommentare einer Bewerbungstrainerin zu einem Lebenslauf und ordnen Sie zu.

a Diese Angaben sind freiwillig – machen Sie sie nur, wenn sie Ihnen sehr wichtig sind.

b Die Überschrift ist gut, jeder erkennt sofort, was vor ihm liegt. Übersichtlicher ist es, wenn die Überschrift über der zweiten Spalte steht.

c Nicht nur das Jahr, sondern auch die Monate angeben, z.B. 11/04–12/04 oder Nov. 2004–Dez. 2004. Achten Sie darauf, dass die Datumsangaben einheitlich sind.

d Sprachkenntnisse stehen am Ende des Lebenslaufs.

e Die Überschriften „Studium" und „Abschlüsse" sollte man besser unter einer Überschrift, z.B. „Ausbildung" zusammenfassen.

f Das Foto kommt oben rechts auf den Lebenslauf. Man sollte auf dem Foto seriös und freundlich zugleich aussehen.

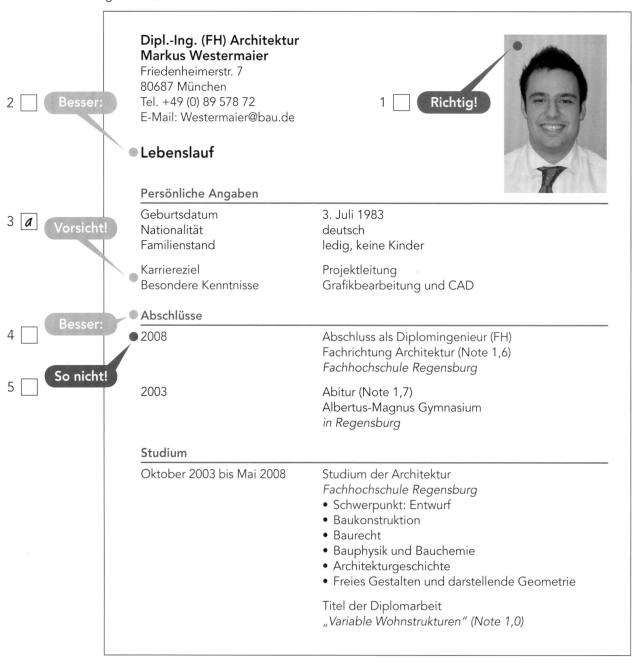

**Dipl.-Ing. (FH) Architektur
Markus Westermaier**
Friedenheimerstr. 7
80687 München
Tel. +49 (0) 89 578 72
E-Mail: Westermaier@bau.de

2 ☐ Besser:

1 ☐ Richtig!

Lebenslauf

Persönliche Angaben

Geburtsdatum	3. Juli 1983
Nationalität	deutsch
Familienstand	ledig, keine Kinder
Karriereziel	Projektleitung
Besondere Kenntnisse	Grafikbearbeitung und CAD

3 **a** Vorsicht!

Abschlüsse

4 ☐ Besser:

2008	Abschluss als Diplomingenieur (FH) Fachrichtung Architektur (Note 1,6) *Fachhochschule Regensburg*
2003	Abitur (Note 1,7) Albertus-Magnus Gymnasium *in Regensburg*

5 ☐ So nicht!

Studium

Oktober 2003 bis Mai 2008	Studium der Architektur *Fachhochschule Regensburg* • Schwerpunkt: Entwurf • Baukonstruktion • Baurecht • Bauphysik und Bauchemie • Architekturgeschichte • Freies Gestalten und darstellende Geometrie
	Titel der Diplomarbeit *„Variable Wohnstrukturen" (Note 1,0)*

g Der Lebenslauf ist ein offizielles Dokument, deswegen dürfen Ort, Datum und Unterschrift niemals fehlen.

h Nennen Sie nur Weiterbildungen, die im Zusammenhang mit der Stelle stehen.

i Tipp- und Rechtschreibfehler unbedingt vermeiden!

j Zu Praktika gehört eine kurze Beschreibung der Tätigkeiten.

k Bei EDV-Kenntnissen immer auch angeben, wie gut man das Programm beherrscht und seit wann man das Programm verwendet.

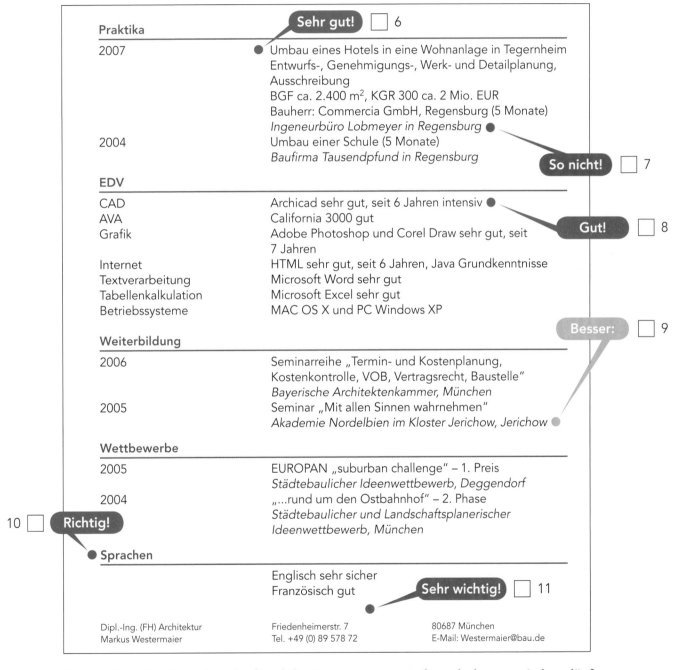

Praktika	**Sehr gut!** ☐ 6
2007	Umbau eines Hotels in eine Wohnanlage in Tegernheim Entwurfs-, Genehmigungs-, Werk- und Detailplanung, Ausschreibung BGF ca. 2.400 m², KGR 300 ca. 2 Mio. EUR Bauherr: Commercia GmbH, Regensburg (5 Monate) *Ingeneurbüro Lobmeyer in Regensburg*
2004	Umbau einer Schule (5 Monate) *Baufirma Tausendpfund in Regensburg* **So nicht!** ☐ 7

EDV	
CAD	Archicad sehr gut, seit 6 Jahren intensiv
AVA	California 3000 gut
Grafik	Adobe Photoshop und Corel Draw sehr gut, seit 7 Jahren **Gut!** ☐ 8
Internet	HTML sehr gut, seit 6 Jahren, Java Grundkenntnisse
Textverarbeitung	Microsoft Word sehr gut
Tabellenkalkulation	Microsoft Excel sehr gut
Betriebssysteme	MAC OS X und PC Windows XP

Besser: ☐ 9

Weiterbildung	
2006	Seminarreihe „Termin- und Kostenplanung, Kostenkontrolle, VOB, Vertragsrecht, Baustelle" *Bayerische Architektenkammer, München*
2005	Seminar „Mit allen Sinnen wahrnehmen" *Akademie Nordelbien im Kloster Jerichow, Jerichow*

Wettbewerbe	
2005	EUROPAN „suburban challenge" – 1. Preis *Städtebaulicher Ideenwettbewerb, Deggendorf*
2004	„...rund um den Ostbahnhof" – 2. Phase *Städtebaulicher und Landschaftsplanerischer Ideenwettbewerb, München*

10 ☐ **Richtig!**

Sprachen	
	Englisch sehr sicher Französisch gut **Sehr wichtig!** ☐ 11

Dipl.-Ing. (FH) Architektur   Friedenheimerstr. 7   80687 München
Markus Westermaier   Tel. +49 (0) 89 578 72   E-Mail: Westermaier@bau.de

b **Vergleichen Sie den Lebenslauf und die Kommentare mit Ihnen bekannten Lebensläufen. Was ist anders?**

c **Schreiben Sie mithilfe des Musters Ihren Lebenslauf. Lassen Sie ihn dann von Ihrem Nachbarn / Ihrer Nachbarin Korrektur lesen.**

▶ Ü 1

Werben Sie für sich!

2 Lesen Sie die Stellenausschreibung und notieren Sie.

– Was macht die Firma, die die Anzeige aufgegeben hat?
– Welche Aufgaben soll der Bewerber übernehmen?
– Welche Anforderungen müssen und welche sollten vom Bewerber erfüllt werden?

Wir sind spezialisiert auf die Steuerung und Überwachung von großen Bauprojekten in ganz Deutschland. Wir suchen eine/n

Bauleiter/in, Projektleiter/in
für unser Büro in München

Aufgabengebiet: Organisation, Strukturierung und Abwicklung komplexer Baumaßnahmen bis zur Übergabe an den Nutzer bzw. Erwerber.
Profil: Studium der Architektur bzw. des Bauingenieurwesens, selbstbewusste Persönlichkeit mit Überzeugungs- und Durchsetzungskraft sowie ausgeprägter Teamfähigkeit. Möglichst mit Berufserfahrung. Wir bieten Ihnen eine interessante, abwechslungsreiche Aufgabe mit Aufstiegs- bzw. Entwicklungspotenzial.
Wenn diese Beschreibung auf Sie zutrifft, dann schicken Sie Ihre schriftliche Bewerbung bitte an:

KRI Projektsteuerungsgesellschaft mbH
Büro München, Schwanthalerstr. 15
80573 München
z.Hd.: Uta Kirchtal

3a Das Bewerbungsschreiben. Ordnen Sie die Bezeichnungen den Teilen des Bewerbungsschreibens zu.

A Schlusssatz   **B** Adresse   **C** Ort, Datum   **D** Unterschrift   **E** Vorstellung der eigenen Person
F Anrede   **G** Betreff   **H** Absender   **I** Eintrittstermin   **J** Einleitung
K Erwartungen und Ziele   **L** Grußformel

__H__   Dipl.-Ing. (FH) Architektur
Markus Westermaier
Friedenheimerstr. 7
80687 München

_____   KRI Projektsteuerungsgesellschaft mbH
z.Hd. Frau Uta Kirchtal
Schwanthalerstr. 15
_____   80573 München   München, den …

_____   Bewerbung als Projektleiter
Ihre Anzeige in der SZ vom …

_____   Sehr geehrte Frau Kirchtal,

_____   Sie suchen einen selbstbewusst auftretenden und teamfähigen Diplom-Ingenieur Architektur für die Projektleitung in Ihrem Münchner Büro. Nach erfolgreichem Abschluss meines Studiums der Architektur an der FH Regensburg würde ich gerne mein Wissen und meine in Berufspraktika erworbenen Erfahrungen in Ihr Unternehmen einbringen und bewerbe mich daher als Projektleiter.
_____   Ein Praktikum bei der Firma Lobmeyer hat mir gezeigt, dass ich gerne im Team arbeite und mir die Übernahme auch von umfangreichen organisatorischen Aufgaben sehr liegt ebenso wie die Strukturierung und Abwicklung der einzelnen Maßnahmen. Auf Ihrer Homepage habe ich gesehen, dass eines Ihrer aktuellen Projekte Wohnungen in der Nymphenburger Schlossperle sind, ein Projekt, das mich sehr interessiert, da ich die Bebauungspläne entlang der Gleise zwischen dem Hauptbahnhof und München-Pasing von Anfang an mit sehr großem Interesse verfolgt habe.
_____   Mit dem Eintritt in Ihr Unternehmen verbinde ich die Erwartung, meine Kenntnisse und Erfahrungen mit großer Motivation und viel Engagement einbringen zu können. Die Tätigkeit als Projektleiter könnte ich
_____   ab dem 1. Juli beginnen.
_____   Über eine Einladung zu einem persönlichen Vorstellungsgespräch freue ich mich sehr.

_____   Mit freundlichen Grüßen
_____   *Markus Westermaier*

Anlagen

b Vergleichen Sie das Bewerbungsschreiben mit der Anzeige. Worauf ist Markus Westermaier in seinem Anschreiben eingegangen?

c Erstellen Sie eine Übersicht und notieren Sie für Bewerbungsschreiben nützliche Redemittel aus dem Brief. Ergänzen Sie im Kurs weitere Alternativen.

Bewerbungsschreiben

Einleitung	**Vorstellung der eigenen Person**
Sie suchen …	*Nach erfolgreichem Abschluss meines …*
In Ihrer oben genannten Anzeige …	*In meiner jetzigen Tätigkeit als … bin ich …*
Da ich mich beruflich verändern möchte …	
Bisherige Berufserfahrung/Erfolge	**Erwartungen an die Stelle**
Eintrittstermin	**Schlusssatz und Grußformel**

▶ Ü 2

4a Suchen Sie im Internet oder in Zeitungen eine deutsche Stellenanzeige, auf die Sie sich bewerben möchten.

TELC

b Schreiben Sie einen Bewerbungsbrief. Ihr Brief sollte mindestens zwei der folgenden Punkte und einen weiteren Aspekt enthalten:

- Ihre Ausbildung
- Ihre Interessen und Vorlieben
- Grund für die Wahl dieser Anzeige
- Grund für die Bewerbung in Deutschland

Bevor Sie den Brief schreiben, überlegen Sie sich eine passende Reihenfolge der Punkte, die Einleitung und den Schluss. Vergessen Sie nicht Absender, Anschrift, Datum, Betreffzeile und Schlussformel. Schreiben Sie 150–200 Wörter.

1.38

5a Das Vorstellungsgespräch. Ein wichtiger Teil eines Vorstellungsgesprächs ist die Selbstdarstellung des Bewerbers. Lesen Sie die Checkliste, hören Sie ein Beispiel und analysieren Sie es. Was hat der Bewerber falsch gemacht?

Checkliste Selbstdarstellung
- Machen Sie deutlich, welche Stationen Ihrer Ausbildung/Karriere für die Stelle wichtig sind.
- Erklären Sie, welche Ziele Sie noch erreichen möchten.
- Beschreiben Sie persönliche Stärken und Qualifikationen, die für diese Stelle wichtig sind. Seien Sie selbstbewusst aber nicht arrogant!
- Werden Sie nicht zu privat – alles, was Sie erzählen, sollte in Zusammenhang mit der angestrebten Tätigkeit stehen.
- Machen Sie deutlich, warum Sie sich gerade auf diese Stelle beworben haben.

1.39

b Hören Sie nun die Beurteilung eines Experten. Ergänzen Sie dann in Gruppen die Liste mit weiteren wichtigen Tipps zur Selbstdarstellung.

▶ Ü 3

6 Suchen Sie sich einen Partner / eine Partnerin und üben Sie die Selbstdarstellung im Rahmen eines Vorstellungsgesprächs.

▶ Ü 4

Die Kult-Brause – BIONADE

Die einen trinken sie nur in Rot. Die anderen stehen auf Litschi oder auf Ingwer-Geschmack mit Orange. Doch egal, ob herb oder ein wenig exotisch: Bionade boomt. Und ihr Geburtsstädtchen in der Rhön mit. Länger als ein Jahrzehnt tüftelte der Ostheimer Braumeister Dieter Leipold in den 80er-Jahren in seinem Labor hinter dem Schlafzimmer. Der 69-Jährige ist ein Visionär: Er glaubte fest daran, ein biologisches Erfrischungsgetränk entwickeln zu können, das keinen Alkohol enthält und gesund ist. Dazu lecker schmeckt und bedenkenlos getrunken werden kann. Anfang der 90er war es so weit, das Experiment gelungen, die Bionade geboren. Auf der neuartigen Limonade ruhte alle Hoffnung: Sie sollte den Familienbetrieb, die alteingesessene Peter-Brauerei, vor der Pleite retten. Doch zunächst kam es ganz anders. Die Lebensmittelkontrolleure wussten nicht, wo sie die Neuheit einordnen sollten, und verweigerten die Zulassung. Und es gab keinen Markt für die Wunderlimo: Für Wellness und Gesundheit interessierte sich noch kaum jemand. Die Familie bekam das Getränk nicht an den Mann.

Bis eines Tages versehentlich eine Lieferung vertauscht wurde: Statt nach Ungarn gingen die Flaschen nach Hamburg. Die Hansestadt gilt seitdem als die zweite Geburtsstätte der Bionade. Kultgetränk ist Bionade noch immer bei den Werbern und Medienleuten im hohen Norden.

Aber längst nicht mehr nur: Bionade schmeckt Kindern und Eltern, Szenegängern und Alternativen gleichermaßen. Stetig erobert Bionade weiter Öko-Supermärkte in Deutschland. Man kriegt sie auf Sylt, findet sie im KaDeWe in Berlin, in Los Angeles und auf den Balearen. Den Riesen der Branche widersteht die Familie wacker: Ein Kaufangebot von Coca-Cola lehnte Geschäftsführer Peter Kowalsky, Leipolds Stiefsohn, ab.

Der Boom ist aber nicht mehr aufhaltbar: Das Märchen aus der Vorrhön ist längst bekannt in den Metropolen der Republik. Jetzt wollen die Bremer und Berliner auch das Bier der Brauerei. In Ostheim ist die Brauerei mittlerweile einer der größten Arbeitgeber im Ort.

Peter Kowalsky und Dieter Leipold

Mehr Informationen zur Bionade

Sammeln Sie Informationen über Persönlichkeiten oder Konzerne aus dem In- und Ausland, die zum Thema „Arbeit und Beruf" interessant sind, und stellen Sie sie im Kurs vor. Sie können dazu die Vorlage „Porträt" im Anhang verwenden.
Beispiele aus dem deutschsprachigen Bereich:
Swatch – Johann Lafer – Heidi Klum – Herbert Hainer

1 Zweiteilige Konnektoren

Zweiteilige Konnektoren haben verschiedene Funktionen:

Aufzählung:	*Ich muss mich **sowohl** um das Design **als auch** um die Finanzierung kümmern. Hier habe ich **nicht nur** nette Kollegen, **sondern auch** abwechslungsreiche Aufgaben.*
„negative" Aufzählung:	*Aber nichts hat geklappt, **weder** über die Stellenanzeigen in der Zeitung **noch** über die Agentur für Arbeit.*
Vergleich:	***Je** mehr Absagen ich bekam, **desto** frustrierter wurde ich.*
Alternative:	***Entweder** kämpft man sich durch diese Praktikumszeit **oder** man findet wahrscheinlich nie eine Stelle.*
Einschränkung/ Gegensatz	*Da verdiene ich **zwar** nichts, **aber** ich sammle wichtige Berufserfahrung. **Einerseits** bleiben diese Kontakte oft oberflächlich, **andererseits** kann man auch wirklich wichtige berufliche Kontakte herstellen.*

Zwischen folgenden zweiteiligen Konnektoren steht immer ein Komma:
nicht nur …, sondern auch … je …, desto … zwar …, aber … einerseits …, andererseits …

2 Konnektor *während*

temporale Bedeutung (Zeit)	adversative Bedeutung (Gegensatz)
Während ich das Praktikum gemacht habe, habe ich viel gelernt.	*Während die anderen für die gleiche Arbeit gutes Geld verdienen, geht man als Praktikant meistens ohne einen Cent nach Hause.*

3 Konnektoren *um zu, ohne zu* und *(an)statt zu* + Infinitiv

Bedeutung	*um/ohne/(an)statt + zu* + Infinitiv: bei gleichem Subjekt	*damit* / Konnektor + *dass*: bei gleichem Subjekt oder verschiedenen Subjekten	weitere Alternativen
Absicht, Ziel, Zweck (final)	*Ich rufe an, **um** dir die Änderungen durch**zu**geben.* —	*Ich rufe an, **damit** ich dir die Änderungen durchgeben kann. Ich rufe an, **damit** du Bescheid weißt.*	*Ich rufe an, **weil** ich dir die Änderungen durchgeben **möchte**.*
Einschränkung (restriktiv)	*Wir haben lange telefoniert, **ohne** über die Änderungen **zu** sprechen.* —	*Wir haben lange telefoniert, **ohne dass** wir über die Änderungen gesprochen haben. Wir haben lange telefoniert, **ohne dass** ich nach den Änderungen gefragt habe.*	*Wir haben lange telefoniert, **aber** wir haben **nicht** über die Änderungen gesprochen. Wir haben lange telefoniert, **trotzdem** haben wir nicht über die Änderungen gesprochen.*
Alternative oder Gegensatz (alternativ oder adversativ)	***(An)statt** lange zu telefonieren, könntest du mir eine Mail schicken.* —	***(An)statt dass** du lange mit mir telefonierst, könntest du mir eine Mail schicken. **(An)statt dass** wir telefonieren, schreib ich dir lieber eine Mail.*	*Lieber ist es mir, wenn wir nicht telefonieren, **sondern** wenn du mir die Änderungen per Mail schickst.*

Schule aus – und nun?

1 a Was tun, wenn man mit der Schule fertig ist? Welche Pläne hatten/haben Sie danach? Waren/Sind Sie neugierig, optimistisch, ängstlich, …? Erzählen Sie.

b Sehen Sie den Film. Sagen Sie kurz, wovon die drei Personen auf den Fotos berichten.

Astrid Kleber *Sebastian* *Kasim*

c Sind die folgenden Aussagen zum Film richtig oder falsch?

	r	f
1. Ca. 20 % der Berliner Jugendlichen haben keinen Job.	☑	☐
2. Mit einem Hauptschulabschluss hat man gute Chancen.	☐	☑
3. „JobInn" vermittelt nur Lehrstellen in der IT-Branche.	☐	☑
4. Die Jugendlichen lernen bei „JobInn" einen Beruf.	☐	☑
5. Eine Sozialpädagogin hilft beim Schreiben der Bewerbungen.	☑	☐

2 a Sehen Sie die erste Filmsequenz. Was sagt die Sozialarbeiterin zur Situation vieler Jugendlicher in Berlin?

b Erklären Sie anhand des Schemas das Wesentliche zum deutschen Schulsystem.

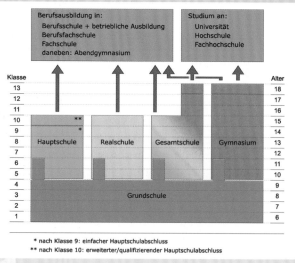

3 Sehen Sie den Film noch einmal ganz und beantworten Sie die folgenden Fragen:

a Welche Schulen haben die beiden Jugendlichen Sebastian und Kasim besucht?

b Beschreiben Sie die aktuelle Situation von Sebastian und Kasim genauer. *Realabschluss*

c Worauf achtet „JobInn" besonders, um den jungen Leuten eine Stelle zu vermitteln? *Brücke bauen - Wirtschafts kontakte*

4   Lesen Sie die Texte aus einem Internetforum und beantworten Sie die Fragen:

a Was denken Sie: Wie alt könnten die vier Teilnehmer im Forum sein?

b Warum haben Hauptschulabgänger größere Probleme bei der Lehrstellensuche?

c Welche Ratschläge geben die Teilnehmer Hauptschülern, um bei der Jobsuche erfolgreich zu sein?

Hat man mit einem Hauptschulabschluss überhaupt Chancen auf irgendwas?

RicooO Mache mir Sorgen um meinen kleinen Bruder. Er macht
Hauptschule und da sind seine Noten noch nicht mal so berau-
schend ... Ich habe mittlere Reife und mache jetzt mein Fachabi,
weil ich mit der mittleren Reife keine Ausbildung gefunden habe
... Aber was macht man denn mit einem Hauptschulabschluss???

Lizzy D Ja und nein! Das kommt ein bisschen auf den Wohnort an: In
kleineren Städten oder auf dem Lande sind die Chancen größer.
Hier gibt es noch viele kleinere Handwerksbetriebe, die den Sinn
der Hauptschule, nämlich das Fördern PRAKTISCHER
Fertigkeiten sehr zu würdigen wissen. Außerdem bleibt dort ein
spitzenmäßiger Eindruck bei Schüler-Betriebspraktika besser
hängen als in großen Firmen in der Stadt.

nohope Wenn ich ehrlich bin – eigentlich nicht!!!
Denn Firmen nehmen manchmal schon nur noch Gymnasiasten
an!!! Mit Realschülern ist das auch schon schwer und
Hauptschüler, na ja, eine Chance haben sie bestimmt, aber sie
müssen bei ihrem Job Interesse zeigen und sich dafür einsetzen.

Totti Viele Firmen nehmen gar keine Hauptschüler mehr. Das ist zwar
Blödsinn, aber wohl real. Der Schulabschluss ist die Eintrittskarte
ins Berufsleben. Leider kapieren die Kids das meist erst später.
Gut, dass es den zweiten Bildungsweg gibt, da kann man einen
höheren Abschluss nachholen. Manch einer braucht eben länger.
Aber die Tür ist dann noch nicht geschlossen.

---

5   Berichten Sie im Kurs über Ihr Heimatland:

a Wie kann man in Ihrem Land einen Beruf lernen? (Schultypen, betriebliche Ausbildung,
Dauer, Abschlüsse usw.)

b Welche Chancen haben junge Leute, einen Ausbildungsplatz und nach der Ausbildung
eine gute Arbeit zu bekommen?

Zusammen leben

DER ANBLICK DES NEUEN FIRMENWAGENS LÖSTE BEI KRAUSE STARKE ZUKUNFTSÄNGSTE AUS.

1a Sehen Sie sich die Cartoons an. Um welche Themen geht es hier?

b Welcher Cartoon gefällt Ihnen am besten? Erklären Sie, warum, und geben Sie dem Cartoon einen Titel.

2 Warum sind Cartoons beliebt? Welche Funktion haben sie?

3 Bringen Sie einen Cartoon mit, der Ihnen gut gefällt, und stellen Sie ihn im Kurs vor.

Wer nicht an den Osterhasen glaubt, sieht auch nicht dessen Probleme!

Sport gegen Gewalt

1a Sehen Sie sich das Foto an. Kennen Sie diese Sportart? Wie heißt sie?

b Lesen Sie die Überschrift des Textes. Was denken Sie, wie kann Sport gegen Gewalt helfen?

Sport gegen Gewalt

1 Wie in jeder Großstadt gibt es auch in Hamburg soziale Probleme. Denn was machen 15-Jährige in einem sozial schwachen Stadtteil nach der Schule? Bis vor wenigen Jahren hätten
5 die meisten Kids aus Hamburg Jenfeld geantwortet: „Ab ins Einkaufszentrum." Hier ist es warm und trocken, man hat ein Dach über dem Kopf und kann sich seine Langeweile vertreiben: Das eine oder andere klauen, Handtaschen
10 stehlen, Graffiti sprühen und so weiter.

Der 37-jährige Fahim Yusufzai, ein gebürtiger Afghane, arbeitete viele Jahre als Sicherheitsleiter im Einkaufszentrum Jenfeld. Täglich schnappte er Jugendliche beim Klauen
15 oder Leute ärgern und Randalieren. Wer erwischt wurde, der bekam zunächst Hausverbot. Doch das nützte nichts. Wen Fahim Yusufzai der Polizei übergeben hatte, dem begegnete er am nächsten Tag garantiert erneut im Ein-
20 kaufszentrum.

Irgendwann wollte der Sicherheitsleiter nicht mehr tatenlos akzeptieren, dass es immer die gleichen Jugendlichen waren, die Ärger im Einkaufszentrum machten. Und er
25 hatte eine Idee: Als 13-Jähriger begann sein Vater, ihn den Kampfsport Taekwondo zu lehren. „Tae" steht für die Fußtechnik, „Kwon" für Faust- und Armtechnik und „Do" für den geistigen Weg. Seit 1989 trägt
30 Fahim Yusufzai den schwarzen Gürtel. Wer diesen Sport treibt, dem sind Eigenschaften wie Disziplin, Selbstbeherrschung und Verantwortung für das eigene Handeln nicht fremd. Warum sollte er sein Wissen nicht an
35 diese Jugendlichen weitergeben?

Mit dem Verein „Sport gegen Gewalt", den er 1993 gründete, konnte er den Jugendlichen besser helfen, als durch Eintragungen der Polizei in ihr Führungszeugnis. Denn wer
40 einmal solche Eintragungen hat, der hat sich seine Zukunft verbaut. Deshalb stellte er die Jugendlichen vor die Wahl: Wer zu ihm in sein Taekwondo-Training kommt, den bringt er

nicht zur Polizei. Bis heute hat Fahim Yusufzai
45 mit über 700 Kindern und Jugendlichen trainiert. Neben Taekwondo wird im Verein auch Kickboxen, Fußball und Basketball angeboten. Das regelmäßige Training stärkt das Gefühl, respektiert zu werden und etwas leisten zu
50 können.

Die Jugendlichen sind motiviert und lernen, Stress-Situationen ohne Waffe zu bewältigen und sich an Regeln zu halten. Wer im Training zum Beispiel flucht oder jemanden
55 beleidigt, der macht Liegestützen. Die Kids werden selbstbewusster, entwickeln Zukunftspläne. Manche machen direkt nach dem Training ihre Hausaufgaben, bei denen sie Hilfe bekommen.
60 Seitdem Fahim Yusufzai sein Training anbietet, ist die Zahl der Sachbeschädigungen und Diebstähle stark zurückgegangen.

Der ehemalige Sicherheitsleiter des Einkaufszentrums Jenfeld ist für seine Kids immer
65 da. Wen Probleme plagen, der hat die Möglichkeit, jederzeit mit ihm zu sprechen. Vertrauen, Disziplin und Respekt sind wichtige Vokabeln im Wortschatz von Fahim Yusufzai. Mit ihnen begründet er, was zunächst recht
70 komisch scheint: Er bringt kriminellen Jugendlichen einen Kampfsport bei. Auf diese Weise merken viele Jugendliche, dass es keinen Sinn macht, Mist zu bauen. Stattdessen kümmern sie sich um die Schule oder um ei-
75 nen Ausbildungsplatz.

2a Lesen Sie den Text. Machen Sie zu folgenden Punkten Notizen:

    1. Gründer des Vereins   *Fahim Yusufzai, arbeitete als ..., Sicherheitsleiter ; Lehrer*

    2. Angebote, die der Verein macht   _____

    3. Erfolge des Vereins   _____

b Wie beurteilen Sie dieses Projekt? Kennen Sie ähnliche Projekte in Ihrem Land? Welche Angebote würden Sie sich wünschen?   ▶ Ü 1–3

3a Suchen Sie im Text Relativsätze mit dem Relativpronomen *wer* und ergänzen Sie die Tabelle.

Wer	einmal solche Eintragungen hat,	der	hat sich seine Zukunft verbaut.
Wer	in sein Training kommt,	den	bringt er nicht zur Polizei.
Wen	er der Polizei übergeben hatte,	dem	…
…			

b Unterstreichen Sie in den Beispielsätzen aus Aufgabe 3a das Verb. Welcher Satz ist Hauptsatz, welcher Nebensatz?

c Sehen Sie sich das Beispiel an und ergänzen Sie die Regel.

Jemand	hat solche Eintragungen.	Er	hat sich seine Zukunft verbaut.
↓		↓	
Wer (Nominativ)	solche Eintragungen hat,	[der] (Nominativ)	hat sich seine Zukunft verbaut.

Hauptsatz – Kasus – Person – Demonstrativpronomen *der* – Nebensatz

1. Relativsätze mit *wer* beschreiben eine unbestimmte __Person__ näher.
2. Der __Nebensatz__ beginnt mit dem Relativpronomen *wer*, der __Hauptsatz__ mit dem Demonstrativpronomen *der*.
3. Der __Kasus__ der Pronomen richtet sich nach dem Verb im jeweiligen Satz.
4. Wenn beide Pronomen im gleichen Kasus stehen, kann das __Demonstrativpronomen__ entfallen.

   ▶ Ü 4–6

 4 Das Relativpronomen *wer* kommt oft in Sprichwörtern vor. Recherchieren Sie im Internet und suchen Sie weitere Beispiele. Was bedeuten sie?

Wer andern eine Grube gräbt, fällt selbst hinein.

Das bedeutet: Wer versucht, anderen zu schaden, schadet sich dadurch oft selbst.

   ▶ Ü 7–8

Armut ist keine Schande _____

1a Wann ist Ihrer Meinung nach ein Mensch arm? Schreiben Sie einen kurzen Text und hängen Sie ihn im Kursraum auf.

Meiner Meinung nach bedeutet Armut, dass ...
Unter Armut verstehe ich, ...
Für mich ist ein Mensch arm, wenn er ...

b Vergleichen Sie Ihre Erklärungen im Kurs. Welche Gemeinsamkeiten und welche Unterschiede stellen Sie fest?

▶ Ü 1–3

2 Lesen Sie zuerst die acht Überschriften. Lesen Sie dann die vier Texte und entscheiden Sie, welcher Text (1–4) am besten zu welcher Überschrift (a–h) passt.

TELC

a Immer mehr arme Menschen auf der Erde

b Zeichen setzen gegen Kinderarmut

c Der aktuelle Armuts- und Reichtumsbericht der Bundesregierung

d Portemonnaie der Eltern entscheidet über Bildungserfolg der Kinder

e Kostenlose Veranstaltung des DRK in Hellersdorf

f Kinder aus sozialschwachen Familien bringen im Studium schlechte Leistungen

g Immer mehr arme Kinder – Keine Feierstimmung am Weltkindertag

h Armut, was ist das und wie entsteht sie?

b/g

1   Im Jahr 1954 saßen die Mitglieder der UN-Vollversammlung zusammen und beschlossen, einen „Weltkindertag" ins Leben zu rufen. Einmal pro Jahr sollten Kinder die Hauptpersonen sein und ihre Sorgen, Nöte, Wünsche und Träume sollten weltweit im Mittelpunkt stehen. Inzwischen wird der Weltkindertag in über 160 Staaten begangen. Das Datum des Kindertages variiert in den verschiedenen Staaten. Über 30 Staaten übernahmen den 1. Juni von China und den USA. Dieser wird auch als „Internationaler Kindertag" bezeichnet. In Deutschland finden jährlich am 20. September Demonstrationen, Feste und andere Veranstaltungen statt, um auf die Lage der Kinder aufmerksam zu machen. Auch der Berliner Kinderschutzbund überlegt jedes Jahr erneut, was er an diesem Tag auf die Beine stellt. Als im Frühjahr 2006 die neuesten Zahlen zur Kinderarmut bekannt wurden, war sofort klar: Beim nächsten Weltkindertag muss es ein Zeichen gegen Kinderarmut geben. 2,5 Millionen arme Kinder in Deutschland und 200.000 in Berlin – Tendenz steigend – sind eine traurige Tatsache, die niemand hinnehmen will und kann. Die Idee zum Weltkindertag 2006 war schnell gefunden. Für jedes Kind, das in Berlin unterhalb der Armutsgrenze lebt, sollte am 20. September symbolisch ein Fähnchen aufgestellt werden. Am nächsten Tag wurden die Fähnchen dann jeweils gegen einen Euro getauscht. Die Idee: Mit jedem gespendeten Euro sollte ein Fähnchen von der Wiese vor dem Bundeskanzleramt verschwinden. Die Resonanz war riesig.

2   Am Montag, den 29. September, findet in Hellersdorf an der Quickborner Straße 39 eine Veranstaltung des Deutschen Roten Kreuzes zum Thema „Armes Deutschland" statt. Beginn ist um 20 Uhr. In einem Vortrag mit anschließender Gesprächsrunde geht es vor allem um Menschen, die am sozialen Rand der Gesellschaft leben. Erwin Steinert spricht darüber, wie diese Menschen besser am gesellschaftlichen Leben teilnehmen können und was das DRK dazu beitragen kann. Dabei wird auch auf den aktuellen Armuts- und Reichtumsbericht der Bundesregierung eingegangen, der den Teufelskreis zwischen Arbeitslosigkeit und Armsein eindrucksvoll aufzeigt. In der sich anschließenden Gesprächsrunde soll auf Themenschwerpunkte wie „Teilhabe am gesellschaftlichen Leben", „Gleiche Bildungschancen", „Migration und Integration" und „Menschen in besonderen Lebenslagen" eingegangen werden. Darüber hinaus bittet das DRK um Mithilfe in Form von Geld- oder Kleiderspenden. Es müssen aber nicht unbedingt Spenden sein. Wer sich persönlich engagieren will, kann bei dieser Veranstaltung mehr über eine ehrenamtliche Mitarbeit erfahren. Interessierte können zum Beispiel in der Kleiderkammer tätig werden oder bei der Essensausgabe in der Suppenküche. Der Eintritt für die Veranstaltung ist frei.

3   Armut zu definieren ist schwierig, denn jeder empfindet sie anders. Hunger, Krankheiten oder Angst lassen sich nur schwer messen. Aus diesem Grund gibt es international anerkannte Kriterien, die dabei helfen, zu erfassen, was Armut ist und wer als arm gilt. Auf ihrer Grundlage lässt sich Armut vergleichen. In einer Studie der Weltbank wurde untersucht, wie Arme ihre eigene Situation einschätzen. Dazu befragte man rund 60.000 Arme aus aller Welt. Die Studie macht sehr deutlich, was für diese Menschen Armut bedeutet: Hunger, kein Geld für die nötigsten Dinge des Alltags, ein Leben ohne Sicherheit, Krankheiten und keine Aussicht auf eine bessere Zukunft. Oft sind sie Naturkatastrophen und Gewaltübergriffen schutzlos ausgeliefert und haben keine Möglichkeit, ihr Leben selbst zu bestimmen.
Weltweit leben mehr als eine Milliarde Menschen in extremer Armut. Ursachen dafür gibt es viele, zum Beispiel Dürreperioden, die die Ernte vernichten, viel zu niedrige Arbeitslöhne, Korruption, Kriege, Epidemien, Naturkatastrophen und ein hohes Bevölkerungswachstum. Meistens sind mehrere Gründe gleichzeitig für die Armut der Menschen in einem Land verantwortlich. Viele Ursachen von Armut können von den betroffenen Ländern nicht selbst und nicht allein beeinflusst werden.

4   „Arm bleibt dumm – nur Reich studiert". Dieser Slogan einer Demonstration gegen Studiengebühren trifft den Nagel auf den Kopf. Denn von den 14 Millionen Kindern und Jugendlichen in Deutschland leben zweieinhalb Millionen in materiellen Verhältnissen, die nach offizieller Lesart als arm bezeichnet werden. Beim Institut für Schulentwicklungsforschung (IFS) an der Universität Dortmund hat man einen direkten Zusammenhang zwischen Armut und Bildungserfolg festgestellt: Kinder aus Elternhäusern mit niedrigem sozioökonomischen Status erwerben in der Schulzeit weniger Kompetenzen. Die Chancen für einen guten Schulabschluss hängen besonders stark von den sozialen Verhältnissen der Eltern ab. Kinder aus Familien mit gutem oder hohem Einkommen haben deutlich bessere Chancen, eine gute Ausbildung zu bekommen oder studieren zu können, als Kinder aus einkommensschwachen Familien.

▶ Ü 4

3   Haben sich Ihre Definitionen von Armut in den Texten bestätigt? Welche Aspekte sind neu dazugekommen?

Ich mach mir die Welt, wie sie mir gefällt _____

1a Was machen Sie im Internet am häufigsten? Notieren Sie Ihre Antworten der Häufigkeit nach (1 = sehr häufig).

1 _____   3 _____

2 _____   4 _____

b Vergleichen Sie Ihre Antworten mit den Ergebnissen einer Umfrage aus dem Internet. Welche Gemeinsamkeiten und Unterschiede gibt es?

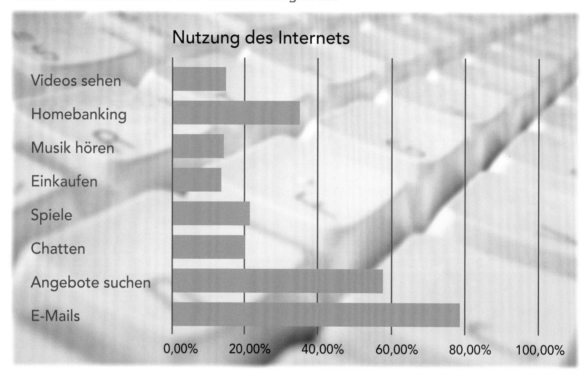

Nutzung des Internets

Videos sehen
Homebanking
Musik hören
Einkaufen
Spiele
Chatten
Angebote suchen
E-Mails

0,00%   20,00%   40,00%   60,00%   80,00%   100,00%

▶ Ü 1   **c** Was vermuten Sie: Warum ist das Spielen im Internet beliebt?

2.1   **2a** Hören Sie den ersten Teil eines Radiogesprächs und notieren Sie das Thema der Sendung und den Beruf von Herrn Stärk.

2.2   **b** Hören Sie den zweiten Teil des Gesprächs und beantworten Sie die folgenden Fragen.

1. Warum melden sich immer mehr User beim Online-Spiel „Second Life" an?

2. Was ist das Besondere an Online-Spielen?

3. Warum kann man virtuelle Beziehungen leichter eingehen als Beziehungen in der Realität?

4. Welche beiden Typen von Nutzern unterscheidet Herr Stärk beim Spiel „Second Life"?

2.3 **c** Hören Sie den dritten Teil des Gesprächs und entscheiden Sie, ob die Aussagen richtig oder falsch sind.

	r	f
1. Online-Spiele führen zu einer unkontrollierbaren Sucht.	☐	☐
2. Es kann passieren, dass durch das Spiel reale Freundschaften zerstört werden.	☐	☐
3. Viele Spieler können aus Zeitmangel nicht so lange spielen, wie sie gerne wollten.	☐	☐
4. Auf Knopfdruck erschafft sich der Spieler ohne Probleme alles, was er braucht.	☐	☐
5. Das Internet wird in Zukunft nur noch aus 3D-Welten bestehen.	☐	☐

2.4 **3a** Hören Sie einen Auszug des Gesprächs noch einmal. Lesen Sie zuerst die beiden Fragen und ergänzen Sie beim Hören die Antworten. Vergleichen Sie dann im Kurs.

1 Wie ist es möglich, dass eine echte Beziehung oder wirkliche Freundschaften nicht mehr funktionieren?

Das kann z.B. ~~dadurch~~ geschehen, _dass_ die Menschen sich _↑ vor dem_ _viel zu lange_

Computer aufhalten.

2 Wie lassen sich in Online-Spielen Dinge erschaffen?

Materielle Dinge lassen sich erschaffen, _in-dem man ↑dem knopf_ _auf_ drückt.

b Unterstreichen Sie in den Antworten die Konnektoren.

c Was drücken die beiden Konnektoren aus? Markieren Sie.

☐ Zeit ☐ Zweck
☐ Art und Weise ☐ Bedingung

d Modalsätze: Ergänzen Sie die Regel.

G

Nebensatz – zusammen – Hauptsatz – zwei – Nebensatz

Mit Modalsätzen wird die Art und Weise ausgedrückt.

1. Der Konnektor *dadurch, dass* hat _zwei_ Teile: *dadurch* steht im _Hauptsatz_, *dass* leitet den _Nebensatz_ ein.

2. Der Konnektor *indem* leitet einen _Nebensatz_ ein. Er wird immer _zusammen_geschrieben.

▶ Ü 2–3

4 Was halten Sie von Online-Spielen? Diskutieren Sie im Kurs.

Dadurch, dass die Menschen online spielen, ...
Indem die Menschen viel Zeit am Computer verbringen, ...
Weil virtuelle Beziehungen leichter sind, ...
Dadurch, dass Menschen sich in einer fiktiven Welt aufhalten, ...

Der kleine Unterschied

1a Männer und Frauen. Welche Assoziationen verbinden Sie mit ...

Farben für Jungen und Mädchen?
Wunschberufen von Mädchen und Jungen?
Spielzeug für Mädchen und Jungen?
Tätigkeiten für Männer und Frauen?
Männersprache – Frauensprache?
Hobbys für Männer und Frauen?

> Rosa ist typisch für Mädchen.

b Wo finden Sie Gemeinsamkeiten? Wo sind Unterschiede? Wie lassen sich Ihre Ergebnisse erklären?

▶ Ü 1

2a Was Männer sich von Frauen wünschen. Sehen Sie die Bilder an und lesen Sie dann die Texte. Welche Bilder passen zu welchem Text?

Was Männer sich wünschen

Was erwarten sich die Männer von den Frauen in zehn Jahren? Was wünschen sie sich im Umgang mit den Frauen, für die Welt, die Familie? Die Männer von der elektronischen Wochenzeitung ZEIT online erzählen zum Weltfrauentag von ihren Wünschen:

Geradeheraus
Wunsch an die Frauen: Bitte etwas mehr geradeaus in der Kommunikation.
Nicht so von hinten durchs Knie. Um es mit Annett Louisan zu sagen: Ich habe doch demonstrativ nichts gesagt.

Oliver Bunte, Technik

Schluss mit Beschützern, Gentlemen und Dienerinnen

Ich wünsche mir die Auflösung von beziehungsinternen Rollenbildern. Der Mann als machohafter Beschützer, als Charmeur, als Gentleman hat für mich genauso ausgedient wie das Bild einer schwachen Frau, die sich vom Mann abhängig macht. Frauen, die vom Mann hofiert und mit Geschenken überschüttet werden wollen, sehe ich genauso skeptisch wie Frauen, die sich mit einer dienenden Hausfrauenrolle abfinden. Es geht nicht um gesellschaftliche Gleichberechtigung, die ich mir nicht zu wünschen brauche, da ich sie für ein gelungenes Miteinander für eine Grundvoraussetzung halte, sondern um emotionale Gleichberechtigung. Das bedeutet, es gibt idealerweise keine vordefinierte Rollenverteilung zwischen Mann und Frau; Stärken und Schwächen der Partner ergeben sich aus der Beziehung selbst und nicht aus einer gesellschaftlichen Vordefinierung, welche Erwartungen der Partner in welcher Situation zu erfüllen hat. Die Partner sind sich ebenbürtig.

Adrian Pohr, Redakteur

Auch wir sind Helden

In den Mantel muss mir noch niemand helfen, nicht einmal eine Frau. Aber hübsch wäre es schon, wenn sich die Betonung des Wortes „Gleichberechtigung" in zehn Jahren etwas mehr von „Recht" auf „gleich" verschöbe. Frauen haben nämlich einen ihnen selbst oft unheimlichen Vorteil: Sie bekommen (manchmal) Kinder. Danach heißt es herzlich stöhnen: Kinder, Arbeit, Putzen, Kochen und den Mann (so sie ihn hat) über die Karriereschwelle heben. Klatschend stehen Nachbarn und Verwandte dann am Zaun: Welch Heldentum. Wäre ich auch gerne, so ein Held. Kinder, Arbeit, Putzen, Kochen – alles kann Mann auch. Doch dann dies: In den ersten Tagen raunten Nachbarn: „Schau nur, wie nett dieser Vater sich im Urlaub um die Kinder sorgt." Nach drei Wochen hieß es dann: „Sicher ist er arbeitslos." Aus war's mit dem Heldendasein. Wie ich mir die Frauen in zehn Jahren wünsche: stark und schön und klug wie heute. Und die Männer? Alle Helden!

Karsten Polke-Majewski, Redakteur

Ausblick

Es wird verhältnismäßig mehr Frauen als Männer geben. Es wird verhältnismäßig mehr Frauen geben, die Positionen bekleiden, die heute noch ausschließlich von Männern besetzt werden. Es wird verhältnismäßig mehr alleinstehende Frauen geben und weniger alleinstehende Männer.
Es wird auch in zehn Jahren keine Rolle spielen, wie wir uns die Frauen wünschen.
Ich freue mich auf mehr Frauen in der Politik.
Ich fürchte mich vor Frauen in der Politik, die dieselben Fehler begehen wie ihre männlichen Vorgänger – oder schlimmere.

Isaak Bah, Technik

b Was wünschen sich die Männer? Fassen Sie jede Aussage in einem Satz zusammen.

c Welchen Aussagen können Sie zustimmen? Welchen nicht? Warum?

zustimmen	zweifeln	ablehnen
Ich glaube auch, dass ...	Ich bin nicht sicher, ob ...	Ich glaube nicht, dass ...
... kann ich zustimmen.	Stimmt es wirklich, dass ...	... kann ich nicht zustimmen.
Ich bin der gleichen Meinung wie ...	Teilweise stimmt das, aber ...	Ich bin anderer Meinung als ...
Es stimmt, dass ...	Ich bezweifle, dass ...	Es stimmt nicht, dass ...
Es ist richtig, dass ...	Ich kann nicht überall zustimmen, weil ...	Es ist nicht richtig, dass ...
Das sehe ich genauso.		Das sehe ich anders.

Ich glaube nicht, dass es in zehn Jahren wirklich mehr Frauen in Positionen gibt, in denen jetzt nur Männer sind.

Ich bin auch nicht sicher. Wollen Frauen diese Positionen überhaupt haben?

Der kleine Unterschied

3a Wie wünschen sich die Frauen im Kurs Männer in zehn Jahren? Wie wünschen sich die Männer im Kurs Frauen in zehn Jahren? Schreiben Sie in einem Kurs-Forum.

Was Frauen sich wünschen …

Wenn ich in die Zukunft schaue, dann wünsche ich mir von den Männern, dass sie den Frauen mehr von sich erzählen. Männer müssen nicht immer alles alleine machen, alles alleine entscheiden und lösen. Auch nicht in 10 Jahren. Sie sollten Rat bei Frauen suchen. Frauen haben eine andere Perspektive als Männer. Sie betrachten Probleme oft von einer anderen Seite. Das kann helfen, ein Problem zu lösen. Das gilt umgekehrt natürlich auch für Frauen. Im Team sind wir viel stärker.

Nadja

▶ Ü 2   **b** Hängen Sie die Beiträge im Kurs auf. Was sind die häufigsten Wünsche?

4 Frauen und Männer sind … anders.
Und darum ist die Beziehung zwischen ihnen auch ein häufiges Thema für Witze, für Comics und für das Kabarett.

2.5
▶ Ü 3   **a** Hören Sie nun die folgende Szene aus einem Kabarett-Programm von Horst Schroth. Welche Probleme sieht er beim Zusammenleben von Mann und Frau?

b Was denken Sie? Was ist wahr? Was ist übertrieben? Diskutieren Sie im Kurs.

Männer wollen nur ihre Ruhe haben, wenn sie von der Arbeit kommen.

Das stimmt nicht. Ich freue mich darauf, mit meinen Kindern zu spielen!

c Horst Schroth berichtet von Macken, die Menschen haben können, und nennt zwei Beispiele. Welche?

5a Arbeiten Sie in Gruppen. Sammeln Sie typische Situationen mit Freunden, Kollegen oder Partnern, die Sie immer wieder nerven.

Bevor mein Freund aus dem Haus geht, muss er immer kontrollieren, ob der Herd aus ist.

b Über die kleinen Fehler sprechen: Worauf sollte man achten? Sammeln Sie im Kurs.

Wann sprechen Sie darüber? _____

Wo sprechen Sie darüber? _____

Wie sprechen Sie darüber? _____

Was kann ich sagen?
– Mir ist aufgefallen, dass ...
– Ich frage mich, ob ...
– Für mich ist es schwierig, wenn ...

c Sie möchten, dass jemand mit einer „Macke" aufhört. Er/Sie findet es aber gar nicht so schlimm. Entwickeln Sie zu zweit einen Dialog. Wählen Sie eine Situation aus A–D oder überlegen Sie sich eine eigene.

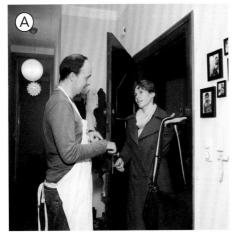

Cindy hat sich bei Haide für den Urlaub fünf Reiseführer und einen Koffer ausgeliehen. Haide wartet seit sechs Monaten auf die Sachen. Wie immer!

Sonja kommt schon wieder zu spät. Till hat keine Lust, immer zu warten.

Britta macht viel im Haushalt. Wenigstens die Zahnpastatube könnte Tobias mal wegräumen.

Kai-Uwe spricht so laut am Telefon, dass sein Kollege Martin sich nur sehr schwer auf seine Arbeit konzentrieren kann.

d Spielen und vergleichen Sie die Dialoge. Wie können die Gespräche erfolgreich und ohne Streit verlaufen?

Anne Will
(* 18. März 1966 in Köln)

Journalistin und Moderatorin

Anne Will in der gleichnamigen Sendung

Anne Will wächst in Hürth auf, wo sie auch 1985 das Abitur ablegt.

Zum Studium wechselt sie nach Köln und Berlin, um die Fächer Geschichte, Politologie und Anglistik zu belegen. Bereits in ihrer Studienzeit ist Anne Will journalistisch bei der „Kölnischen Rundschau" und dem „Spandauer Volksblatt" tätig. 1990 schließt sie in Köln ihr Magisterstudium ab.

Nach einem Volontariat wird sie den Fernseh-zuschauern schon 1992 durch die Moderation einer Talkshow *(Mal ehrlich)* und der Sendung „Sport-palast" beim Sender Freies Berlin bekannt.

Später wechselt sie zum Westdeutschen Rund-funk und wird von 1996 bis 1998 Gastgeberin der Mediensendung „Palazzo". Das wirklich große Publi-kum erreicht sie ab Ende 1999, als sie einen Fernseh-klassiker, die „Sportschau", moderieren darf. Will betritt damit eine Männerdomäne und schafft es mit einem Schlag, bei vielen Menschen bekannt zu wer-den. Einen Höhepunkt in der Moderation sport-licher Ereignisse stellt sicher auch die Übertragung und Kommentierung der Olympischen Spiele aus Sydney im Jahr 2000 dar.

Am 14. April 2001 kehrt Anne Will der Sport-moderation jedoch den Rücken, um eine weiter-reichende journalistische Aufgabe wahrzunehmen: Die Moderation der „Tagesthemen", die von Millionen Deutschen gesehen werden. Über sechs Jahre moderiert sie die Sendung – abwechselnd mit ihrem Kollegen Ulrich Wickert bzw. mit dessen Nachfolger Tom Buhrow – für ein Millionenpubli-kum zu allen Bereichen der Gesellschaft und wird damit zu einem der bekanntesten Gesichter des deutschen Fernsehens.

Der 24. Juni 2007 ist der letzte Sendetermin für Anne Will bei den Tagesthemen, da sie seit Septem-ber 2007 eine eigene politische Talkshow mit ihrem Namen moderiert.

„Niemand kann erwarten, dass wir das Fernsehen neu erfinden", sagt Anne Will. „Wir vertrauen auf das Gespräch." Relevant und lebensnah soll die Sen-dung sein. Erreichen will sie das, indem sie Politik so weit herunterbricht, dass den Menschen nicht nur klar wird, wie Entscheidungen entstehen und umge-

setzt werden, sondern auch, was sie für Einzelne be-deuten: „Politisch denken, persönlich fragen", das ist das Motto der Sendung.

Doch Anne Will engagiert sich nicht nur für das Fernsehen. Sie ist Botschafterin bei „Gemeinsam für Afrika" und setzt sich für ein Verbot von Landminen ein.

Auch dem Sport bleibt sie verbunden und ist seit 2006 Mitglied des Fußballclubs 1. FC Köln.

Mehr Informationen zu Anne Will

Sammeln Sie Informationen über Persönlich-keiten aus dem In- und Ausland, die für das Thema „Gesellschaft" interessant sind, und stellen Sie sie im Kurs vor. Sie können dazu die Vorlage „Porträt" im Anhang verwenden. Beispiele aus dem deutschsprachigen Bereich: Günter Wallraff – Emilie Kempin-Spiry – Sigmund Freud – Margarete Mitscherlich

Grammatik-Rückschau

1 Relativpronomen *wer*

Nominativ	wer
Akkusativ	wen
Dativ	wem
Genitiv (selten)	wessen

Relativsätze mit *wer*

Jemand	hat solche Eintragungen.	Er	hat sich seine Zukunft verbaut.
Wer (Nominativ)	solche Eintragungen hat,	[der] (Nominativ)	hat sich seine Zukunft verbaut.

Jemand	kommt in sein Training.	Ihn	bringt er nicht zur Polizei.
Wer (Nominativ)	in sein Training kommt,	den (Akkusativ)	bringt er nicht zur Polizei.

1. Relativsätze mit *wer* beschreiben eine unbestimmte Person näher.
2. Der Nebensatz beginnt mit dem Relativpronomen *wer*, der Hauptsatz mit dem Demonstrativpronomen *der*.
3. Der Kasus der Pronomen richtet sich nach dem Verb im jeweiligen Satz.
4. Wenn beide Pronomen im gleichen Kasus stehen, kann das Demonstrativpronomen entfallen.

2 Modalsätze

Hauptsatz	Nebensatz
Das kann zum Beispiel **dadurch** geschehen,	**dass** die Menschen sich viel zu lange vor dem Computer aufhalten.
Materielle Dinge lassen sich erschaffen,	**indem** man auf den Knopf drückt.

1. Mit Modalsätzen wird die Art und Weise ausgedrückt.
2. Der Konnektor *dadurch, dass* hat zwei Teile: *dadurch* steht im Hauptsatz, *dass* leitet den Nebensatz ein.
3. Der Konnektor *indem* leitet einen Nebensatz ein. Er wird immer zusammengeschrieben.

Gleicher Lohn für gleiche Arbeit?

1 a Gleichberechtigung im Beruf – was heißt das? Diskutieren Sie im Kurs.

b Was glauben Sie: Sind Männer und Frauen in Deutschland beruflich gleichberechtigt?

c Sehen Sie den Film. Waren Ihre Vermutungen bei Aufgabe 1b richtig?

1 2 a Bilden Sie zwei Gruppen und sehen Sie die erste Filmsequenz. Ergänzen Sie die Tabelle mit Informationen zu den Frauen.

Gruppe A: Kerstin Reschke

Gruppe B: Belgin Tanriverdi

beruflicher Weg:	hat zuerst Bürokauffrau gelernt Friseurausbildung	uni studiert, internationale Beziehungen / Marketing
Einkommen:	£ 8 pro stunde	100 k nach ein paar Jahren.
Familienverhältnisse:		2 kinder
Zufriedenheit im Job:		Ja, aber meistens für ihre kinder
Sonstiges:		glückliche Eltern: " kinder

b Stellen Sie die beiden Frauen im Kurs vor und charakterisieren Sie sie (z. B durch Adjektive: bescheiden, zielstrebig, ...).

3 In Deutschland gilt gesetzlich: Gleicher Lohn für gleiche Arbeit. Trotzdem verdienen Frauen oft weniger als Männer. Sehen Sie den Film noch einmal und ergänzen Sie die Sätze mithilfe der angegebenen Stichwörter.

weniger Berufsjahre	Teilzeit	~~schlechter bezahlt~~
Geld	Zuverdienerinnen	

Frauen verdienen oft weniger, weil ...

1 ... typische Frauenberufe _____meist schlechter bezahlt sind_____.

2 ... sie wegen der Familie _____.

3 ... sie wegen Schwangerschaft und Familie _____.

4 ... sie lange Zeit für das Familieneinkommen nur _____.

5 ... Frauen bei der Berufswahl nicht als Erstes _____ans Geld denken_____.

4 Wie sieht es mit der beruflichen Gleichberechtigung von Frauen und Männern in Ihrem Heimatland aus? Berichten Sie.

5 Wählen Sie zusammen mit Ihrem Partner / Ihrer Partnerin eine der Aufgaben und stellen Sie Ihr Ergebnis im Kurs vor.

A Spielen Sie eine Szene mit Ihrem Vorgesetzten in der Firma. Sie wollen als Mutter/Vater von zwei Kindern flexiblere Arbeitszeiten, um sich mehr um die Familie kümmern zu können. Ihr Vorgesetzter hat bisher wenig Rücksicht auf Familien genommen.

B Schreiben Sie kurze Sätze auf, die als Slogans auf Plakaten und Transparenten zu einer Demonstration für mehr Gleichberechtigung verwendet werden sollen.

Krankenpflege ist Schwerstarbeit – für Männer und Frauen!

Unsere Kinder brauchen Mütter und Väter!

Wer Wissen schafft, macht Wissenschaft

1a Sehen Sie die Bilder an und lesen Sie die Fragen und Aussagen. Wie lauten die richtigen Antworten?

der Springbock

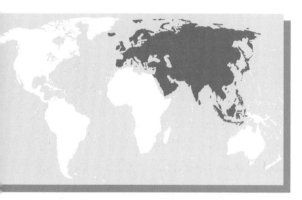

der Windhund

der Gepard

2. Der _____ ist das schnellste Säugetier der Welt. Er schafft Geschwindigkeiten bis zu 110 km/h.

1. Wie groß ist Eurasien?
  a 540.000 km²
  b 5,4 Millionen km²
  c 54,4 Millionen km²

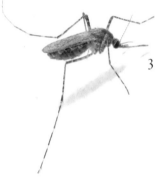

3. Eine Mücke schlägt pro Sekunde
  a 100-mal
  b 500-mal
  c 1.000-mal
  mit ihren Flügeln.

4. Der Durchmesser des sichtbaren Universums beträgt 25 Milliarden _____ .

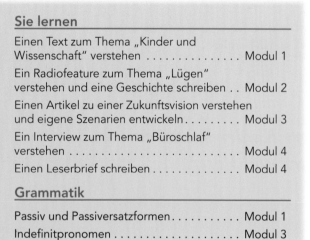

5. Für jeden Schritt aktiviert der Mensch
  54 _____ .

7. Was ist die kleinste Längeneinheit?
   a Millimeter
   b Femtometer
   c Nanometer

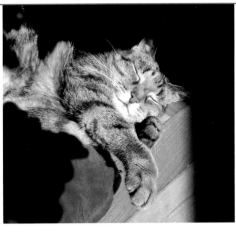

6. Katzen verschlafen etwa _____ Prozent ihres Lebens.

9. Der Hundertjährige Krieg dauerte _____ Jahre.

8. Wo werden alle 60 Sekunden
   18.060 Liter Bier getrunken?
   a In China
   b In Großbritannien
   c In Deutschland

10. Die älteste Schrift ent-
    wickelten
    a die Ägypter (Hieroglyphen).
    b die Sumerer (Keilschrift).
    c die Phönizier (Alphabet).

b Vergleichen Sie Ihre Lösungen im Kurs. Schlagen Sie dann auf Seite 109 nach.

c Aus welchen Wissenschaften stammen die Informationen?

2 Welche Informationen finden Sie wichtig? Für wen und wozu ist dieses Wissen nützlich?

3 Sammeln Sie interessante Erkenntnisse aus unterschiedlichen wissenschaftlichen Themen-
   bereichen und erstellen Sie in Gruppen ein eigenes Quiz.

Wissenschaft für Kinder

1a Lesen Sie den Text und sagen Sie mit einem Satz, worum es geht.

Wir bauen einen Wasserberg

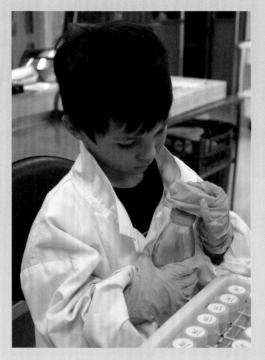

1   Die Lehrerin staunt: „So habe ich die Klasse noch nie erlebt." Im Alltag unterrichtet Wiebke Danielson an einer Berliner Schule Naturwissenschaft und muss mit Sprachproblemen und Zerstreutheit der Schüler kämpfen. Doch heute ist kein Alltag angesagt. Ihre sechzehn Schützlinge, alle in der fünften Klasse, alle aus Einwandererfamilien im Bezirk Wedding, hängen einem jungen Mann in weißem Kittel förmlich an den Lippen, werfen begeistert die Arme hoch und beantworten seine Fragen.

    Wenig später stehen die Kinder an der Laborbank, konzentrieren sich darauf, die Temperatur einer wässrigen Gipslösung zu messen, stellen blaue Pigmente her und färben Baumwolle. Gespannt folgen sie den Anleitungen für ihre Experimente und erklären sie sich gegenseitig. Durch den Besuch am Mitmach- und Experimentierlabor „NatLab" der Freien Universität (FU) Berlin, das speziell für Schüler *konzipiert worden ist*, *werden* den Kindern aus Wedding offenbar ungeahnte Fähigkeiten *entlockt*. Seit sie sich ihre kleinen weißen Laboranzüge übergezogen und die Schutzbrillen anprobiert haben, sind sie wie ausgewechselt.

25   Kinder in der Wissenschaft – was vor Jahren noch abwegig oder exotisch erschien, *wird* in deutschen Forschungseinrichtungen heute als überlebenswichtig *betrachtet*. Schon jetzt absolvieren zu wenige junge Deutsche ein Studium in den Natur- und Ingenieurwissenschaften, um die Nachfrage nach hoch qualifiziertem Personal decken zu können. Durch die schrumpfende Kinderzahl *wird* das Problem *verschärft*.

    Aus der Bildungsforschung kommt die Einsicht hinzu, dass Weichen für spätere Studien- und Berufsentscheidungen viel früher *gestellt werden* als bisher erwartet. Zum einen *müssen* mathematische und andere analytische Fähigkeiten von den Kindern früh im Leben *erworben werden*, damit sie sie voll entfalten können. Zum anderen stellt sich die Begeisterung für die Wissenschaft nicht über Nacht nach dem Abitur ein. Sie *muss* rechtzeitig *geweckt werden*.

    In keiner anderen deutschen Stadt gibt es dafür so viele und so vielfältige Initiativen wie in Berlin. Sie versuchen, bei Kindern und Jugendlichen die Lust am Experimentieren zu wecken und den Drang zu stärken, Phänomene der Natur zu verstehen. Das „NatLab" der FU *wurde* 2002 *gegründet* und ist nur eine von neun solcher Einrichtungen in der Hauptstadt, in die Schulklassen zu halb- oder ganztägigen Experimentierkursen kommen.

    Die Helmholtz-Gemeinschaft, deren fünfzehn Zentren Deutschlands größte Forschungsorganisation bilden, wendet sich sogar schon an Kleinkinder. In einem Kindergarten in Berlin-Neukölln stellt der Pädagoge Stephan Gühmann eine Gießkanne mit Wasser auf einen Tisch und zückt eine Handvoll Pipetten. „Wir bauen einen wackligen Wasserberg", sagt Stephan Gühmann. Dann dürfen die Kinder Wasser in einen Becher spritzen, bis dieser mehr als randvoll ist. Eine labile Haube aus Wasser sitzt nun obenauf, das Produkt von Oberflächenspannung und Anziehungskräften zwischen den Wassermolekülen. Alle gemeinsam bringen den Wasserberg zum Wackeln. „Warum fällt das Wasser nicht herunter?" Die Kinder wundern sich, doch keines weiß eine Antwort. Gühmann bittet sie, einen Kreis zu bilden, sich an den Händen zu fassen und zurückfallen zu lassen: Der Kreis hält, und kein Kind fällt um. „Jeder von euch ist jetzt ein Wasserteilchen", sagt er, „und die echten Teilchen halten genauso zusammen wie ihr."

    „Es ist zwar erstaunlich, was ein Experimentiertag bei Kindern auslösen kann, aber am besten wäre natürlich eine kontinuierliche Experimentierarbeit", sagt Petra Skiebe Corrette, die das „NatLab" der FU leitet.

b Arbeiten Sie zu zweit und beantworten Sie die Fragen.

1. Was machen die Kinder im „NatLab"?
2. Warum ist es wichtig, Kinder schon früh an die Wissenschaft heranzuführen?
3. Wie wird den Kindern der „Wasserberg" erklärt?

c Was halten Sie von solchen Initiativen? Gab es während Ihrer Schulzeit Ähnliches?

▶ Ü 1

2a Im Text sind einige Passivformen kursiv gedruckt. Lesen Sie diese Sätze noch einmal.

b Wann verwendet man das Passiv? Kreuzen Sie an.

Das Passiv wird verwendet, wenn

☐ wichtig ist, wer etwas macht. ☑ ein Vorgang / eine Handlung im Vordergrund steht.

c Ergänzen Sie die Tabelle und notieren Sie, in welcher Zeile ein entsprechender Beispielsatz zu finden ist.

Bildung der Passivformen			Beispielsatz Zeile:
Präsens: _wird/werden_ + _Partizip II_			_Z. 20–22_
Präteritum: _wurden_ + _Partizip II_			
Perfekt: _ist/sind_ + _Partizip II_ + _worden_			
mit Modalverb: _Modalverb_ + _Partizip II_ + _werden_			

▶ Ü 2–4

d Alternativ zum Passiv mit Modalverb kann man auch sogenannte Passiversatzformen verwenden. Lesen Sie die Sätze und formen Sie um.

Passiv mit _müssen/können/sollen_ → _sein + zu + Infinitiv_

Die Begeisterung der Kinder für die Wissenschaft muss frühzeitig geweckt werden.

Die Begeisterung der Kinder für die Wissenschaft ist frühzeitig zu wecken.

Passiv mit _können_ → _sein + Adjektiv mit Endung -bar/-lich_

Viele Projekte für Kinder können ohne staatliche Hilfe nicht finanziert werden.

Viele Projekte für Kinder sind ohne staatliche Hilfe finanzbar.

Die Begeisterung der Kinder für das „NatLab" kann leicht verstanden werden.

_____

Passiv mit _können_ → _sich lassen + Infinitiv_

Die Scheu der Kinder vor der Forscherwelt kann abgebaut werden.

_____

▶ Ü 5

3 Schreiben Sie für die drei Passiversatzformen je einen Beispielsatz.

Interesse wecken – Motivation aufbauen – Scheu abbauen – Experimente durchführen – Wissen vermitteln – Neues lernen – Fähigkeiten erwerben – ...

Wer einmal lügt ...

1a Lesen Sie die Aussagen. Was bedeuten sie? Welcher stimmen Sie zu?

A Der Erfinder der Notlüge liebte den Frieden mehr als die Wahrheit. (J. Joyce)
B Die Lüge ist wie ein Schneeball, je länger man sie wälzt, desto größer wird sie. (M. Luther)
C Die Wahrheit enthält immer auch Lüge. (J.W. v. Goethe)

b Was sagen Zitate oder Sprichwörter über Wahrheit und Lüge in Ihrer Sprache?

c Suchen Sie passende Substantive, Verben oder Adjektive. Arbeiten Sie mit dem Wörterbuch.

wahr	nicht wahr
die Wahrheit,	

▶ Ü 1

2a Wie oft lügen wir wohl am Tag? Vergleichen Sie Ihre Meinungen im Kurs.

b Hören Sie nun ein Radiofeature zum Thema „Lügen macht intelligent". Sie hören den Text zunächst einmal ganz, danach ein zweites Mal in Abschnitten. Kreuzen Sie die richtige Antwort an.

1 Was haben amerikanische Untersuchungen zum Thema Lügen herausgefunden?
[a] Die meisten Versuchspersonen finden Menschen, die lügen, unsympathisch.
[b] Über die Hälfte einer Versuchsgruppe hat gelogen, um Sympathie zu wecken.
[c] 40 Prozent wirkten unsympathisch, weil sie die Wahrheit über sich sagten.

2 Wie werden die Lügen der Männer beschrieben?
[a] Männer haben versucht, mit falschen Komplimenten Sympathie zu wecken.
[b] Die Kandidaten zeigten die Tendenz, sich besonders positiv zu präsentieren.
[c] Einige Probanden haben dermaßen übertrieben, dass ihnen niemand glaubte.

3 Wie lauten die Hauptaussagen der Versuchsreihen?
[a] Viele Menschen lügen, aber in längerfristigen Beziehungen sagen sie die Wahrheit.
[b] Bei Studenten ist das Lügen weit verbreitet, besonders in kurzfristigen Bekanntschaften.
[c] Lügen ist ein häufiges und ein soziales Phänomen, das besonders in längerfristigen Beziehungen eine Rolle spielt.

4 Wieso ist aktives Lügen ein Zeichen für die intellektuelle Entwicklung?
[a] Weil Kinder keine Lügengeschichten erzählen können.
[b] Weil das aktive Lügen die Fähigkeit voraussetzt, abstrakte Zusammenhänge zu verstehen.
[c] Weil erst Jugendliche zwischen Wahrheit und Lüge unterscheiden können.

5 Aus welchem Grund ist Lügen intellektuell anspruchsvoller als die Wahrheit zu sagen?
[a] Weil man nicht nachdenken muss, wenn man die Wahrheit sagt.
[b] Weil beim Lügen ein Netz von Nervenzellen aufgebaut werden muss.
[c] Weil nachgewiesen wurde, dass nur intelligente Menschen gut schwindeln können.

6 Sind auch Tiere in der Lage, ihre Artgenossen zu täuschen?
[a] Nein. Sie verfügen nicht über ausreichende Kommunikationsmittel.
[b] Ja. Sie setzen z.B. akustische Warnsignale für ihre Interessen ein.
[c] Tiere haben kein Interesse an der Täuschung von Artgenossen.

7　Was sind typische Gründe, um zu einer Lüge zu greifen?

[a] Es wird gelogen, weil alle anderen Menschen auch nicht die Wahrheit sagen.

[b] Man lügt häufig, um jemandem zu schaden.

[c] Man lügt, um Konflikten aus dem Weg zu gehen.

8　Wie wird das Lügen heute gesellschaftlich bewertet?

[a] Das Lügen ist eine Eigenschaft, die jeder nutzt, die aber negativ bewertet wird.

[b] Da das Lügen Vorteile verschafft, steht es bei der Bewertung von Eigenschaften auf Platz fünf.

[c] Lügen ist weit verbreitet und wird als wünschenswerte Eigenschaft eingestuft.

9　Wieso erkennen die meisten Menschen viele Lügen nicht?

[a] Lügen regulieren unser Zusammenleben. Deshalb ignoriert unser Gehirn oftmals, dass nicht die Wahrheit gesagt wird.

[b] Die Lügen sind so intelligent, dass wir sie nicht von der Wahrheit unterscheiden können.

[c] Unser Gehirn und unsere Sinnesorgane bemerken jede Lüge, wir sprechen nur nicht darüber.

10　Wieso sollten wir nicht nur andere, sondern auch uns selbst täuschen können?

[a] Weil die Psyche ab und zu positive Informationen braucht, auch wenn sie nicht wahr sind.

[b] Weil die meisten Menschen die Wahrheit nicht vertragen. Ihre Psyche kann nur Positives verarbeiten.

[c] Weil wir unser Gehirn kontinuierlich trainieren müssen, um glaubwürdig lügen zu können.

3a　Lesen Sie die Texte und sehen Sie die Bilder zu den Szenen an. In welcher Situation wird Ihrer Meinung nach gelogen?

Max und David sind dicke Freunde. Sie teilen alle Geheimnisse. David hat Max erzählt, dass er traurig ist, weil seine Eltern immer streiten. Das soll aber niemand wissen.

Frau Günther hat einen Besprechungstermin vergessen. Ihr Chef fragt sie, warum sie nicht bei der Besprechung war.

Paul trifft sich das erste Mal mit Sabrina. Er schenkt ihr einen großen Strauß rote Rosen. Sabrina findet das total übertrieben und unpassend. Sie möchte Paul aber nicht verletzen.

b　Sollte man in diesen Situationen anders reagieren? Wenn ja, wie?　▶ Ü 2–3

4　Jetzt dürfen Sie lügen, wenn Sie wollen. Schreiben Sie ein wahres oder nicht wahres Erlebnis aus Ihrem Leben auf. Lesen Sie die Geschichte vor, die anderen raten, ob Sie lügen oder nicht. Erklären Sie kurz, was wahr oder falsch an Ihrer Geschichte ist.

> *Vor zwei Jahren habe ich eine Geldbörse auf der Straße gefunden. Darin waren 1200 Euro Bargeld, Kreditkarten und Papiere. Ich habe die Geldbörse dem Besitzer gebracht. Er hat sich sehr gefreut, aber dann ...*

Ist da jemand ...?

1a Stellen Sie sich vor, dass es auf der Erde keine Menschen mehr gibt. Was würde sich in 10, 50, 1.000, ... Jahren verändern?

b Lesen Sie den Text und ordnen Sie die Überschriften den Abschnitten zu.

> Eine Vision für die Zukunft
> Das Ende der atomaren Energie
> Langlebige Überreste
> Die Natur vernichtet Großstädte
> Der Zerfall der Architektur

Die Welt ohne uns

1   **Ein Traum für wahre Ökologen: Von einem Tag auf den anderen ist der Mensch von der Erde verschwunden.**

   Der amerikanische Wissenschaftsjournalist Alan
5 Weisman gibt einen Einblick in die Vision, was eine Zukunft ohne Menschen für die Erde bedeutet. Aus zahlreichen Studien, Gesprächen mit Wissenschaftlern und Technikern ist das Buch „The World Without Us" entstanden. Seine wichtigste Erkenntnis: Überra-
10 schend schnell wäre die Erde wieder ein grüner Planet. Zumindest auf den ersten Blick. Denn einige Hinterlassenschaften würden Jahrmillionen überdauern.

   Schon zwei Tage, nachdem Homo sapiens ver-
15 schwunden ist, wäre die New Yorker U-Bahn überflutet. Die Pumpen, die täg-lich bis zu 40 Millionen Liter Grundwasser weg-pumpen, würden nicht mehr funktionieren, da sich niemand mehr um sie kümmert. In den folgenden
20 Jahren, so Weisman, beginnen die Stützen der Groß-stadtwelt nachzugeben, Häuser stürzen zusammen, Straßen sinken ein und werden zu Flussbetten. Nach 20 Jahren hätte sich die Natur die Städte größtenteils zurückerobert.

25   Nach sieben Tagen würden die Notkühlungen der Kernkraftwerke ausfallen, denn es gibt nieman-den, der Diesel nachfüllt. Nach einem Jahr, glaubt Weisman, sind alle Atommeiler geschmolzen oder
30 verbrannt. Die ersten Tiere würden in die radioakti-ven Ruinen zurückkehren. Unter ihnen auch Vögel. Weisman schätzt, dass ohne Lichter oder Strom-leitungen jedes Jahr rund eine Milliarde Vögel mehr überleben würden. Andere Arten dagegen würden
35 wahrscheinlich aussterben: Kopf- und Körperläusen,

Ratten und Kakerlaken fehlt jemand, der sie direkt oder indirekt ernährt.

   Nach 1.000 Jahren sind in Weismans Vision nur
40 noch wenige von Menschen geschaffene Strukturen übrig. Die meisten Brücken sind zusammengefallen, Dämme eingebrochen, Städte in Flussdeltas wegge-schwemmt. Übrig blieben alleine Bauwerke, die tief unter der Erde geschützt sind, etwa der Tunnel unter
45 dem Ärmelkanal. Einige andere Erinnerungen an rund 6,5 Milliarden Menschen werden aber wohl we-sentlich länger überdauern.

   In 35.000 Jahren wäre der Boden vom Blei der
50 Industrialisierung befreit. In 250.000 Jahren wäre das Plutonium in den Nuklearwaffen natürlich zerfallen. Giftige polychlorierte Biphenyle vor allem aus Kunststoffen und Farben werden in Millionen Jahren noch nachweisbar sein. Und bestimmte Plastiksorten,
55 vor tausenden von Jahren von irgendwem in den Müll geworfen, werden nicht verschwinden, bis die Evolution neue Bakterien schafft, die den Kunststoff zersetzen können.

60   Weisman will mit seinem Buch nach eigenen Angaben bei niemandem Naturromantik oder De-pressionen auslösen. Zu sehen, was in Abwesenheit des Menschen passiert, sagt er, sei „eine Art zu be-greifen, was in unserer Gegenwart geschieht." Die
65 Natur würde sich, von einigen Ausnahmen abgese-hen, relativ schnell erholen, so eine seiner zentralen Botschaften. Die andere ist tröstlich: „Ich glaube nicht, dass wir alle verschwinden müssen, damit sich die Erde wieder erholt."

2a Was würde sich verändern, wenn es auf der Erde keine Menschen mehr gäbe? Notieren Sie.

Was?	Wie?	Warum?
Großstadt	– U-Bahn voll mit Grundwasser – Häuser stürzen ein – ...	– Pumpen fallen aus

b Stimmen die Aussagen mit Ihren Vermutungen aus Aufgabe 1a überein?

3a Lesen Sie den Text noch einmal und markieren Sie die Indefinitpronomen. Ergänzen Sie dann die Tabelle.

Ⓖ

Indefinitpronomen				
Nominativ	man/einer		jemand	irgendwer
Akkusativ	einen			irgendwen
Dativ		niemandem		

▶ Ü 1

b Lesen und ergänzen Sie die Regel mit den folgenden Wörtern.

~~man~~, irgendwer, irgendwas, irgendwann, ~~etwas~~, irgendwo, jemand, ~~irgendwohin~~, irgendwoher

Ⓖ

Die Indefinitpronomen beschreiben Personen: _man_ / _____ / _____,
Orte: _____ / _____ / _irgendwohin_ sowie Zeiten: _____ und
Dinge: _____ / _etwas_ , die nicht genauer definiert werden. So erhalten
die Aussagen mit Indefinitpronomen einen allgemeinen Charakter.

c Schreiben Sie drei Fragen mit Pronomen aus Aufgabe 3b und spielen Sie Minidialoge.

○ *Kannst du mich heute irgendwann anrufen?*   ● *Ja, klar. Heute Abend.*

▶ Ü 2

d Jemand? – Niemand! Welche Wörter verneinen die Pronomen aus Aufgabe 3b? Erstellen Sie eine Tabelle mit den Wörtern im Kasten.

▶ Ü 3

~~niemand~~   nirgendwo   nichts   nie   nirgendwohin   ~~keiner~~ nirgendwoher   niemals   nirgends

Person: man, jemand, einer, irgendwer   → niemand, keiner

4 „Ich glaube nicht, dass wir alle verschwinden müssen, damit sich die Erde wieder erholt."
Was können/müssen wir jetzt für die Umwelt tun? Diskutieren Sie.

Man müsste stärker ...   Wenn wir irgendwann handeln, ist es zu spät, darum ...
Wir sollten irgendwas tun, zum Beispiel ...   Man kann irgendwo anfangen. Vielleicht ...

Gute Nacht!

▶ Ü 1 **1** Wie viele Stunden schlafen Sie? Wann schlafen Sie besonders gut, wann nicht so gut?

2a Lesen Sie den Text und notieren Sie fünf Fragen zum Inhalt.

Eintauchen in eine geheimnisvolle Welt

Die Menschen werden immer rastloser, schlafen viel weniger als vor 100 Jahren – das hat Folgen

1   Bis heute weiß die Wissenschaft nicht, warum der Mensch ein Drittel seines Lebens verschläft. Damit die Organe entspannen? Damit Hirn und Seele verarbeiten können, was sie er-
5 leben? Oder weil die Erde kahl wäre, gäbe der Allesfresser Mensch nicht zwischendurch Ruhe?

   Vor hundert Jahren schliefen die Menschen im Schnitt neun Stunden, vor zwanzig Jahren waren es noch mehr als acht, heute sind es sie-
10 ben, den verlängerten Wochenend-, Feiertags- und Urlaubsschlaf eingerechnet. Die Industrieländer mit ihren 24-Stunden-Gesellschaften werden schlaflos: Eine Nacht durchzuarbeiten gilt als Ausweis besonderer Leistungsfähigkeit
15 im Zeitalter globaler Konkurrenz; bis nach Mitternacht auszugehen gilt als Teil gehobener Lebenskunst. Spät ins Bett: Das ist für die Pubertierenden der Beweis dafür, dass sie schon erwachsen sind, und für die Gealterten ist es ein
20 Beleg ihrer ewigen Jugend. Wer will schon das Leben verpennen? Nur klingelt beim Durchschnitts-Deutschen der Wecker bereits morgens vor halb sieben.

   Viel zu früh nach Ansicht von Schlafforschern,
25 wie denen vom Schlaflabor der Berliner Charité. Einmal, weil die meisten Menschen vor acht Uhr kaum vernünftig denken können, und dann, weil dauerhafter Schlafmangel krank macht, weil Schlaflose hungrig werden und dick,
30 Bluthochdruck bekommen und am Ende gar den Herzinfarkt. Die Zahl der Menschen mit Schlafstörungen steigt; jeder vierte Deutsche wälzt sich nachts im Bett, statt zu ruhen. Inzwischen gibt es 300 Schlaflabors im Land;
35 Bettenhäuser preisen Spezialmatratzen, Pillen, Tropfen und Tees haben einen soliden Markt. Die Ärzte entdecken die Wirkung des mittelalterlichen Heilschlafs neu, Mediziner und Feuilletonisten preisen gleichermaßen die Kul-
40 tur des Nickerchens: zwanzig Minuten im

Bürostuhl, und die Welt sieht wieder ganz anders aus.

   In Japan gilt es als Zeichen vorbildlichen Eifers, wenn einer mittags müde gearbeitet den
45 Kopf auf die Schreibtischplatte und abends an die Schulter des U-Bahn-Nachbarn sinken lässt; in China machen Schulkinder ein Mittagsschläfchen. Nie haben Schüler den Ministerpräsidenten von Baden-Württemberg mehr ge-
50 liebt als an jenem Tag, da er vorschlug, die Schule eine Stunde später beginnen zu lassen.

   Und die Nachteulen, die Bettflüchter, Partylöwen, Einsam-am-Schreibtisch-Sitzer? Die können sich mit jenen Studien trösten, denen zu-
55 folge zu viel Schlaf auch nicht gesund ist, und es Menschen gibt, die nach fünf Stunden Ruhe wieder fit sind. Thomas Alva Edison war als Erfinder der Glühbirne ohnehin der ärgste Feind des Schlafs. „Alles, was die Arbeit hemmt, ist
60 Verschwendung", pflegte er zu sagen; vier Stunden Schlaf seien ausreichend. Doch als Henry Ford, der Autobauer, den genialen Erfinder besuchte, sagte Edisons Assistent: „Psst, der Meister hält ein Nickerchen." Edison holte sich sei-
65 nen Schlaf tagsüber – ein guter Grund, selbst mal ein kleines Schläfchen zwischendurch zu machen.

b Arbeiten Sie zu zweit. Stellen Sie sich gegenseitig Ihre Fragen und antworten Sie.

c Sammeln Sie alle wichtigen Informationen aus dem Text in Stichworten. Vergleichen Sie im Kurs.

2.7 3a Hören Sie ein Interview zum Thema „Mittagsschlaf". In welcher Reihenfolge werden die Teilthemen angesprochen? Nummerieren Sie.

- ☐ Empfohlene Dauer des Mittagsschlafs
- ☐ Mittagsschlaf in anderen Ländern
- ☐ Ein Beispiel – die Stadt Vechta
- ☐ Untersuchungen zum Thema
- ☐ Das Experiment des Schlafforschers Jürgen Zulley

b Hören Sie das Interview noch einmal in Abschnitten.

2.7 **Abschnitt 1: Sind die Aussagen richtig oder falsch? Kreuzen Sie an.**

	r	f
1. Bei dem Experiment mussten alle Teilnehmer einen Mittagsschlaf halten.	☐	☐
2. Die Menschen hatten schnell kein Gefühl mehr für die Tageszeiten.	☐	☐
3. Fazit des Experiments: Jeder Mensch schläft dreimal pro Tag, wenn er kann.	☐	☐
4. Der Schlafforscher Zulley setzt sich für den Mittagschlaf im Büro ein.	☐	☐

2.8 **Abschnitt 2:**
A Welche Länder werden als Beispiel genannt? Welche Information erhalten Sie über den Mittagsschlaf in diesen Ländern? Ergänzen Sie die Tabelle.

Land			
Information			

B Notieren Sie die wichtigsten Informationen zum Beispiel der Stadt Vechta in Stichworten.

2.9 **Abschnitt 3: Ergänzen Sie die Sätze.**

1. Einige Firmen haben _____.

2. Allerdings nutzen nur wenige Mitarbeiter dieses Angebot, weil _____

_____.

3. Die optimale Dauer des Mittagsschlafs beträgt _____. ▶ Ü 2

c Welchen Vorteil hat der Mittagsschlaf im Büro? Warum sollten Firmen ihn einführen? ▶ Ü 3

4 Wie verbringen Sie normalerweise Ihre Mittagspause und wie fit fühlen Sie sich danach?

Gute Nacht!

5 In einer deutschen Zeitung lesen Sie folgende Meldung:

Wissenschaftler fordern Mittagsschlaf im Büro.

„Uns fehlt der bewusste Umgang mit Ruhezeiten, angenehmen Schlafräumen und gesunder Ernährung", so Ingo Fietze, Leiter der schlafmedizinischen Abteilung in der Berliner Charité. Schlafforscher Jürgen Zulley fordert einen Kulturwandel. „Der Mittagschlaf wird immer noch mit Faulenzertum verbunden", sagt der Wissenschaftler. Nach Zulleys Angaben schläft derzeit rund ein Viertel der Beschäftigten heimlich im Büro. Wird es bald normal sein, bei einem Service-Unternehmen anzurufen, und auf dem Anrufbeantworter lautet es: „Wir halten gerade Büroschlaf. Bitte rufen Sie in 30 Minuten wieder an."? Schaden und Nutzen für die Unternehmen werden sich erst im Laufe der Zeit zeigen.

a Schreiben Sie als Reaktion auf diese Meldung einen Leserbrief an die Zeitung. Ordnen Sie zunächst die Bezeichnungen den Briefteilen zu und bringen Sie die Teile durch Nummerierung in die richtige Reihenfolge.

> Schluss   Hauptteil   Einleitung   Ort und Datum
> ~~Anschrift~~   Grußformel + Unterschrift   Anrede   Betreff

☐ _____ :

Mit freundlichen Grüßen

Elisabeth Dollmeyer

☐ _____ :

Angabe des Artikels, auf den Sie reagieren.

☐ _____ :

Fassen Sie Ihre Meinung noch einmal kurz zusammen. Formulieren Sie gegebenenfalls eine Forderung oder geben Sie einen Ausblick in die Zukunft.

☐ _____ :

Legen Sie Ihre Meinung dar. Erklären Sie Ihre Position. Nennen Sie Pro-/Contra-Argumente. Geben Sie Beispiele.

☐ _____ :

Dortmund, 18.05.20 ...

☐ _____ :

Warum schreiben Sie? Warum ist das Thema für Sie interessant? Nehmen Sie Bezug zum Artikel.

1 *Anschrift* _____ :

Süddeutsche Zeitung
Redaktion „Wissen"
Hackenstr. 11
80743 München

☐ _____ :

Sehr geehrte Damen und Herren,

b Folgende Redemittel helfen Ihnen beim Schreiben. Markieren Sie pro Rubrik mindestens eine Formulierung, die Sie verwenden wollen.

Einleitung	
Mit großem Interesse habe ich Ihren Artikel „ ...“ gelesen.	
Ihr Artikel „ ...“ spricht ein interessantes/wichtiges Thema an.	

eigener Standpunkt / eigene Erfahrungen	Beispiele anführen
Ich vertrete die Meinung / die Ansicht / den Standpunkt, dass ... Aufgrund dieser Argumente bin ich der Meinung, ... Meine Erfahrung hat mir gezeigt, dass ... Aus meiner Erfahrung heraus kann ich nur unterstreichen, ...	Lassen Sie mich folgendes Beispiel anführen ... Man sieht das deutlich an folgendem Beispiel ... Ein Beispiel dafür/dagegen ist ... An folgendem Beispiel kann man besonders gut sehen, ...

Pro-/Contra-Argumente anführen	zusammenfassen
Dafür/Dagegen spricht ... Einerseits ..., andererseits ... Ein wichtiges Argument für/gegen ist ... Zwar ..., aber ...	Insgesamt kann man sehen, ... Zusammenfassend lässt sich sagen, ... Abschließend möchte ich sagen, ...

GI
TELC

c Formulieren Sie jetzt Ihre Reaktion auf den Artikel. Die Adresse der Zeitung brauchen Sie nicht anzugeben.

Sagen Sie,
– wie sich die Unternehmen Ihrer Meinung nach verhalten sollen,
– wie Sie Situation und Folgen beurteilen,
– was Sie in Ihrer Mittagspause tun,
– was Sie anders machen würden, wenn Sie könnten.

d Kontrollieren Sie Ihren Brief und überprüfen Sie:

– Sind Sie auf alle Inhaltspunkte eingegangen?
– Finden sich im Text typische Fehler, wie z.B. Wortstellung, Endungen, Tempusform?
– Sind die Sätze miteinander verbunden? Haben Sie Konnektoren verwendet?

e Tauschen Sie Ihren Leserbrief mit Ihrem Nachbarn / Ihrer Nachbarin und korrigieren Sie sich gegenseitig.

6 Eine Projektgruppe Ihrer Firma überlegt, wie die Arbeitsbedingungen verbessert werden können und hat alle Mitarbeiter und Mitarbeiterinnen aufgefordert, Vorschläge zu machen.

a Bilden Sie drei Gruppen: Firmenleitung, Betriebsrat, Mitarbeiter. Jede Gruppe sammelt für ihre Rolle Vorschläge und Argumente.

▶ Ü 4

b Spielen Sie zu dritt das Gespräch und einigen Sie sich. Geeignete Redemittel finden Sie im Arbeitsbuch auf Seite 63.

▶ Ü 5

Albert Einstein (1879–1955)

„Aus Ihnen wird nie etwas, Einstein!"

Albert Einstein wird am 14. März 1879 in Ulm geboren und wächst in München auf. 1901 gibt Einstein die deutsche Nationalität auf und wird Bürger der Schweiz.

Lehrer meinen, aus Einstein werde nie etwas, weil er sich nichts sagen lässt und unaufmerksam ist. Auch als Student zeigt er sich als eigensinnig und fehlt oft bei den Pflichtveranstaltungen, um zu Hause die Meister der theoretischen Physik zu studieren.

Einstein sitzt oft stundenlang da und grübelt. Er versucht stets, Fragen von möglichst vielen Seiten zu betrachten und von unterschiedlichen Disziplinen her zu beleuchten.

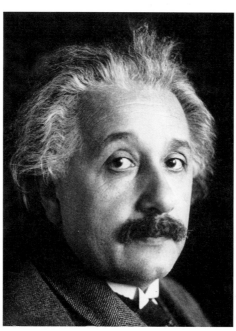

Albert Einstein, Physiker

Seine Beiträge zur theoretischen Physik veränderten maßgeblich das physikalische Weltbild. Einsteins Hauptwerk ist die Relativitätstheorie, die das Verständnis von Raum und Zeit revolutionierte. Im Jahr 1905 erscheint seine Arbeit mit dem Titel „Zur Elektrodynamik bewegter Körper", deren Inhalt heute als spezielle Relativitätstheorie bezeichnet wird. 1916 publiziert Einstein die allgemeine Relativitätstheorie. Auch zur Quantenphysik leistet er wesentliche Beiträge: Für seine Erklärung des photoelektrischen Effekts, die er ebenfalls 1905 publiziert hat, wird ihm 1921 der Nobelpreis für Physik verliehen.

Er ist Professor in Zürich, danach in Prag und Berlin, wo er von 1914 bis 1932 arbeitet. In seinem berühmtesten Buch „Über die spezielle und die allgemeine Relativitätstheorie" (1917) gibt er eine allgemein verständliche Erklärung seiner Gedanken. Im Rahmen einer Sonnenfinsternis-Expedition der Royal Society of London wird die Richtigkeit seiner Theorie 1919 bestätigt. Auf einen Schlag wird Einstein weltberühmt.

Er beginnt, seinen Namen verstärkt für seine politischen Überzeugungen einzusetzen und engagiert sich aktiv für den Pazifismus. Für Einstein, der die politische Entwicklung mit wachem Blick verfolgt, kommt der Nationalsozialismus nicht unerwartet. Nach einer Vortragsreihe in den USA kündigt der jüdische Wissenschaftler an, dass er nicht nach Deutschland zurückkehren wird. Einsteins gesamtes Vermögen wird von den Nazionalsozialisten konfisziert, und er entscheidet sich, in den USA zu bleiben. Dort erhält er den Ruf als Professor an das „Institute for Advanced Study" in Princeton. Auch in seiner neuen Position ist er politisch aktiv. Einstein bemüht sich zusammen mit anderen Physikern erfolglos darum, den Einsatz der Atombombe durch Präsident Truman zu verhindern. Auch nach dem Krieg wendet er sich vehement gegen alle Formen der Unterdrückung und Militarisierung und ruft die Intellektuellen dazu auf, sich für die Meinungsfreiheit einzusetzen.

Inhaltlich versucht Einstein jetzt, eine einheitliche Feldtheorie zu formulieren, die Gravitation und Elektrizität miteinander vereint. Aber auch nach langwieriger Arbeit gelingt es ihm nicht, sie zu formulieren. Seitdem sind alle Versuche, eine „Weltformel" zu formulieren, ohne Erfolg geblieben. Einstein, der als Inbegriff des Forschers und Genies gilt, stirbt am 18. April 1955 in Princeton.

Mehr zu Albert Einstein

Sammeln Sie Informationen über Persönlichkeiten aus dem In- und Ausland, die zum Thema „Wissenschaft" interessant sind, und stellen Sie sie im Kurs vor. Sie können dazu die Vorlage „Porträt" im Anhang verwenden. Beispiele aus dem deutschsprachigen Bereich: Wilhelm Conrad Röntgen – Peter Grünberg – Gerhard Ertl – Lise Meitner

1a Passiv

Das Passiv wird verwendet, wenn ein Vorgang oder eine Handlung im Vordergrund steht.

Präsens	werde/wirst/wird/... + Partizip II	*Die Begeisterung wird geweckt.*
Präteritum	wurde/wurdest/wurde/... + Partizip II	*Die Begeisterung wurde geweckt.*
Perfekt	bin/bist/ist/... + Partizip II + worden	*Die Begeisterung ist geweckt worden.*
Plusquamperfekt	war/warst/war/... + Partizip II + worden	*Die Begeisterung war geweckt worden.*
mit Modalverb	Modalverb + Partizip II + werden	*Die Begeisterung soll geweckt werden.*

Handelnde Personen oder Institutionen werden mit *von* + Dativ angegeben, Umstände und Ursachen mit *durch* + Akk.
Mathematische Fähigkeiten müssen von Kindern früh erworben werden.
Kinder werden durch den Besuch von „Natlab" an die Wissenschaft herangeführt.

b Passiversatzformen

Diese Strukturen können das Passiv mit Modalverb ersetzen.

Passiv mit *müssen/können/sollen* → *sein* + *zu* + Infinitiv
Die Begeisterung der Kinder für die Wissenschaft *ist* frühzeitig *zu wecken.*

Passiv mit *können* → *sein* + Adjektiv mit Endung *-bar/-lich*
Viele Projekte für Kinder *sind* ohne staatliche Hilfe nicht *finanzierbar.*
Die Begeisterung der Kinder *ist* leicht *verständlich.*

Passiv mit *können* → *sich lassen* + Infinitiv
Die Scheu der Kinder vor der Forscherwelt *lässt sich abbauen.*

2 Indefinitpronomen

Die Indefinitpronomen beschreiben Personen, Orte sowie Zeiten und Dinge, die nicht genauer definiert werden. So erhalten die Aussagen mit Indefinitpronomen einen allgemeinen Charakter. Nur die Indefinitpronomen, die Personen bezeichnen, sind deklinierbar.

Nominativ	man/einer	niemand	jemand	irgendwer
Akkusativ	einen	niemanden*	jemanden*	irgendwen
Dativ	einem	niemandem*	jemandem*	irgendwem

* In der gesprochenen Sprache wird im Akkusativ und Dativ auch die Form des Nominativs benutzt:

○ Hast du *jemand* getroffen, den du kennst?　　● Nein, *niemand.*

Indefinitpronomen
Person: man, jemand, einer, irgendwer
Ort: irgendwo, irgendwoher, irgendwohin
Zeit: irgendwann
Dinge: irgendwas, etwas

Negation
→ niemand, keiner
→ nirgendwo, nirgendwoher, nirgendwohin
→ nie, niemals
→ nichts

Digitale Demenz

1 a Wie viele Gedichte, Lieder, Witze oder Telefon-nummern kennen Sie auswendig? Fällt es Ihnen schwer, sich etwas dauerhaft zu merken?

b Was könnte der Filmtitel „Digitale Demenz" bedeuten?

c Sehen Sie die erste Sequenz und ergänzen Sie die Sätze.

1. Seitdem ich alles im Handy habe, _____
_____
_____

2. Wozu soll man sich etwas merken, wenn _____
_____
_____

3. Meine Orientierung _____
_____
_____

4. Studien belegen, dass _____
_____
_____
_____
_____

2 Wie häufig benutzen Sie Kommunikationsmittel? Beobachten Sie bei sich dadurch auch Veränderungen? Nennen Sie Beispiele.

2 📖📖 **3a** Sehen Sie die zweite Sequenz und ergänzen Sie Informationen in der Übersicht.

Gedächtnisleistungen bei jüngeren Menschen	Erinnerungsschwund durch Stress	Informationsverarbeitung im Gehirn

b Vergleichen Sie Ihre Notizen.

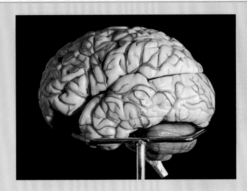

4a Was könnte man gegen das Vergessen tun? Sammeln Sie Vorschläge im Kurs.

3 📖📖 **b** Sehen Sie die dritte Sequenz. Wie wirkt sich Lernen und Üben auf das Gedächtnis aus?

5 Stellen Sie sich vor, Sie müssten eine Woche ohne digitale Kommunikationsmittel auskommen (Handy, Computer, Navi, …). Welche Folgen hätte das? Notieren Sie Vor- und Nachteile und diskutieren Sie im Kurs.

Wenn Sie mögen, können Sie dieses „Experiment" auch durchführen und sich nach einer Woche im Kurs darüber austauschen.

Redemittel _____

Hier finden Sie die Redemittel aus Aspekte 1 (Niveau B1+) und Aspekte 2, Teil 1 (Niveau B2) in einer Übersicht. Die Verweise geben an, in welchen Kapiteln die Redemittel behandelt wurden:

B1+K1M2 = Aspekte 1 (Niveau B1+), Kapitel 1, Modul 2
B2K1M2 = Aspekte 2 (Niveau B2), Kapitel 1, Modul 2

1. Meinungen ausdrücken / argumentieren / diskutieren

etwas beurteilen   B1+K1M2 / B1+K5M2

Ich halte … für gut/schlecht/…
Für … spricht … / Dafür spricht …
Gegen … spricht … / Dagegen spricht …
Eine gute/schlechte Idee ist …
Ein wichtiger/entscheidender Vorteil/
Nachteil ist …

… ist sicherlich sinnvoll / … macht gar
keinen Sinn.
Man muss auch bedenken, dass …
Man darf nicht vergessen, dass …
Ein Argument für/gegen … ist …
Besonders hervorzuheben ist auch …

eine Geschichte positiv/negativ bewerten   B1+K7M4

etwas positiv bewerten
Die Geschichte gefällt mir sehr.
Ich finde die Geschichte sehr spannend.
Eine sehr lesenswerte Geschichte.
Die Geschichte ist gut durchdacht und
überraschend.
Ich finde die Geschichte kurzweilig und
sehr unterhaltsam.

etwas negativ bewerten
Ich finde die Geschichte unmöglich.
Die Geschichte ist voller Widersprüche.
Für mich ist die Geschichte Unsinn.
Die Geschichte ist nicht mein Geschmack.

Meinungen ausdrücken   B1+K1M2 / B1+K1M4 / B1+K2M4 / B2K1M2 / B2K1M4

Meiner Meinung nach …
Meiner Meinung nach ist das Unsinn, denn …
Ich bin der Meinung/Ansicht/Auffassung, dass …
Ich bin da geteilter Meinung. Auf der einen
Seite …, auf der anderen Seite …
Ich stehe auf dem Standpunkt, dass …

Ich denke/meine/glaube/finde, dass …
Ich denke, man kann das (nicht) so sehen, denn …
Ich bin davon überzeugt, dass …
Ich finde, dass man zwar einerseits …,
andererseits ist es aber auch wichtig zu sehen,
dass …

Zustimmung ausdrücken — B1+K1M4 / B1+K8M2 / B1+K9M2 / B2K1M4

Der Meinung bin ich auch.
Ich bin ganz deiner/Ihrer Meinung.
Das stimmt. / Das ist richtig. / Ja, genau.
Da hast du / haben Sie völlig recht.
Ja, das kann ich mir gut vorstellen.
Ja, das ist richtig.
Ja sicher!

Selbstverständlich ist das so, weil …
Ja, das sehe ich auch so.
Ich stimme dir/Ihnen zu.
Der ersten Aussage kann ich völlig zustimmen,
da/weil …
Ich denke, diese Einstellung ist falsch, denn …
Ich finde, … hat recht, wenn er/sie sagt, dass …

Widerspruch ausdrücken — B1+K1M2 / B1+K1M4 / B2K1M4

Das stimmt meiner Meinung nach nicht.
Der Meinung bin ich auch, aber …
Das ist nicht richtig.

Das ist sicher richtig, allerdings …
Ich sehe das (etwas/völlig/ganz) anders, denn …
Da muss ich dir/Ihnen aber widersprechen.

Zweifel ausdrücken — B1+K1M4 / B1+K9M2 / B2K1M4

Also, ich weiß nicht …
Ob das wirklich so ist?
Stimmt das wirklich?
Es ist unwahrscheinlich, dass …
Ich glaube/denke kaum, dass …

Wohl kaum, denn …
Ich bezweifle, dass …
Ich habe da so meine Zweifel.
Ich sehe das (schon) anders, da …

Vermutungen ausdrücken — B1+K6M4 / B1+K7M4 / B1+K8M3

Ich kann/könnte mir gut vorstellen, dass …
Es könnte (gut) sein, dass …
Ich vermute/glaube/nehme an, dass …
Es kann sein, dass …

Es ist denkbar/möglich/vorstellbar, dass …
Vielleicht/Wahrscheinlich/Vermutlich ist …
… wird … sein.
… sieht so aus, als ob …

argumentieren — B1+K1M2 / B1+K5M2

Für mich ist es wichtig, dass …
Ich finde es …
Es ist (ganz) wichtig, dass …
Dabei wird deutlich, dass …
… haben deutlich gezeigt, dass …

… spielt eine wichtige Rolle bei …
… ist ein wichtiges Argument für …
… hat deutlich gezeigt, dass …
… macht klar, dass …
Außerdem muss man bedenken, dass …

Redemittel

um das Wort bitten / das Wort ergreifen

Entschuldigen Sie, wenn ich Sie unterbreche, …

Dürfte ich dazu bitte auch etwas sagen?

Ich möchte dazu etwas sagen/fragen/ergänzen.

Kann ich dazu bitte auch einmal etwas sagen?

Ich verstehe das schon, aber …

Ja, aber …

Glauben/Meinen Sie wirklich, dass …?

Das mag stimmen, aber …

sich nicht unterbrechen lassen

Lassen Sie mich bitte ausreden.

Ich möchte nur noch eines sagen …

Einen Moment bitte, ich möchte nur noch …

Darf ich bitte den Satz noch abschließen?

Ich bin noch nicht fertig.

Augenblick noch bitte, ich bin gleich fertig.

2. etwas vorschlagen

einen Vorschlag machen

Wie wäre es, wenn wir …?

Wir könnten doch …

Vielleicht machen wir es so: …

Hast du nicht Lust …?

Mein Vorschlag wäre …

Ich finde, man sollte …

Was halten Sie von folgendem Vorschlag: … ?

Wenn es nach mir ginge, würde …

Um … zu … muss/müssen meiner Meinung
nach vor allem …

Könnten Sie sich vorstellen, dass …?

einen Gegenvorschlag machen

Das ist sicherlich keine schlechte Idee, aber
kann man nicht …

Gut, aber man sollte überlegen, ob es nicht
besser wäre, wenn …

Okay, aber wie wär's, wenn wir es anders
machen. Und zwar …

Ich habe einen besseren Vorschlag. Also …

Anstatt … sollte/könnte man …

Ich würde lieber … als …

einem Vorschlag zustimmen

Das hört sich gut an.

Einverstanden, das ist ein guter Vorschlag.

Ja, das könnte man so machen.

Ich finde diese Idee sehr gut.

Ich kann diesem Vorschlag nur zustimmen.

einen Vorschlag ablehnen

Das halte ich für keine gute Idee.

Ich halte diesen Vorschlag für nicht durchführbar.

Das kann man so nicht machen.

Das lässt sich nicht realisieren.

So geht das auf keinen Fall!

zu einer Entscheidung kommen

Lassen Sie uns Folgendes vereinbaren: …

Darauf könnten wir uns vielleicht einigen.

Wie wäre es mit einem Kompromiss: …

Was halten Sie von folgendem Kompromiss: …

Wären alle damit einverstanden, wenn wir …

| Ratschläge und Tipps geben | B1+K2M4 / B1+K3M4 / B1+K5M3 / B1+K5M4 / B1+K7M4 / B2K9M4 |

Am besten ist …
Du solltest … / Du könntest … /
Du musst …
Man darf nicht …
Da sollte man am besten …
Ich kann dir/euch nur raten …
Ich würde dir raten/empfehlen …
Am besten ist/wäre es …
Auf keinen Fall solltest du …
Wenn du mich fragst, dann …
Mir hat sehr geholfen, …

Es lohnt sich, …
Empfehlenswert ist, wenn …
Überleg dir das gut.
Sag mal, wäre es nicht besser …
Verstehe mich nicht falsch, aber …
Wir schlagen vor …
Wir geben die folgenden Empfehlungen: …
Sinnvoll/hilfreich/nützlich wäre, wenn …
Dabei sollte man beachten, dass …
Es ist besser, wenn …

3. Gefühle, Wünsche und Ziele ausdrücken

| Gefühle und Wünsche ausdrücken | B2K2M4 / B2K4M4 |

Ich denke, dass …
Ich würde mir wünschen, dass …
Ich freue mich, wenn …
Mir geht es …, wenn ich …
Ich glaube, dass …

Ich fühle mich …, wenn …
Für mich ist es schön/gut/leicht …
Mir ist aufgefallen, dass …
Ich frage mich, ob …
Für mich ist es schwierig, wenn …

| Verständnis/Unverständnis ausdrücken | B1+K3M4 / B1+K7M4 |

Ich kann gut verstehen, dass …
Es ist ganz normal, dass …
Ich verstehe … nicht.

Ich würde anders reagieren.
Es ist verständlich, dass …

| Glückwünsche ausdrücken | B1+K1M4 |

Herzlichen Glückwunsch!
Ich bin sehr froh, dass …
Ich freue mich sehr/riesig für dich/euch.

Das ist eine tolle Nachricht!
Es freut mich, dass …

| Ziele ausdrücken | B1+K5M1 |

Ich hätte Spaß daran, …
Ich hätte Lust, …
Ich hätte Zeit, …
Ich wünsche mir, …

Ich habe vor, …
Für mich wäre es gut, …
Es ist notwendig, …
Für mich ist es wichtig, …

4. berichten und beschreiben

| eigene Erfahrungen ausdrücken | B1+K3M4 / B2K1M1 |

Ich habe ähnliche Erfahrungen gemacht, als …
Wir haben gute/schlechte Erfahrungen
gemacht mit …
Mir ging es ganz ähnlich, als …
Bei mir war das damals so: …
Wir haben oft bemerkt, dass …
Es ist ein gutes Gefühl, … zu …

… erweitert den Horizont.
Man lernt … kennen und dadurch … schätzen.
Man lernt sich selbst besser kennen.
Ich hatte Probleme mit …
Es ist schwer, … zu …
Mir fehlt …

| über interkulturelle Missverständnisse berichten | B2K1M3 |

In … gilt es als sehr unhöflich, …
Ich habe gelesen, dass man in … nicht …
Von einem Freund aus … weiß ich, dass
man dort leicht missverstanden wird, wenn
man …

Als ich einmal in … war, ist mir etwas sehr
Unangenehmes/Lustiges passiert. …
Wir hatten einmal Besuch von Freunden aus …
Wir konnten nicht verstehen, warum/dass …

| einen Gegensatz ausdrücken | B1+K3M4 / B2K1M1 |

Im Gegensatz zu Doris mache ich …
Während Doris …, habe ich …

Bei mir ist das ganz anders.
Während Peter abends …, mache ich …

| einen Begriff erklären | B2K4M2 |

Meiner Meinung nach bedeutet …, dass …
Unter … verstehe ich, …

Für mich ist ein Mensch …, wenn er …

Einleitung

Die Grafik zeigt …
Die Grafik informiert über …
Die Grafik gibt Informationen über …
Die Grafik stellt … dar.
Die Angaben erfolgen in Prozent.

Hauptpunkte beschreiben

Auffällig/Bemerkenswert/Interessant ist, dass …
Die meisten … / Die wenigsten …
An erster Stelle … / An unterster/letzter Stelle
steht/stehen/sieht man …
Am wichtigsten …
… Prozent sagen/meinen …

Die Grafik unterscheidet …
Im Vergleich zu …
Verglichen mit …
Im Gegensatz zu …
Während …, zeigt sich …
Ungefähr die Hälfte …
Die Zahl der … ist wesentlich /
erheblich höher als …

Einleitung

Das Thema meines Vortrags/Referats / meiner
Präsentation lautet/ist …
Ich spreche heute zu dem Thema … / zu Ihnen
über …
Ich möchte heute etwas über … erzählen.
Ich möchte Ihnen heute neue
Forschungsergebnisse zum Thema …
vorstellen.

Strukturierung

Mein Vortrag besteht aus drei Teilen: …
Mein Vortrag ist in drei Teile gegliedert: …
Zuerst möchte ich über … sprechen und dann
etwas zum Thema … sagen. Im dritten Teil
geht es dann um … und zum Schluss möchte
ich noch auf … eingehen.
Ich möchte auf vier wesentliche Punkte /
Punkte, die mir wesentlich erscheinen,
eingehen.

Übergänge

Soweit der erste Teil. Nun möchte ich mich
dem zweiten Teil zuwenden.

Nun spreche ich über …
Ich komme jetzt zum zweiten/nächsten Teil.

auf Folien verweisen

Ich habe einige Folien/Power-Point-Folien
zum Thema vorbereitet.
Auf dieser Folie sehen Sie …
Auf dieser Folie habe ich … für Sie …
dargestellt/zusammengefasst.
Hier erkennt man deutlich, dass …
Wie Sie hier sehen können, ist/sind …

Schluss

Ich komme jetzt zum Schluss.
Zusammenfassend möchte ich sagen, …
Abschließend möchte ich noch erwähnen, …
Ich hoffe, Sie haben einen Überblick über …
erhalten.
Lassen Sie mich zum Schluss noch sagen /
noch einmal darauf hinweisen, dass …
Das wären die wichtigsten Informationen zum
Thema … gewesen. Gibt es noch Fragen?
Vielen Dank für Ihre Aufmerksamkeit.
Wenn Sie noch Fragen haben, bin ich gerne
für Sie da.

Redemittel

5. formelle Briefe

Einleitung
Mit großem Interesse habe ich Ihren Artikel „ …" gelesen.
Ihr Artikel „ …" spricht ein interessantes/wichtiges Thema an.

eigener Standpunkt / eigene Erfahrungen
Ich vertrete die Meinung / die Ansicht / den Standpunkt, dass …
Aufgrund dieser Argumente bin ich der Meinung, …
Meine Erfahrung hat mir gezeigt, dass …
Aus meiner Erfahrung heraus kann ich nur unterstreichen, …

Beispiele anführen
Lassen Sie mich folgendes Beispiel anführen …
Man sieht das deutlich an folgendem Beispiel: …
Ein Beispiel dafür/dagegen ist …
An folgendem Beispiel kann man besonders gut sehen, …

Pro-/Contra-Argumente anführen
Dafür/Dagegen spricht …
Einerseits/Andererseits …
Ein wichtiges Argument für/gegen … ist …

zusammenfassen
Insgesamt kann man sehen, …
Zusammenfassend lässt sich sagen, …
Abschließend möchte ich sagen, …

Einleitung
Sie suchen …
In Ihrer oben genannten Anzeige …
Da ich mich beruflich verändern möchte …

Vorstellung der eigenen Person
Nach erfolgreichem Abschluss meines …
In meiner jetzigen Tätigkeit als … bin ich …

Bisherige Berufserfahrung/Erfolge
Ein Praktikum bei der Firma … hat mir gezeigt, dass …

Erwartungen an die Stelle
Mit dem Eintritt in Ihr Unternehmen verbinde ich die Erwartung, …

Eintrittstermin
Die Tätigkeit als … könnte ich ab dem … beginnen.

Schlusssatz und Grußformel
Über eine Einladung zu einem persönlichen Gespräch freue ich mich sehr.
Mit freundlichen Grüßen

Grammatik

Hier finden Sie die Grammatik aus Aspekte 1 (Niveau B1+) und Aspekte 2 (Niveau B2) in einer Übersicht. Die Verweise geben an, in welchen Kapiteln die entsprechenden Grammatikphänomene behandelt wurden: B1+ K8 = Aspekte 1 (Niveau B1+), Kapitel 8   B2 K5 = Aspekte 2 (Niveau B2), Kapitel 5

Verb

Konjunktiv II   B1+ K8

Man verwendet den Konjunktiv II, um:

Bitten höflich auszudrücken	*Könnten Sie mir das bitte genau beschreiben?*
Irreales auszudrücken	*Hätten Sie die Ware doch früher abgeschickt.*
Vermutungen auszudrücken	*Es könnte sein, dass er einen Defekt hat.*

Die meisten Verben bilden den Konjunktiv II mit den Formen von *würde* + Infinitiv.

ich **würde** anrufen	wir **würden** anrufen
du **würdest** anrufen	ihr **würdet** anrufen
er/es/sie **würde** anrufen	sie/Sie **würden** anrufen

Die Modalverben und die Verben *haben*, *sein* und *brauchen* bilden den Konjunktiv II mit den Formen des Präteritums und Umlaut. Die erste und die dritte Person Singular haben im Konjunktiv II immer die Endung **-e**.

ich w**ä**re, h**ä**tte, m**ü**sste, …	wir w**ä**ren, h**ä**tten, m**ü**ssten, …
du w**ä**r(e)st, h**ä**ttest, m**ü**sstest, …	ihr w**ä**r(e)t, h**ä**ttet, m**ü**sstet, …
er/es/sie w**ä**re, h**ä**tte, m**ü**sste, …	sie/Sie w**ä**ren, h**ä**tten, m**ü**ssten, …

Merke: ich s**o**llte, du s**o**lltest, …; ich w**o**llte, du w**o**lltest, …

Viele unregelmäßige Verben können den Konjunktiv II wie die Modalverben bilden, meistens verwendet man jedoch die Umschreibung mit *würde* + Infinitiv.

Ich käme gerne zu euch. / Ich würde gerne zu euch kommen.

Verwendung

Man verwendet das **Passiv**, wenn ein Vorgang oder eine Aktion im Vordergrund steht (und nicht eine handelnde Person).
Das **Aktiv** verwendet man, wenn wichtig ist, wer oder was etwas macht.

Bildung des Passivs *werden* + Partizip II

Präsens	*Die Begeisterung wird geweckt.*	werde/wirst/wird … + Partizip II
Präteritum	*Die Begeisterung wurde geweckt.*	wurde/wurdest/wurde … + Partizip II
Perfekt	*Die Begeisterung ist geweckt worden.*	bin/bist/ist … + Partizip II + worden
Plusquamperfekt	*Die Begeisterung war geweckt worden.*	war/warst/war … + Partizip II + worden

Die meisten Verben mit Akkusativ können das Passiv bilden. Der Akkusativ im Aktiv-Satz wird im Passiv-Satz zum Nominativ.

Aktiv-Satz   **Passiv-Satz**

Der Architekt plant Wohnungen.	*Wohnungen werden (vom Architekten) geplant.*
Nominativ Akkusativ	Nominativ (von + Dativ)

Andere Ergänzungen bleiben im Aktiv und im Passiv im gleichen Kasus.

Er schenkt meinem Sohn eine Wohnung.	*Meinem Sohn wird eine Wohnung geschenkt.*
Nominativ Dativ Akkusativ	Dativ Nominativ

Handelnde Personen oder Institutionen werden mit *von* + Dativ angegeben, Umstände und Ursachen mit *durch* + Akkusativ.

Passiv mit Modalverben

Modalverb + Partizip II + *werden* im Infinitiv
*Die Wohnungen **müssen geplant werden**.*

Passiversatzformen

man

*Hier baut **man** Häuser.* *= Hier werden Häuser gebaut.*

Passiversatzformen mit modaler Bedeutung

sein + Adjektiv mit Endung -bar/-lich
*Das Projekt ist nicht **finanzierbar**.* *= Das Projekt **kann** nicht finanziert werden.*

***sein + zu* + Infinitiv**
*Die Begeisterung der Kinder für die Wissenschaft **ist** frühzeitig **zu wecken**.*
*= Die Begeisterung der Kinder **muss/kann/soll** frühzeitig geweckt werden.*

***sich lassen* + Infinitiv**
*Das Projekt **lässt sich** nicht **finanzieren**.* *= Das Projekt **kann** nicht finanziert werden.*

Zeitformen:

jetzt (Präsens)	*Das Projekt **lässt** sich nicht **finanzieren**.*
früher (Präteritum)	*Das Projekt **ließ** sich nicht **finanzieren**.*
(Perfekt)	*Das Projekt **hat** sich nicht **finanzieren lassen**.*
in Zukunft (Futur)	*Das Projekt **wird** sich nicht **finanzieren lassen**.*

Adjektiv

Deklination der Adjektive

Typ 1: bestimmter Artikel + Adjektiv + Substantiv

	maskulin	neutrum	feminin	Plural
Nominativ	der mutig**e** Mann der	das mutig**e** Kind das	die mutig**e** Frau die	die mutig**en** Helfer die
Akkusativ	den mutig**en** Mann den			
Dativ	(mit) dem mutig**en** Mann dem	(mit) dem mutig**en** Kind dem	(mit) der mutig**en** Frau der	(mit) den mutig**en** Helfern den
Genitiv	(die Geschichte) des mutig**en** Mannes des	(die Geschichte) des mutig**en** Kindes des	(die Geschichte) der mutig**en** Frau der	(die Geschichte) der mutig**en** Helfer der

auch nach:
– Demonstrativartikel: *dieser, dieses, diese; jener, jenes, jene; derselbe, dasselbe, dieselbe*
– Fragewort: *welcher, welches, welche*
– Indefinitartikel: *jeder, jedes, jede; alle* (Plural!)

Typ 2: unbestimmter Artikel + Adjektiv + Substantiv

	maskulin	neutrum	feminin	Plural
Nominativ	ein mutig**er** Mann der	ein mutig**es** Kind das	eine mutig**e** Frau die	mutig**e** Helfer die
Akkusativ	einen mutig**en** Mann den			
Dativ	(mit) einem mutig**en** Mann dem	(mit) einem mutig**en** Kind dem	(mit) einer mutig**en** Frau der	(mit) mutig**en** Helfern den
Genitiv	(die Geschichte) eines mutig**en** Mannes des	(die Geschichte) eines mutig**en** Kindes des	(die Geschichte) einer mutig**en** Frau der	(die Geschichte) mutig**er** Helfer der

im Singular ebenso nach:
– Negationsartikel: *kein, keine, kein*
– Possessivartikel: *mein, meine, mein, ...*
Im Plural nach Negationsartikel und Possessivartikel immer **-en**.

Typ 3: Nullartikel + Adjektiv + Substantiv

	maskulin	neutrum	feminin	Plural
Nominativ	mutig**er** Mann der	mutig**es** Kind das	mutig**e** Frau die	mutig**e** Helfer die
Akkusativ	mutig**en** Mann den			
Dativ	(mit) mutig**em** Mann dem	(mit) mutig**em** Kind dem	(mit) mutig**er** Frau der	(mit) mutig**en** Helfern den
Genitiv	(trotz) mutig**en** Mannes des	(trotz) mutig**en** Kindes des	(trotz) mutig**er** Frau der	(trotz) mutig**er** Helfer der

auch nach:
– Zahlen
– Indefinitartikel im Plural: *einige, viele, wenige, etliche, andere, manche*

– Indefinitartikel im Singular: *viel, mehr, wenig*
– Relativpronomen im Genitiv: *dessen, deren*

Graduierung der Adjektive

B1+ K2

regelmäßig ohne Umlaut

Grundform	Komparativ	Superlativ
klein	kleiner	am kleinsten
hell	heller	am hellsten
billig	billiger	am billigsten

regelmäßig mit Umlaut

Grundform	Komparativ	Superlativ
warm	wärmer	am wärmsten
lang	länger	am längsten
jung	jünger	am jüngsten
klug	klüger	am klügsten
groß	größer	am größten

Adjektive auf -d, -t, -s, -ß, -sch, -st, -z

Grundform	Komparativ	Superlativ
breit	breiter	am breitesten
wild	wilder	am wildesten
heiß	heißer	am heißesten
hübsch	hübscher	am hübschesten
kurz	kürzer	am kürzesten

unregelmäßig

Grundform	Komparativ	Superlativ
gut	besser	am besten
viel	mehr	am meisten
hoch	höher	am höchsten
nah	näher	am nächsten

Merke: Auch das Adverb *gern* kann man steigern: gern – lieber – am liebsten

Vergleich

B1+ K2; B2 K2

genauso/so + Grundform + *wie*	Dein Balkon ist **genauso groß wie** meiner. Meine Wohnung ist nicht **so groß wie** deine.	
Komparativ + *als*	Deine Wohnung ist viel **heller als** meine.	
anders / anderer, anderes, *andere + als*	Die neue Wohung ist ganz **anders** geschnitten **als** die alte.	
je + Komparativ … *desto/umso* + Komparativ	Je **eindeutiger** die Signale sind, *desto/umso* **besser** verstehen wir sie.	(= Nebensatz) (= Hauptsatz)

Pronominaladverb (*daran, dafür, …*) und Fragewort (*woran, wofür, …*)

woran, wofür, worüber, …   *daran, darauf, darüber, …*   B1+ K6

Worüber freust du dich?   Ich freue mich **über die neue Stelle.**   Ich freue mich **darüber.**
Woran nimmt er teil?   Er nimmt **an einer Schulung** teil.   Er nimmt **daran** teil.

da…/wo… mit r, wenn die Präposition mit einem Vokal beginnt: *auf* ➔ *darauf/worauf*

eine Sache / ein Ereignis: mit Pronominaladverb/Fragewort
○ Erinnerst du dich **an das Gespräch?**   ● **Woran** soll ich mich erinnern?
                                            ● Natürlich erinnere ich mich **daran.**

eine Person / eine Institution: mit Präposition + Pronomen

○ *Erinnerst du dich **an Sabine?***

● ***An wen** soll ich mich erinnern?*

● *Natürlich erinnere ich mich **an sie**.*

Pronominaladverb + Nebensatz / Infinitiv mit zu

*Ich freue mich darüber, **dass** du die neue Stelle bekommen hast.*

*Er freut sich darauf, in Urlaub **zu fahren**.*

→ siehe Liste der festen Präpositionen mit Verb/Adjektiv/Substantiv im Arbeitsbuch

Pronomen

Relativpronomen

B1+ K7; B2 K4

	Singular			Plural
Nominativ	der	das	die	die
Akkusativ	den	das	die	die
Dativ	dem	dem	der	**denen**

Genus und Numerus des Relativpronomens richten sich nach dem Bezugswort, der Kasus nach dem Verb im Relativsatz oder der Präposition.

Sie war die erste Frau, die ich getroffen habe.

\+ Akk.

*Sie war die erste Kollegin, **mit** der ich gearbeitet habe.*

mit + Dat.

Relativpronomen wo, wohin, woher

Gibt ein Relativsatz einen Ort, eine Richtung oder einen Ausgangspunkt an, kann man alternativ zum Relativpronomen auch *wo, wohin, woher* verwenden.

Ich habe Anne in der englischen Kleinstadt kennengelernt,

… wo wir gearbeitet haben.   … wohin ich gezogen bin.   … woher mein Kollege kommt.

Bei Städte- und Ländernamen benutzt man immer *wo, wohin, woher*.

Pablo kommt aus Sao Paulo, wo auch seine Familie lebt.

Relativpronomen was

Bezieht sich das Relativpronomen auf einen ganzen Satz oder stehen die Pronomen *etwas, alles* und *nichts* im Hauptsatz, dann verwendet man das Relativpronomen *was*.

Meine Kinder sehen ihre Großeltern höchstens einmal im Jahr, was ich wirklich schade finde.

Mit Maja kann ich alles nachholen, was ich verpasst habe.

Es gibt eigentlich nichts, was mich an ihm stört.

Relativpronomen *wer*

Nominativ	wer
Akkusativ	wen
Dativ	wem
Genitiv (selten)	wessen

Relativsätze mit *wer* beschreiben eine unbestimmte Person näher. Der Nebensatz beginnt mit dem Relativpronomen *wer*, der Hauptsatz mit dem Demonstrativpronomen *der*. Wenn beide Pronomen im gleichen Kasus stehen, kann das Demonstrativpronomen entfallen.

Jemand hat solche Eintragungen.

↓

Wer *solche Eintragungen hat,*
(Nominativ)

Er hat sich seine Zukunft verbaut.

↓

[der] *hat sich seine Zukunft verbaut.*
(Nominativ)

Jemand kommt in sein Training.

↓

Wer *in sein Training kommt,*
(Nominativ)

Ihn bringt er nicht zur Polizei.

↓

den *bringt er nicht zur Polizei.*
(Akkusativ)

Indefinitpronomen B2 K5

Indefinitpronomen beschreiben Personen, Orte sowie Zeiten und Dinge, die nicht genauer definiert werden. So erhalten die Aussagen mit Indefinitpronomen einen allgemeinen Charakter. Nur die Indefinitpronomen, die Personen bezeichnen, sind deklinierbar.

Nominativ	man/einer	niemand	jemand	irgendwer
Akkusativ	einen	niemanden*	jemanden*	irgendwen
Dativ	einem	niemandem*	jemandem*	irgendwem

* In der gesprochenen Sprache wird im Akkusativ und Dativ auch die Form des Nominativ benutzt:

○ Hast du *jemand* getroffen, den du kennst?   ● Nein, *niemand*.

Indefinitpronomen

Person: man, jemand, einer, irgendwer
Ort: irgendwo, irgendwoher, irgendwohin
Zeit: irgendwann
Dinge: irgendwas, etwas

Negation

→ niemand, keiner
→ nirgendwo, nirgendwoher, nirgendwohin
→ nie, niemals
→ nichts

obligatorisches *es* steht bei:

Wetterverben	*es nieselt, es regnet, es hagelt, es schneit, es gewittert, es stürmt*
festen lexikalischen	*Wie geht es dir/Ihnen?, es geht um …, es ist gut/schlecht/schön …,*
Verbindungen mit *es*	*es gibt …, es kommt darauf an …, es handelt sich um …*

es, das durch ein Subjekt ersetzt werden kann

Es kann auch als Subjekt bei Verben stehen, wenn kein Subjekt genannt werden kann/soll. Wird das Subjekt genannt, entfällt *es*:

Es hat geklingelt. → *Der Postbote / Jemand / … hat geklingelt.*

Wie gefällt es Ihnen? → *Wie gefällt Ihnen die Feier / der Abend / das Theater / …?*

es als Platzhalter auf Position 1

Im Aussagesatz muss die erste Position immer besetzt sein, damit das Verb auf Position 2 stehen kann. Ist die Position 1 von einem anderen Satzglied oder einem Nebensatz besetzt, entfällt *es*.

Es	*ist*	*wirklich eine hohe Kunst, ein Gespräch zu eröffnen.*	*Ein Gespräch zu eröffnen,*	*ist*	*wirklich eine hohe Kunst.*
Es	*sind*	*noch nicht viele Leute da.*	*Viele Leute*	*sind*	*noch nicht da.*

Es steht auch häufig in Sätzen mit unpersönlichem Passiv, um die Position 1 zu besetzen:
Es wurde viel gegessen. →   *Gegessen wurde viel.*

es als Akkusativ-Ergänzung

In Hauptsätzen steht *es* oft auch als Akkusativ-Ergänzung und verweist dann auf einen Nebensatz mit *dass* oder Infinitiv mit *zu*. Wenn der Nebensatz vorangestellt ist, entfällt *es*.

Ich kann es kaum glauben, dass er wieder zu spät kommt. → *Dass er wieder zu spät kommt, kann ich kaum glauben.*
Er findet es ärgerlich, wieder zu spät zu kommen. → *Wieder zu spät zu kommen, findet er ärgerlich.*

Präpositionen

Präpositionen

B1+ K8, K9

	Zeit	Ort	Grund/ Gegengrund	Art und Weise
mit Dativ	ab, an, aus, bei, in, nach, seit, vor, von … bis, von … an, zu, zwischen	von, aus, zu, ab, nach, bei	aus, vor	mit, aus, nach, bei
mit Akkusativ	bis, für, gegen, um, über	bis, durch, gegen, um	durch	ohne
mit Dativ oder Akkusativ (Wechsel-präpositionen)		in, an, auf, neben, zwischen, über, unter, vor, hinter		

Feste Präpositionen bei Adjektiven, Substantiven und Verben → siehe Liste im Arbeitsbuch

Negation

Negationswörter

B2 K1

etwas	↔	nichts	schon/bereits einmal	↔	noch nie
jemand	↔	niemand	immer	↔	nie
irgendwo/überall	↔	nirgendwo/nirgends	(immer) noch	↔	nicht mehr
schon/bereits	↔	noch nicht			

Negation mit Wortbildung

B2 K1

miss-	verneint Verben, Substantive und Adjektive
un-, in-, des-/dis-, a-/ab-, non-	verneinen Substantive und Adjektive
-los/-frei, -leer	verneinen Adjektive

Position von *nicht*

B2 K1

Wenn *nicht* einen ganzen Satz verneint, steht es im Satz ganz hinten oder vor dem zweiten Teil der Satzklammer (z.B. Partizip, Infinitiv, trennbarer Verbteil), vor Adjektiven (*gut, schön, teuer, früh, …*) und vor Präpositional-Ergänzungen (*Ich interessiere mich nicht für …*) sowie lokalen Angaben (*Er ist heute nicht hier.*).

Wenn *nicht* einen Satzteil verneint, steht es direkt vor diesem Satzteil (*Ich habe nicht gestern angerufen, sondern heute!*).

Grammatik

Wortstellung im Satz

Dativ- und Akkusativ-Ergänzungen   B2 K1

Dativ vor Akkusativ   *Ich gebe dem Mann die Schlüssel.*

ABER:

Akkusativ-**Pronomen vor** Dativ   *Ich gebe sie dem Mann / ihm.*

Reihenfolge der Angaben im Mittelfeld   B2 K1

Für die Reihenfolge der Angaben im Mittelfeld gibt es keine festen Regeln, aber meistens gilt die Reihenfolge:

temporal (wann?) – **ka**usal (warum?) – **mo**dal (wie?) – **lo**kal (wo? woher? wohin?): tekamolo

		Mittelfeld				
Ich	bin	vor einigen Jahren	aus beruflichen Gründen	spontan	nach Neuseeland	gezogen.
		temporal	**kausal**	**modal**	**lokal**	

Will man eine Angabe betonen, so ändert sich die Reihenfolge. Man kann z.B. das, was man betonen möchte, auf Position 1 stellen.

Aus beruflichen Gründen *bin ich vor einigen Jahren spontan nach Neuseeland gezogen.*

Reihenfolge von Angaben und Ergänzungen im Mittelfeld   B2 K1

Gibt es im Satz außer den Angaben auch Ergänzungen, steht die Dativ-Ergänzung vor oder nach der temporalen Angabe und die Akkusativ-Ergänzung vor der lokalen Angabe. Präpositional-Ergänzungen stehen normalerweise nach den Angaben, am Ende des Mittelfelds.

		Mittelfeld					
Ich	habe	meiner besten Freundin	jeden Tag	aus Heimweh	mehrere E-Mails	ins Büro	geschickt.
		Dativ	**temporal**	**kausal**	**Akkusativ**	**lokal**	

oder

		Mittelfeld					
Ich	habe	jeden Tag	meiner besten Freundin	aus Heimweh	mehrere E-Mails	ins Büro	geschickt.
		temporal	**Dativ**	**kausal**	**Akkusativ**	**lokal**	

Nebensätze

Nebensatztypen

Kausalsätze (Grund)	da, weil	Sie bleiben in der Wohnung, **da/weil** sie günstig ist.
Konzessivsätze (Gegengrund)	obwohl	Sie bleiben in der Wohnung, **obwohl** sie klein ist.
Konsekutivsätze (Folge)	..., sodass ...	Sie haben eine neue Wohnung gefunden, **sodass** sie bald umziehen können.
	so..., dass ...	Die Wohnung ist **so** klein, **dass** sie umziehen müssen.
Finalsatz (Absicht, Zweck)	um ... zu / damit	Ich rufe an, **um** dir die Änderungen durchzugeben.
		Ich rufe an, **damit** du Bescheid weißt.
alternative oder adversative Bedeutung (Gegensatz)	anstatt ... zu / anstatt dass	**(An)statt** lange zu telefonieren, könntest du mir eine Mail schicken.
		(An)statt dass wir telefonieren, schreib ich dir lieber eine Mail.
	während	**Während** die anderen für die gleiche Arbeit gutes Geld verdienen, geht man als Praktikant meistens ohne einen Cent nach Hause.
Einschränkung	ohne ... zu / ohne dass	Wir haben lange telefoniert, **ohne** über die Änderungen **zu** sprechen.
		Wir haben lange telefoniert, **ohne dass** ich nach den Änderungen gefragt habe.
Modalsatz (Art und Weise)	dadurch, dass	Das kann zum Beispiel **dadurch** geschehen, **dass** die Menschen sich viel zu lange vor dem Computer aufhalten.
	indem	Materielle Dinge lassen sich erschaffen, **indem** man auf den Knopf drückt.

um ... zu, ohne ... zu, (an)statt ... zu: nur bei gleichem Subjekt in Haupt- und Nebensatz

Temporalsatz

Frage	Bedeutung	Konnektor	Beispiel
Wann?	Gleichzeitigkeit A gleichzeitig mit B	wenn, als, während	**Als** Thomas Cook 1845 die ersten Reisen organisierte (A), legte er den Grundstein für Pauschalreisen (B). **Wenn** man eine Pauschalreise bucht (A), erhält man noch heute den Hotelvoucher (B). **Während** Thomas Cook 1872 sein erstes Büro in Kairo eröffnete (A), begann in Liverpool die erste organisierte Weltreise (B).
	Vorzeitigkeit A vor B mit Zeiten-wechsel	nachdem	Das Unternehmen <u>verkauft</u> die ersten Flugtickets (B), **nachdem** es weltweit Marktführer <u>geworden ist</u> (A). **Nachdem** das Unternehmen weltweit Marktführer <u>geworden war</u> (A), <u>verkaufte</u> es ab 1919 auch die ersten Flugtickets (B).
	Nachzeitigkeit A nach B	bevor	**Bevor** Thomas Cook im Jahre 1871 das Unternehmen „Thomas Cook & Son" gründete (A), führte er den Hotelvoucher ein (B).
Seit wann?	Zeitraum vom Anfang der Handlung	seit, seitdem	**Seitdem** Thomas Cook 1869 die erste Reise auf dem Nil anbot, stieg die Nachfrage nach organisierten Schiffsreisen.
Wie lange? Bis wann?	Zeitraum bis zum Ende der Handlung	bis	Thomas Cook führte das Unternehmen erfolgreich, **bis** er es 1879 seinem Sohn übergab.

Indirekter Fragesatz

Der indirekte Fragesatz klingt oft höflicher und offizieller. Er wird häufig in schriftlichen Texten verwendet (z.B. in Anfragen).

Direkter Fragesatz	Indirekter Fragesatz
W-Frage: **Warum** spielst du Schach?	Indirekter Fragesatz eingeleitet mit W-Wort: *Meine Schwester fragt, **warum** du Schach spielst.*
Ja-/Nein-Frage: *Spielst du Schach?*	Indirekter Fragesatz eingeleitet mit ob: *Mein Bruder fragt, **ob** du Schach spielst.*

Zweiteilige Konnektoren   B2 K3

Aufzählung:	*Ich muss mich **sowohl** um Design **als auch** um die Finanzierung kümmern. Hier habe ich **nicht nur** nette Kollegen, **sondern auch** abwechslungsreiche Aufgaben.*
„negative" Aufzählung:	*Aber nichts hat geklappt, **weder** über die Stellenanzeigen in der Zeitung, **noch** über die Agentur für Arbeit.*
Vergleich:	***Je** mehr Absagen ich bekam, **desto** frustrierter wurde ich.*
Alternative:	***Entweder** man kämpft sich durch diese Praktikumszeit **oder** man findet wahrscheinlich nie eine Stelle.*
Gegensatz/ Einschränkung	*Da verdiene ich **zwar** nichts, **aber** ich sammle wichtige Berufserfahrung.* ***Einerseits** bleiben diese Kontakte oft oberflächlich, **andererseits** kann man auch wirklich wichtige berufliche Kontakte herstellen.*

Prüfungsvorbereitung

Prüfungsvorbereitung in Aspekte 2 Lehrbuch (LB) und Arbeitsbuch (AB)

Im Lehrbuch sowie im Arbeitsbuch finden Sie Aufgaben, die auf die Prüfungen zum B2-Niveau des Goethe-Instituts und von TELC vorbereiten.

Im Internet finden Sie unter www.langenscheidt.de/aspekte je einen kompletten Übungstest.

Niveau B2	Goethe-Zertifikat	TELC Zertifikat Deutsch Plus
Leseverstehen		
Aufgabe 1	**AB** Kapitel 3, S. 143f., Ü1	**LB** Kapitel 4, S. 60f., A2
Aufgabe 2	**LB** Kapitel 3, S. 45, A2,	**LB** Kapitel 3, S. 45, A2
Aufgabe 3	**AB** Kapitel 4 S. 158., Ü2e	–
Aufgabe 4	**AB** Kapitel 2, S. 134, Ü3a	–
Leseverstehen		
Sprachbausteine	–	**AB** Kapitel 1, S. 115, Ü2, (Teil 1) **AB** Kapitel 2, S. 127, Ü3, (Teil 2) **AB** Kapitel 4, S. 154, Ü4, (Teil 2)
Hörverstehen		
Aufgabe 1	**LB** Kapitel 3, S. 46f., A2	–
Aufgabe 2	**LB** Kapitel 5, S. 76f., A2b	**LB** Kapitel 2, S. 32, A2a
Aufgabe 3	–	–
Schriftlicher Ausdruck		
Aufgabe 1	**LB** Kapitel 5, S. 83, A5c	**LB** Kapitel 3, S. 51, A4b (Bewerbungsschreiben) **LB** Kapitel 5, S. 83, A5c (Leserbrief)
Aufgabe 2	**AB** Kapitel 1, S. 119, Ü3	–
Mündlicher Ausdruck		
Aufgabe 1	**AB** Kapitel 5, S. 162, Ü1c	–
Aufgabe 2		**LB** Kapitel 2, S. 29, A2e
Aufgabe 3	–	**LB** Kapitel 1, S. 19, A6

Übungstest *Österreichisches Sprachdiplom Deutsch (ÖSD)* auf der Langenscheidt-Homepage.

Lösungen zum Quiz Kapitel 5, S. 72/73

1. Eurasien misst <u>54,4 Millionen</u> km^2.
2. Der <u>Gepard</u> ist das schnellste Säugetier der Welt.
3. Eine Mücke schlägt pro Sekunde <u>1.000-mal</u> mit ihren Flügeln.
4. Der Durchmesser des sichtbaren Universums beträgt 25 Milliarden <u>Lichtjahre</u>.
5. Für jeden Schritt aktiviert der Mensch 54 <u>Muskeln</u>.
6. Katzen verschlafen etwa <u>50%</u> ihres Lebens.
7. Ein <u>Femtometer</u> ist die kleinste Längeneinheit. Sie entspricht 10^{-15} m.
8. In <u>Deutschland</u> werden alle 60 Sekunden 18.060 Liter Bier getrunken.
9. Der Hundertjährige Krieg währte <u>113</u> Jahre.
10. Als die älteste Schrift wird heute die <u>Keilschrift</u> betrachtet.

Vorlage für eigene Porträts

Bilder

Name	
Vorname(n)	
Nationalität	
geboren am	
Beruf(e)	
bekannt für	
wichtige Lebensstationen	
gestorben am	
Informationsquellen (Internet, ...)	

Arbeitsbuchteil

Heimat ist ...

Wortschatz wiederholen und erarbeiten

1 Erklären Sie die Wörter in Stichworten oder mithilfe von Synonymen. Sammeln Sie weitere Wörter mit *Heimat* und erklären Sie sie. Nutzen Sie auch ein Wörterbuch.

1. Heimatmuseum   *Haus, in dem ...* _____

2. Wahlheimat _____

3. Heimweh _____

4. Heimatgefühle _____

5. heimatlos _____

6. _____ _____

7. _____ _____

2a Markieren Sie Adjektive, die Sie mit dem Begriff *Heimat* verbinden.

> vertraut   aufregend   (un)bekannt   alltäglich   (un)bewusst   (un)freundlich   langweilig
>
> anstrengend   befreundet   rätselhaft   treu   entspannend   städtisch   ländlich
>
> (un)bewohnt   gebirgig   flach   kahl   vertrocknet   grün   verliebt
>
> gewöhnlich   herrlich   merkwürdig   nützlich

b Erklären Sie für mindestens drei Adjektive, warum Sie sie gewählt haben.

c Schreiben Sie mithilfe der von Ihnen gewählten Adjektive einen kurzen Text über Ihre Heimat.

3 Sammeln Sie Wörter zu den drei Begriffen. Ordnen Sie die Wörter, die zu zwei oder allen drei Begriffen passen, entsprechend ein.

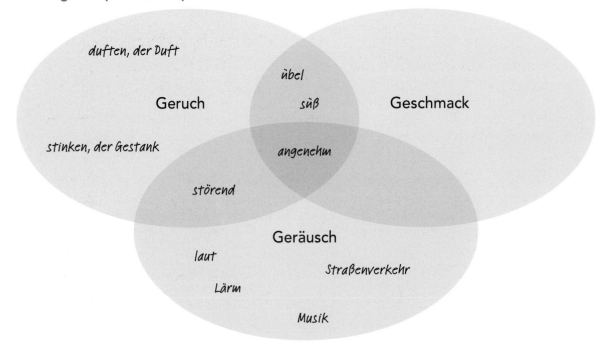

4 Suchen Sie die passenden Wörter im Suchrätsel und notieren Sie sie mit dem Artikel und dem Plural, wenn möglich.

W	D	S	E	A	P	C	P	K	O	B	E	I	D
R	V	E	R	H	A	L	T	E	N	P	V	A	S
S	A	F	B	C	I	D	A	N	R	R	O	U	N
I	E	I	N	W	A	N	D	E	R	E	R	S	T
T	V	E	R	F	A	H	R	U	N	G	C	L	D
M	A	U	S	W	A	N	D	E	R	E	R	A	M
S	E	F	E	R	N	W	E	H	R	L	L	N	I
U	J	U	N	T	E	R	S	C	H	I	E	D	K
I	G	E	F	Ü	H	L	D	S	Y	N	C	T	A
Z	K	M	M	F	I	C	P	E	Y	C	L	H	G
I	E	N	T	S	C	H	E	I	D	U	N	G	F

1. jemand, der in ein anderes Land gezogen ist, um dort zu leben
2. jemand, der sein Land verlässt, um dort nicht mehr zu wohnen
3. nicht das Land, in dem man zu Hause ist
4. nicht gleich (Substantiv)
5. Sehnsucht nach einem anderen Land/Ort
6. nach Überlegen eine von mehreren Möglichkeiten wählen (Substantiv)
7. Wissen oder Können, das man nicht durch Lernen, sondern durch eigene Erlebnisse erwirbt
8. Empfindung
9. Vorschrift, Richtlinie
10. Art und Weise, wie ein Mensch in verschiedenen Situationen handelt

1. _____
2. _____
3. _____
4. _____
5. _____

6. _____
7. _____
8. _____
9. _____
10. _____

5a Wie heißt das Gegenteil? Notieren Sie mehrere Möglichkeiten.

1. sich fremd fühlen   *sich geborgen fühlen, sich wohl fühlen,* _____

2. vermissen, Sehnsucht haben   *alles haben,* _____

3. zurückkehren   _____

4. vertraut sein   _____

5. sich nicht erinnern   _____

b Schreiben Sie einen Satz zu je einem Ausdruck aus Übung 5a.

1. *Wenn ich zu Hause bin, zusammen mit meiner Familie, dann fühle ich mich geborgen und wohl.*
2. _____
3. _____
4. _____
5. _____

Neue Heimat

1a Lesen Sie den Text und beantworten Sie die Fragen.

1. Warum ist Lena in ihren Geburtsort zurückgekehrt?
2. Wie empfindet sie das Leben in ihrer Heimatstadt?
3. Was ist für Lena Heimat?

Zurück in die Heimat

Zugehörigkeit und Enge, Fremdheit und Vertrautheit – die widersprüchlichen Gefühle, die eine Rückkehr in die Heimat auslösen kann – kennt jeder, der lange in einer anderen Stadt oder in einem anderen Land gelebt hat.

Lena Bruck hat sich in der Fremde eigentlich immer sehr wohl gefühlt. Zu klein, zu eng kam ihr ihre niedersächsische Heimatstadt Lengede vor, als sie mit 20 wegging. „Jeder kennt da jeden. Und viele Möglichkeiten hat man da auch nicht. Ich wollte einfach raus", sagt sie. Gleich nach dem Abitur packt sie ihre Koffer und zieht in die Großstadt, nach Hamburg, studiert Medizin und genießt das Leben. Sie lernt interessante Menschen kennen, geht aus, besucht Konzerte und arbeitet in einem Krankenhaus. Zwölf Jahre später scheitert ihre langjährige Beziehung, doch gleichzeitig winkt eine große Chance: Sie soll die Praxis ihres Vaters übernehmen, die auch schon der Großvater geführt hatte.

Die Entscheidung lässt sie nächtelang nicht schlafen. Sich so früh festzulegen für das ganze Leben – das wollte sie eigentlich nicht. Vor allem nicht in ihrer Geburtsstadt. „Auf die Praxis habe ich mich schon gefreut", sagt sie, „aber vor Lengede hat es mir ziemlich gegraut." Heute hat sie sich mit ihrer Rückkehr versöhnt.

Inzwischen kann sie der fehlenden Anonymität sogar Vorteile abgewinnen. „Der Bäcker kannte mich schon, als ich ein kleines Kind war. Und irgendjemanden, mit dem ich ein bisschen plaudern kann, treffe ich immer, wenn ich einkaufen gehe. Und natürlich gibt mir auch die Nähe meiner Familie Rückhalt. Außerdem kenne ich jeden Winkel hier." So viel Vertrautheit gibt natürlich auch Sicherheit. Man weiß, wie alles funktioniert. Die sozialen Netze sind in einer Kleinstadt intakter. Trotzdem fühlt Lena sich manchmal einsam. „Wenn man in meinem Alter nicht als Mutter in einer Krabbelgruppe oder sportlich aktiv ist, gibt es kaum Kontaktmöglichkeiten, um neue Leute kennenzulernen. In dem Chor, in dem ich singe, bin ich die Jüngste. Leute in meinem Alter sitzen eher zu Hause bei ihrer Familie. Und mal eben in eine interessante Ausstellung zu gehen, das ist auch nicht drin." Ist Lengede ihr wieder zur Heimat geworden? „Ja", sagt sie, „die positiven Gefühle überwiegen. Heimat bedeutet für mich vor allem dieses Gefühl der Vertrautheit und Zugehörigkeit. Ich bin auch ein Stück weit zur Ruhe gekommen und fühle mich hier insgesamt wohl, auch wenn es mir manchmal zu eng wird und ich die Großstadt vermisse."

b Was bedeuten die folgenden Wörter für Sie? Schreiben Sie jeweils einen Beispielsatz.

Zugehörigkeit – Beziehung – Einsamkeit – Rückhalt – Vertrautheit – Sicherheit

2 Lesen Sie den folgenden Text und entscheiden Sie, welches Wort (a, b oder c) in die Lücke passt.

Liebe Miriam,

jetzt haben wir schon wieder so lange nichts (1) _____ gehört und ich dachte, ich muss mich (2) _____ mal wieder melden. Ich würde Dich ja auch gerne mal anrufen, aber wegen der Zeitverschiebung ist es ganz (3) _____ kompliziert, die richtige Tageszeit zu erwischen. Ich hoffe, bei Dir läuft alles gut! Mir geht es immer noch (4) _____ gut hier in Neuseeland. Mein Job gefällt mir, meine Kollegen sind nett und ich habe mittlerweile auch ein paar Freunde gefunden. Ich bin gerade umgezogen, endlich raus aus dem Mini-Zimmer. Stell Dir vor, ich habe jetzt ein richtiges kleines Häuschen. Ein Freund von mir, (5) _____ das Haus gehört, ist für ein Jahr beruflich in Europa und so lange kann ich hier wohnen. Mal sehen, was dann kommt. Aber auch wenn es mir gut geht, packt mich natürlich trotzdem öfter mal das Heimweh, und deshalb habe ich geplant, diesen Sommer nach Hause zu fliegen. Wahrscheinlich komme ich Mitte August und bleibe dann für vier Wochen, (6) _____ sich der lange Flug auch lohnt. Jetzt würde ich natürlich gerne wissen, (7) _____ Du in dieser Zeit da bist. Oder machst Du da Urlaub? Es wäre wirklich schön, wenn wir etwas zusammen (8) _____ könnten und mal wieder so richtig Zeit hätten zu reden. Ich habe auch vor, Andrea und Jonas in Berlin zu besuchen. Vielleicht hast Du ja Lust mitzukommen? Da gibt es im Sommer eine große Foto-Ausstellung, die (9) _____ sehr interessieren würde. Hast Du eigentlich mal etwas von Brigitte gehört? Sie (10) _____ doch jetzt wieder in Deutschland sein. Würde mich interessieren, wie sie sich wieder eingelebt hat, nach fünf Jahren in Argentinien. Lass bald von Dir hören!

Liebe Grüße
Deine Doris

1. a) sich
   b) voneinander
   c) zusammen

2. a) außerdem
   b) jedenfalls
   c) unbedingt

3. a) schön
   b) sehr
   c) viel

4. a) endlich
   b) ganz
   c) schön

5. a) dem
   b) er
   c) seiner

6. a) damit
   b) deswegen
   c) für

7. a) dass
   b) ob
   c) wenn

8. a) vorhaben
   b) unterhalten
   c) unternehmen

9. a) ich
   b) mich
   c) mir

10. a) darf
    b) kann
    c) soll

TIPP **In der schriftlichen Prüfung**
Sie sind sich nicht sicher, wie die richtige Antwort für eine Aufgabe lautet? Kreuzen Sie trotzdem eine Antwort an. Sie verlieren keinen Punkt, auch wenn Ihre Antwort falsch ist.

3 **Markieren Sie, an welcher Stelle im Satz die Wörter rechts eingefügt werden müssen.**

1. Maria und Paul wandern aus. Zum Abschied schenken wir ↓ einen Fluggutschein. ihnen

2. Paul wollte Informationen über China. Das Reisebüro hat sie gegeben. ihm

3. Maria hat nach den Visa-Bestimmungen gefragt. Der Beamte hat ihr erklärt. sie

4. Maria hat das Visum beantragt. Das Konsulat hat ihr dann zugeschickt. es

4 **Alles schon erledigt! Reagieren Sie auf die Fragen und Aussagen. Verwenden Sie dabei Pronomen.**

1. Kannst du mir die E-Mail-Adresse von Doris schicken?
2. Gibst du mir bitte meinen Bildband über Neuseeland noch zurück?
3. Es wäre super, wenn du auch Peter die Informationen zum Visum geben würdest.
4. Hast du Hannah den Schlüssel schon gebracht?
5. Wir müssen dem neuen Gaststudenten noch den Weg ins Wohnheim erklären.

1. Ich habe sie dir doch schon geschickt.

5a **Tekamolo – Erweitern Sie die Sätze mit den Angaben.**

1. Wir sind geflogen. (zu Doris / letzten Monat / ganz spontan)
2. Das Flugzeug startete. (mit großer Verspätung / vom Flughafen Frankfurt / aufgrund eines Unwetters)
3. Mir war ziemlich schlecht. (wegen des Sturmes / während des langen Fluges)
4. Wir fuhren. (zu Doris' Haus / ziemlich erschöpft / nach unserer Ankunft)
5. Wir haben eine Stadtrundfahrt gemacht. (mit dem Bus / an unserem ersten Urlaubstag)
6. Wir lagen am Strand. (an den nächsten Tagen / meistens faul / wegen der starken Hitze)
7. Die Zeit ist vergangen. (viel zu schnell / im Urlaub)
8. Wir haben ein paar Andenken gekauft. (am Flughafen / noch schnell / vor unserem Abflug)
9. Wir flogen zurück. (wieder nach Hause / nach drei Wochen / gut erholt)

1. Wir sind letzten Monat ganz spontan zu Doris geflogen.

b **Stellen Sie die Sätze um und beginnen Sie mit folgenden Angaben.**

1. temporal: *Letzten Monat sind wir ganz spontan zu Doris geflogen.*

2. kausal, 3. temporal, 4. modal, 5. temporal, 6. kausal, 7. modal, 8. lokal, 9. modal

6 **Angaben und Ergänzungen – Korrigieren Sie die Wortstellung.**

1. Für den Umzug habe ich gestern den Kleinbus mir von einem Freund geliehen.

2. Der Kursleiter teilte das Ergebnis uns erst heute Morgen mit.

3. Ich habe an meine Freundin die E-Mail sofort weitergeleitet.

4. Mein Vater kannte meine Freundin nicht. Ich habe ihm sie erst gestern vorgestellt.

5. Ich habe aus Neuseeland eine Karte meinem Chef geschickt.

Ausgewanderte Wörter

1a Lesen Sie die folgenden Aussagen zum Thema „Fremdwörter im Deutschen". Ordnen Sie sie zu – welche sind positiv, welche negativ, welche sind mit Einschränkungen positiv?

> **A** Für neue Dinge oder Erfindungen oder auch in der Fachsprache ist es bestimmt zweckmäßig, Fremdwörter zu verwenden, aber man sollte nicht alles kritiklos übernehmen.

> **B** Durch den Gebrauch von Fremdwörtern wird eine Sprache internationaler und für alle leichter verständlich.

> **D** Sprache ist ein Teil der Kultur eines Volkes, man sollte versuchen, sie möglichst unverändert zu bewahren.

> **C** Sprache ist etwas, das für den Gebrauch da ist. Sie soll funktionieren! Wenn Fremdwörter dazu beitragen, kann das nur gut sein.

> **E** Studien haben gezeigt, dass viele Kunden in Deutschland die bei den Firmen im Moment so beliebten englischsprachigen Werbeslogans gar nicht verstehen.

positive Aussage   _____

eingeschränkt positive Aussage   _A_

negative Aussage   _____

b Welchen Standpunkt vertreten Sie? Wählen Sie passende Argumente für Ihre Meinung und notieren Sie weitere Argumente.

c Sammeln Sie Ausdrücke und Wendungen um …

ein Argument einzuleiten	einem Argument zu widersprechen
Viele Leute sind der Meinung, dass … Es ist allgemein bekannt, dass …	Richtig aber ist, dass … Vielmehr ist es so, dass …

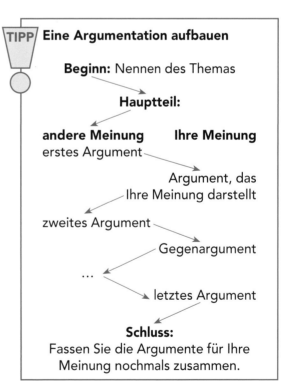

TIPP **Eine Argumentation aufbauen**

Beginn: Nennen des Themas

Hauptteil:

andere Meinung   **Ihre Meinung**
erstes Argument

Argument, das Ihre Meinung darstellt

zweites Argument

Gegenargument

…

letztes Argument

Schluss:
Fassen Sie die Argumente für Ihre Meinung nochmals zusammen.

d Wählen Sie drei Argumente, die Ihre Meinung wiedergeben, und zwei Gegenargumente. Schreiben Sie eine Argumentation.

In folgendem Text geht es um die Frage, ob Fremdwörter aus anderen Sprachen eine Sprache bereichern oder eine Gefahr für diese Sprache sind. Viele Leute meinen ja, dass der Gebrauch von Fremdwörtern, vor allem aus dem Englischen, bedeutet, dass eine Sprache langsam untergeht. Ich kann dem nicht zustimmen, denn …

Missverständliches

LB 1.2

1 Hören Sie noch einmal die Erzählungen über interkulturelle Missverständnisse aus Aufgabe 1a im Lehrbuch auf Seite 14. Wählen Sie zwei Erzählungen und beschreiben Sie mit eigenen Worten die Situation und wie es zu dem Missverständnis kam.

In der zweiten Erzählung berichtet eine Frau von ihrem Aufenthalt in Japan. Sie war Gast bei einer Familie und ...

2a Lesen Sie den ersten Teil eines Textes. Sind die Aussagen richtig oder falsch?

	r	f
1. In den beiden genannten Ländern werden alle Kinder mit bunten Sonnenbrillen geboren. Die Farbe spielt dabei keine Rolle.	☐	☐
2. Die Menschen kommen dort schon immer mit Sonnenbrille auf die Welt.	☐	☐
3. Die Menschen finden die Sonnenbrillen komisch.	☐	☐
4. Die Sonnenbrillen sind ein Symbol für die Kultur des Landes.	☐	☐

Die Sonnenbrillen-Analogie

1   Stellen Sie sich bitte ein Land vor – zum Beispiel ein deutschsprachiges Land –, in dem seit der Zeit der ersten Menschen, heutzutage und bis weit in die Zukunft, jeder Mensch, der
5 je geboren wurde oder erst geboren werden wird, mit zwei Beinen, zwei Armen, zwei Augen, einer Nase, einem Mund und einer Sonnenbrille geboren wird. Die Farbe der Sonnenbrillengläser ist gelb. Niemand hat es
10 je seltsam gefunden, dass diese Sonnenbrillen da sind, weil sie schon immer da waren und Teil des menschlichen Körpers sind. Jeder Mensch hat sie.
    Was die Sonnenbrille gelb macht, sind die
15 Werte, Einstellungen, Ideen, Glaubenssätze und Annahmen, die den Menschen in ihrem Land gemeinsam sind. Alles, was sie gesehen, gelernt oder erfahren haben (in der Vergangenheit, Gegenwart und Zukunft), ist durch
20 die gelben Gläser ins Gehirn gelangt. Alles wurde durch die Werte und Ideen, welche die Gläser gelb gefärbt haben, gefiltert und interpretiert. Die gelben Gläser repräsentieren also ihre Einstellungen, Werte und Glaubens-
25 sätze.

    Tausende Kilometer entfernt in einem anderen Land (zum Beispiel in Japan) wurde seit der Zeit der ersten Menschen, heutzutage und bis weit in die Zukunft, jeder Mensch, der je
30 geboren wurde oder geboren werden wird, mit zwei Beinen, zwei Armen, zwei Augen, einer Nase, einem Mund und einer Sonnenbrille geboren. Die Farbe der Sonnenbrillengläser ist blau. Niemand hat es je seltsam gefunden,
35 dass diese Sonnenbrillen da sind, weil sie immer schon da waren und Teil des menschlichen Körpers sind. Jeder Mensch hat sie. Alles, was Japanerinnen und Japaner sehen, lernen und erleben, wird durch die blauen Gläser ihrer
40 Sonnenbrillen gefiltert.

b Stellen Sie sich vor, ein Reisender aus dem Land der gelben Sonnenbrillen möchte in das andere Land fahren. Was wird passieren? Notieren Sie Ihre Vermutungen. Lesen Sie das Ende des Textes und vergleichen Sie mit Ihren Notizen.

_____

_____

Ein Reisender, der nach Japan fahren möchte, ist wahrscheinlich klug genug zu erkennen, dass er, will er mehr über Japan erfahren, japanische Sonnenbrillen erwerben muss, damit er
45 Japan „sehen" kann. Wenn der Reisende also in Japan ankommt, trägt er japanische Sonnenbrillen, bleibt zwei Monate lang und hat das Gefühl, er lernt wirklich viel über die Werte, Einstellungen und Glaubenssätze der 50 japanischen Menschen. Er „sieht" tatsächlich Japan, indem er japanische Sonnenbrillen trägt. Er kehrt in sein eigenes Land zurück und erklärt sich nun zum „Experten" für Japan und behauptet, dass die Kultur von Japan grün ist.

c Was ist passiert? Erklären Sie in einem kurzen Text, warum der „Experte" sagt, die japanische Kultur sei grün.

3 Eine ausländische Freundin bittet Sie darum, einen Brief zu korrigieren, da Sie besser Deutsch können.
   – Fehler im Wort: Schreiben Sie die richtige Form an den Rand. (Beispiel 01)
   – Fehler in der Satzstellung: Schreiben Sie das falsch platzierte Wort an den Rand, zusammen mit dem Wort, mit dem es vorkommen soll. (Beispiel 02)
   – Bitte beachten Sie: Es gibt immer nur einen Fehler pro Zeile.

Berlin, den 23. Februar 20…

Sehr geehrte Dame und Herren,   _Damen_____ 01

gestern ich habe erfahren, dass mein Mann und ich für einige Zeit   _habe ich__ 02

nach Japan können gehen. Wir werden nach Tokio gehen und vier   _____ 03

bis acht Monate bleiben dort. Ich habe schon ein bisschen Japanisch   _____ 04

lernen und ich wende mich an Sie mit der Frage, ob Sie mir vielleicht _____ 05

eine gutes interkulturelles Training anbieten können für Leute,   _____ 06

denen nach Japan gehen möchten.   _____ 07

Ich möchte Ihnen fragen, ob Sie solche Seminare anbieten und   _____ 08

wenn das nächste Seminar stattfindet.   _____ 09

Wie teuer sind die Seminare und wie viele Nehmer gibt es?   _____ 10

Gibt es auch der Möglichkeit, Seminare in Japan zu besuchen?   _____ 11

Ich wäre Sie sehr dankbar, wenn Sie mir schnell antworten und   _____ 12

mir alle Unterlagen zuschicken könnten.

Mit freundlichen Grüßen
Alisha Kästner

4a Mit welchen Silben können Sie die folgenden Adjektive verneinen? Ordnen Sie zu. Achtung: Manche Adjektive können Sie auch mehrfach zuordnen.

| harmonisch | tolerant | humorvoll | typisch | organisiert | normal |
| akzeptabel | diskret | verständlich | | fantasievoll | |

un-	in-	-los	miss-	a-	dis-

b Schreiben Sie zu jedem verneinten Adjektiv einen Satz.

Entschuldigung, da habe ich mich wohl missverständlich ausgedrückt.

5 Verneinen Sie die unterstrichenen Wörter.

1. Gestern Morgen sind <u>alle</u> pünktlich ins Seminar gekommen. 2. Das habe ich <u>schon oft</u> erlebt.
3. Das ist <u>typisch</u> für diese Gruppe.
4. Herr Müller hat gestern in dem Meeting <u>etwas</u> Interessantes gesagt. 5. Das denke ich nicht. Ich finde, er hat <u>wenig</u> Neues erzählt.
6. Louis hat <u>viel</u> Gutes von seinen Auslandsaufenthalten berichtet. 7. Ich glaube, er hat <u>noch nie</u> schlechte Erfahrungen gemacht.
8. Wir sehen uns heute Abend <u>noch</u>.
9. Ich habe Claudia <u>schon</u> gefragt, ob sie kommt.

1. Gestern Morgen ist niemand/keiner ...

6a Verneinen Sie die Sätze mit *nicht*.

1. Der Film hat mir gefallen.
2. Ich fand das Thema interessant.
3. Ich finde auch, dass die Schauspieler die interkulturellen Missverständnisse authentisch dargestellt haben.
4. Die Situationen waren realistisch und ich fand die Szenen spannend umgesetzt.
5. Ich glaube, den Film sehe ich mir noch einmal an.

1. Der Film hat mir nicht gefallen.

b Verneinen Sie die unterstrichenen Satzteile. Achten Sie auf die Position von *nicht* und überlegen Sie eine sinnvolle Fortsetzung des Satzes mit *sondern*.

1. Ich komme <u>heute</u> mit.
2. <u>Ich</u> komme heute mit.

3. <u>Peter</u> hat sich zum Seminar angemeldet.
4. Peter <u>hat sich</u> zum Seminar <u>angemeldet</u>.
5. Peter hat sich <u>zum Seminar</u> angemeldet.

1. Ich komme nicht heute mit, sondern morgen.

1 Lesen Sie den ersten Abschnitt des Radiobeitrags und ergänzen Sie die Nomen.

> Schulabschluss Zugewanderten Arbeitslosigkeit Migrationshintergrund
> Herkunft Staatsbürgerschaft Land ausländischer Herkunft

Deutschland ist ein multikulturelles (1) _____, in dem
Menschen verschiedenster (2) _____ zusammenleben.
Das Statistische Bundesamt hat dazu jetzt neue Zahlen vorgelegt: Die Statistiker zählten
insgesamt 15,3 Millionen Menschen mit (3) _____.
Migrationshintergrund heißt, dass mindestens ein Elternteil
(4) _____ ist. Von diesen 15,3 Millionen haben acht Millionen
die deutsche (5) _____. Fast 62 Prozent der nach Deutschland
(6) _____ kommen nach den Angaben des Statistischen
Bundesamtes aus Europa. Das wichtigste Herkunftsland ist die Türkei mit einem Anteil von
14,2 Prozent aller Zugewanderten, gefolgt von der Russischen Föderation mit 9,4 Prozent,
Polen mit 6,9 Prozent und Italien mit 4,2 Prozent Anteil. Die Statistiken ergaben außerdem,
dass viele der in Deutschland lebenden Menschen mit Migrationshintergrund geringer
qualifiziert sind: So haben fast zehn Prozent keinen (7) _____
– bei den Deutschen ohne Migrationshintergrund sind dies nur 1,5 Prozent. 51 Prozent
gegenüber 27 Prozent haben keinen Berufsabschluss. Auch die
(8) _____ liegt in der Gruppe mit Migrationshintergrund mit
einem Anteil von 13 Prozent gegenüber 7,5 Prozent deutlich höher.

2 Mit welchen Redemitteln drücken Sie was aus? Ordnen Sie zu und unterstreichen Sie
Formulierungen, die unhöflich sind.

a – eine Meinung ausdrücken
b – einer anderen Meinung zustimmen
c – eine andere Meinung ablehnen

[a] Ich bin davon überzeugt …	[ ] Das ist völlig an den Haaren herbeigezogen.
[ ] Ich kann dieser Meinung nicht zustimmen, da …	[ ] Ich bin der gleichen Meinung wie …
[ ] Meines Erachtens …	[ ] Das stimmt überhaupt nicht.
[ ] Diese Einstellung halte ich für problematisch …	[ ] Das kann ich nur bestätigen.
[ ] Das sehe ich genauso.	[ ] Das ist völliger Unsinn!
[ ] Ich zweifle an der Richtigkeit dieser Aussage.	[ ] Ich bin der Ansicht, dass …
	[ ] Du hast / Sie haben völlig recht.
	[ ] Ich stehe auf dem Standpunkt, dass …

3 Welche Wörter gehören zusammen? Ordnen Sie zu. Oft sind mehrere Lösungen möglich.

1. sich mit einem Thema ____   a anbieten
2. eine Chance ____   b diskutieren
3. Heimweh ____   c verbessern
4. ein Problem ____   d lösen
5. eine Staatsangehörigkeit ____   e übernehmen
6. die Verantwortung ____   f beschäftigen
7. eine Herausforderung ____   g meistern
8. eine Lösung ____   h nutzen
9. ein Thema ____   i empfinden
10. das Verständnis ____   j beantragen
11. einen Sprachkurs ____   k erarbeiten

4 Eine Biografie. Bringen Sie die Textteile in eine sinnvolle Reihenfolge.

☐ **A** Nachdem ihm in Österreich Asyl gewährt wurde, hielt er sich in den folgenden Jahren mit zahlreichen Gelegenheitsjobs über Wasser.

☐ **B** Der literarische Durchbruch gelang ihm mit seinem Familienroman „Engelszungen", der 2003 erschien und in ganz Europa auf großes Interesse stieß.

☐ **C** Seit 1991 schreibt Dinew Drehbücher, Theaterstücke und Erzählungen auf Deutsch. Seine Anerkennung als Schriftsteller hat er sich über unzählige Wettbewerbe erarbeitet, bis die Verlage auf ihn zukamen.

☐ **D** Auf die Frage, wo er zu Hause ist, sagt Dimitré Dinev: „Heimat wird unter den Menschen ausgemacht. Das Wort ist meine Heimat." Mit nationalem Bekenntnis oder geografischer Zugehörigkeit hat Heimat für ihn nichts zu tun.

1 **E** Dimitré Dinew wurde im Jahr 1968 in Plowdiw/Bulgarien geboren und lebt heute als freier Schriftsteller in Wien.

☐ **F** Sein Abitur machte er 1987 am Bertolt-Brecht-Gymnasium in Pasardschik. Drei Jahre später floh er über die grüne Grenze nach Österreich.

5a Das folgende Zitat stammt von Karl Valentin, einem deutschen Komiker, der von 1882 bis 1948 in München lebte. Wie interpretieren Sie es?

Fremd ist der Fremde nur in der Fremde.

b In welchen Situationen haben Sie sich fremd gefühlt oder fühlen Sie sich immer noch fremd? Warum?

So schätze ich mich nach Kapitel 1 ein: Ich kann ...	+	0	–	Modul/ Aufgabe
... Berichte über interkulturelle Missverständnisse verstehen.				M3, A1
... in einem Radiobeitrag über „Integration" komplexe Informationen verstehen.				M4, A2
... die Meinung anderer verstehen und wiedergeben.				M4, A2b
... in einem Erfahrungsbericht über Auswanderung positive und negative Einschätzungen verstehen.				M1, A2
... in einem Text über deutsche Wörter in anderen Sprachen detaillierte Informationen verstehen.				M2, A2
... die Haltung verschiedener Personen zum Thema „Integration" verstehen.				M4, A4
... über positive und negative Erfahrungen im Ausland berichten.				M1, A3 M3, A1b
... über Anglizismen im Deutschen sprechen und meine Meinung ausdrücken.				M2, A1b
... über die wichtigsten Informationen eines Textes, über kulturelle Unterschiede diskutieren.				M3, A2c
... in einer Diskussion zum Thema „Integration" meine Ansichten erklären, begründen und verteidigen.				M4, A3
... Informationen aus Erfahrungsberichten von Migranten an andere weitergeben.				M4, A4c
... Vorschläge für ein multikulturelles Fest machen und gemeinsam mit einem Partner ein Programm entwickeln.				M4, A6
... zu den wichtigsten Informationen eines Textes über kulturelle Unterschiede Notizen machen.				M3, A2b
... in einem Forumsbeitrag meine Meinung und meine Erfahrungen zum Thema „Integration" ausdrücken.				M4, A5

Das habe ich zusätzlich zum Buch auf Deutsch gemacht: (Projekte, Internet, Filme, Texte, ...)		
	Datum:	Aktivität:

Sprich mit mir!

Wortschatz wiederholen und erarbeiten

🔑 **1a** Man kann auf verschiedene Arten sprechen, z.B. normal, laut, leise, undeutlich, traurig. Charakterisieren Sie folgende Arten des Sprechens genauer, indem Sie die Verben aus dem Kasten in das Wortfeld *SPRECHEN* eintragen. Das Wörterbuch hilft. Mehrfachlösungen sind möglich.

sagen	flüstern	erzählen	zanken	stottern	rufen	reden
schreien	tadeln	mitteilen		murmeln	schimpfen	
wimmern	stammeln	grölen	sich äußern	schluchzen	tuscheln	brüllen

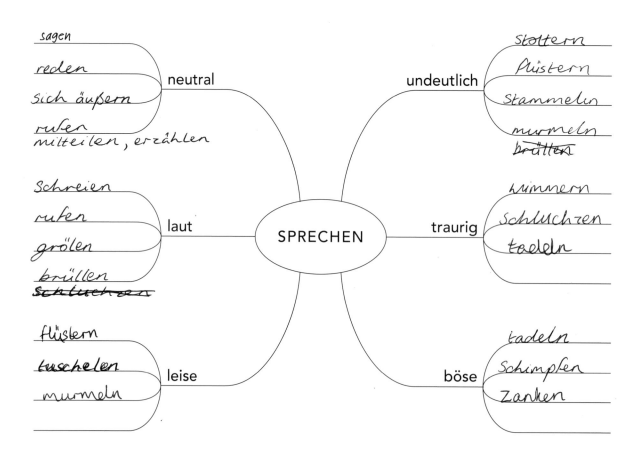

🔑 **b** Bilden Sie von den Verben ein Substantiv. Notieren Sie auch den Artikel.

schreien – der Schrei, ...

124

2 Lösen Sie das Rätsel.
(Umlaute = ein Buchstabe)

					G	E	S	P	R	Ä	C	H
1					G	E	S	P	R	Ä	C	H
	2				G	E	S	P	R	Ä	C	H
3					G	E	S	P	R	Ä	C	H
	4				G	E	S	P	R	Ä	C	H
	5				G	E	S	P	R	Ä	C	H

1. ein Gespräch am Telefon, bei dem man über das Ortsnetz hinaustelefoniert
2. ein wichtiges Thema, über das alle Bewohner eines Ortes eine gewisse Zeit reden
3. ein Gespräch in der Schule, das dazu dient, dass ein bestimmter Stoff erarbeitet wird
4. ein Gespräch, in dem man Tipps und Ratschläge bekommt
5. ein Gespräch, das einen Kunden / eine Kundin vom Kauf eines Produktes überzeugen soll

3 Welche Verben mit Präfix bildet das Verb *sprechen*? Ordnen Sie die Verben in die Tabelle ein.

an-   ver-   ge-   über-   aus-

bei-   mit-   **sprechen**   vor-   be-

durch-   zer-   zu-   ab-

trennbar		untrennbar	
aussprechen, ... mitsprechen ansprechen ~~versprechen~~ ~~ab~~ zusprechen	vorsprechen durchsprechen aussprechen	versprechen besprechen ~~ges~~	absprechen

4a Lesen Sie die Zungenbrecher. Lesen Sie zuerst langsam, versuchen Sie es dann schneller.

Fischers Fritz fischt frische Fische, frische Fische fischt Fischers Fritz.	Hinter Hermann Hannes Haus hängen hundert Hemden raus, hundert Hemden hängen raus hinter Hermann Hannes Haus.
Zehn zahme Ziegen ziehen zehn Zentner Zucker zum Zoo.	Der Cottbusser Postkutscher putzt den Cottbusser Postkutschkasten blank.

b Stellen Sie Zungenbrecher in Ihrer Sprache vor.

Gesten sagen mehr als tausend Worte ... _____

1 Was bedeuten Ihrer Meinung nach die folgenden Körperhaltungen? Ordnen Sie zu. Mehrere Lösungen sind möglich.

1. _d_ weit ausgestreckte Hand bei der Begrüßung

f, h 2. _f_ die Stirn runzeln

g 3. _g_ Kopf erhoben, klarer Augenkontakt

4. _e_ Arme hängen salopp, unverkrampft

b 5. _b_ Arme vor der Brust verschränkt

6. _a_ Ohr reiben, kein Augenkontakt

7. _c_ Hände in die Hüften gestützt

f, h 8. _h_ ausgestreckter Zeigefinger auf den Partner gerichtet

✓a Verlegenheit

✓b Angst, Schutzschild für den Körper

✓c Überlegenheit, Dominanz

✓d Anspannung, Distanz

✓e Ausgeglichenheit, Ruhe

✓f Verärgerung, Unzufriedenheit

✓g Handlungsbereitschaft, Selbstsicherheit

✓h Drohung, Aggression

2 **Lesen Sie zuerst die Aussagen. Hören Sie dann den Text von Aufgabe 2b im Lehrbuch auf Seite 26 noch einmal. Entscheiden Sie beim Hören, ob die Aussagen richtig oder falsch sind.**

LB 1.11

	r	f
1. Ob Menschen uns sympathisch sind, hängt davon ab, was sie sagen.	☐	☐
2. Körpersprache ist ein wesentlicher Bestandteil der zwischenmenschlichen Kommunikation.	☐	☐
3. Zur Körpersprache gehören Mimik, Gestik, Körperbewegungen, Haltungen und der Tonfall.	☐	☐
4. Mit Körpersprache kann man den Gesprächspartner täuschen.	☐	☐
5. Signale der Körpersprache nehmen wir wie die gesprochene Sprache sehr rasch wahr.	☐	☐
6. Körpersprache ist zum Teil erlernt, zum Teil aber auch angeboren.	☐	☐
7. Mit dem Zeigen der Zähne drücken Affen ihre Feindschaft aus.	☐	☐
8. Emotionen, die über Mimik ausgedrückt werden, sind in allen Kulturen fast gleich.	☐	☐
9. Gesten sind von Kultur zu Kultur unterschiedlich.	☐	☐
10. Prof. Molcho meint, dass Mimik und Gestik nachgeahmt oder erlernt werden.	☐	☐

3 Lesen Sie den folgenden Text und entscheiden Sie, welches Wort aus dem Kasten (a–o) in die Lücken 1–10 passt. Sie können jedes Wort im Kasten nur einmal verwenden. Nicht alle Wörter passen in den Text.

Prof. Samy Molcho ist seit über 20 Jahren der führende Experte für eine Sprache, die (1) __OHNE__ Worte auskommt *i* – die Körpersprache. (2) __MIT__ seinem neuen *g* Buch „Körpersprache des Erfolgs" legt der weltberühmte Pantomime und Kultautor das Ergebnis seiner jahrzehntelangen Arbeit vor.

Eine Darstellung darüber, (3) __WAS__ Erfolg aus- *l* macht und wie sich Erfolg in der Körpersprache ausdrückt. Erfolg ist dabei für Samy Molcho nicht mit Wohlstand oder Geld gleichzusetzen. Er definiert Erfolg als glückende Bewältigung des Lebens – und eine Körpersprache des Erfolgs ist (4) __SOWIE__ die Körpersprache eines in sich ruhenden, souveränen *j* Menschen.

Längst übt Samy Molcho, der als einer der berühmtesten Pantomimen der Welt mit Marcel Marceau in einem Atemzug genannt wird, seine Kunst nicht mehr auf der Bühne aus. Seit über zwei Jahrzehnten (5) __UNTERRICHTET__ er als Professor am renommierten Max- *k* Reinhardt-Seminar für Musik und darstellende Kunst in Wien, schreibt Bücher und hält Vorträge.

In Politik- und Wirtschaftskreisen schätzt man ihn (6) __ALS__ Trainer für *a* „erfolgreiches Auftreten". Seit 1980 hält Molcho (7) __ZUM__ Thema *o* „Körpersprache" Vorträge und Seminare – unter anderem für Mediziner, Politiker, Manager und Unternehmer.

Samy Molcho behauptet, 80 Prozent unserer Reaktionen und Entscheidungen würden durch nonverbale Kommunikation ausgelöst. Der Körper eines Menschen decke die Persönlichkeit eines Menschen auf. Samy Molcho erklärt in Seminaren, wie man Körpersprache (8) __ENTSCHLÜSSELN__ kann und warum das so wichtig ist. Samy Molcho wirbt für ein *d or h* besseres Verstehen der (9) __eigenen__ Körpersprache und der des anderen *c* (10) _____ für eine ganzheitliche Kommunikation.

a) ALS ✓   b) DEMNACH   c) EIGENEN ✓   d) ENTSCHLÜSSELN

e) FÜR   f) LERNT   g) MIT ✓   (h) NOTIEREN   i) OHNE ✓   j) SOWIE ✓

k) UNTERRICHTET ✓   l) WAS ✓   m) WEIL   n) WOFÜR   o) ZUM ✓

Gesten sagen mehr als tausend Worte ...

4 Ergänzen Sie in den Sätzen *als* oder *wie*.

1. Das Buch über Körpersprache ist genauso interessant, ___als___ ich es erwartet hatte.

2. Das Seminar über Körpersprache war viel unterhaltsamer, ___als___ die Teilnehmer gedacht hatten.

3. Körpersprache zu verstehen ist nicht immer so leicht, ___als___ ich geglaubt hatte.

4. Das Buch „Körpersprache des Erfolgs" ist bekannter, ___wie___ ich vermutet hatte.

5. Als Trainer für „erfolgreiches Auftreten" ist Samy Molcho genauso gefragt, ___wie___ als Professor am renommierten Max-Reinhardt-Seminar für Musik und darstellende Kunst.

6. Samy Molcho behauptet, dass für unsere Reaktionen und Entscheidungen die nonverbale Kommunikation viel wichtiger ist, ___als___ wir alle denken.

5 Vergleichssätze mit *wie* treten auch in Sprichwörtern auf. Welche „Lebensweisheiten" werden hier ausgedrückt? Gibt es diese Sprichwörter auch in Ihrer Sprache? Wie übersetzt man sie?

1. Wie du mir, so ich dir.
2. Wie man sich bettet, so liegt man.
3. Wie die Arbeit, so der Lohn.
4. Wie gewonnen, so zerronnen.

6 Ergänzen Sie in den Vergleichssätzen mit *je ...*, *desto/umso* die Komparative.

1. Je ___besser___ (gut) man die Gesetze der Körpersprache beherrscht, umso ___bewusster___ (bewusst) kann man sie in Gesprächen, z.B. in Bewerbungsgesprächen, einsetzen.

2. Je ___aufgeregter___ (aufgeregt) man in solchen Gesprächen ist, desto ___wichtiger___ (wichtig) ist es, die Sprache seines Körpers zu beherrschen.

3. Denn je ___weniger___ (wenig) man eine Person kennt, desto ___vieler___ (viel) achtet man auf deren Bewegungen und Gesten.

4. Je ___natürlicher___ (natürlich) die Körpersprache eines Gesprächspartners wirkt, desto ___erfolgreicher___ (erfolgreich) verläuft das Gespräch.

7 Schreiben Sie Vergleichssätze mit *je ...*, *desto/umso*.

1. Der Test ist schwierig. Die Freude über den Erfolg wird groß sein.
2. Man liest viel. Der Wortschatz nimmt deutlich zu.
3. Man wiederholt die Wörter oft. Man prägt sie sich gut ein.
4. Man spricht deutlich. Man wird gut verstanden.
5. Man übt viel. Die Angst vor dem Sprechen wird schnell verschwinden.

1. Je schwieriger der Test ist, umso größer wird die Freude über den Erfolg sein.

1a **Lesen Sie den Text auf dieser und der nächsten Seite und notieren Sie Stichworte zu den Phasen. Was passiert beim Sprachenlernen?**

6 bis 8 Wochen _____

2 bis 6 Monate _____

5 bis 9 Monate _____

10 bis 20 Monate _____

ab 2 Jahren _____

_____

ab 3 Jahren _____

_____

ab 5 Jahren _____

_____

Raus mit der Sprache

1 „Eine warme Suppe wäre heute wunderbar", sagt die dreijährige Paula und schaut in die erstaunten Gesichter ihrer Eltern. Bisher hatte Paula doch nur in sehr verkürzten Sätzen ge-
5 sprochen und nun das: Eine Äußerung, klar gegliedert und alle Wörter korrekt an ihrem Platz. Sogar einen Konjunktiv hat Paula eingebaut. Was ist passiert?

Kinder orientieren sich an ihrer Umwelt,
10 und das vom ersten Tag an. Mit sechs bis acht Wochen nehmen sie schon vieles wahr, auch wenn sie noch lange nicht sprechen. Sie hören den Erwachsenen ganz genau zu. Und was sie hören, ist etwas ganz anderes als klar getrennte
15 Wörter und korrekte Endungen, sondern eher Äußerungen wie „IsnochKaffeinnaDose?" oder „DaisOma". Trotzdem verstehen sie uns.

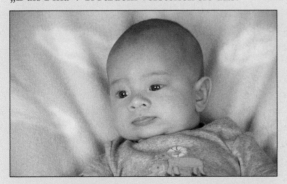

Mit zwei bis sechs Monaten entwickeln Babys die ersten Laute, die sich deutlich vom Schreien
20 unterscheiden, meist sind es Vokale, aber auch die ersten Silben werden produziert. Inzwischen kann ein Kind auch das Lachen bewusst einsetzen und versteht die Bedeutung von Gebärden.

Nun folgt eine Phase, auf die die meisten
25 Eltern sehnsüchtig warten. Die Kleinen spielen mit den Silben und bauen sie aneinander. „Bebe" und „Tata" werden von den Großen als Training hingenommen, bei „Mama" und „Papa" werden Eltern euphorisch und unterstellen, dass diese
30 Wörter mit Absicht ausgesprochen werden. Dies ist allerdings im Alter von fünf bis neun Monaten noch nicht der Fall.

Es dauert jetzt aber nicht
35 mehr lange, bis die Kinder die ersten Wörter bilden. In ersten Einwortäuße-
40 rungen wählen sie vor allem Wörter aus, die für sie beson-ders wichtig

45 sind wie „schlafen" und „essen". In ihren ersten 18 Monaten können Kinder nicht nur die ersten 50 Wörter sprechen, sondern damit auch ihre ersten Fragen stellen, Dinge benennen oder Kommandos geben. Sie wissen, was die Wörter
50 bedeuten und nach dem ersten Grundwortschatz folgt eine wahre Wort-Explosion, in der bis zum 20. Monat etwa 200 Wörter aktiv verwendet werden.

Bei den Wörtern geht es rasant weiter. Zwischen zwei und fünf Jahren bauen die Kinder ihren Wortschatz bis auf 3.000 Wörter aus. Sie beschränken sich dabei nicht auf Alltagswörter, sondern probieren auch viele Begriffe aus, von denen sich Eltern fragen, wo sie sie denn her haben, wie z.B. „positiv" oder „Begeisterung". Diese Frage ist für Sprachforscher nach wie vor ungeklärt. Sicher ist aber, dass Kinder alle Quellen nutzen, die sie bekommen können, das Fernsehen genauso wie Gespräche in der Straßenbahn.

Aus den ersten einzelnen Wörtern werden schon bald einfache Zweiwortsätze. Wenn Kinder „mehr holen" oder „Ball haben" sagen, haben die Erwachsenen aber oft ihre Mühe, zu verstehen, was sie sagen wollen. Die Äußerungen sind kontextabhängig und mehrdeutig. Der Ball ist eben nicht nur der Ball, sondern auch eine Orange oder eine Murmel. Und so kann es schon einmal zu Missverständnissen kommen.

Ab dem dritten Lebensjahr werden Verben, Präpositionen, Adjektive und Pronomen verwendet. Vollständige Sätze sind nun keine Seltenheit mehr. Auch wenn Kinder eigene Sätze bilden können, so spielt das Imitieren von Aussprache oder ganzer Phrasen hier wie bei den Ein- und Zweiwortäußerungen immer noch eine große Rolle. Und so kommt es zu diesen ungewöhnlich erwachsen klingenden Bemerkungen wie: „Du siehst heute einfach traumhaft aus."

Bis zum fünften Lebensjahr erscheint der Spracherwerb weitestgehend abgeschlossen. Trotzdem kämpfen die Kinder mit der Grammatik. Dass es in der Sprache *Autos*, aber keine *Messers* gibt oder dass Opa nicht in die Stadt *gegeht* ist, muss verstanden und oft trainiert werden. Mit dem sechsten Lebensjahr erreicht der Mensch eine „sensible Phase", nach der Sprache nie wieder erworben werden kann wie die Muttersprache. Die weiteren Sprachen werden anders wahrgenommen als die erste Sprache, und so haben Chinesen mit dem *r* und *l* ihre Mühe und Deutsche kämpfen mit dem englischen *th*. Ein Trost bleibt: Später können wir Regeln leichter lernen und korrekter anwenden. Fähigkeiten der Kleinkinder, die wir aber wieder erlernen können, sind, hemmungslos zu sprechen, viele Fehler zu machen und aus ihnen zu lernen. Also: Raus mit der Sprache!

b Berichten Sie von den Phasen des Spracherwerbs. Erklären Sie sich die Phasen abwechselnd zu zweit. Benutzen Sie dabei Ihre Notizen aus Übung 1a.

2a Wie heißen die zusammengesetzten Substantive? Bilden Sie Wörter.

... sprach ...
Sprachgenie, Berufssprache,

fach	kurs	~~genie~~	lehrer	mutter	aus
~~beruf~~	barriere	erwerb	schule	labor	fremd

b Finden Sie mindestens vier weitere Zusammensetzungen.

1 Welche Verben aus dem Kasten bilden eine feste lexikalische Verbindung mit *es*? Formulieren Sie zu jeder Verbindung einen Beispielsatz.

geben	kaufen	lernen	~~ankommen auf~~
leidtun	besprechen	sich handeln um	antworten	gehen um

Es kommt darauf an, wie das Wetter morgen ist.

2a Ergänzen Sie die Sätze mit einem *dass*-Satz.

1. Es ärgert mich, _dass du ständig zu spät kommst._
2. Es langweilt mich, *dass ich meine Hausaufgabe machen muss.*
3. Es freut mich, *dass ich nach Berlin kommt*
4. Es wundert mich, *dass wir das Klub besucht haben*
5. Es beunruhigt mich, *dass du krank bist*
6. Es erschreckt mich, *dass ich Fisch essen muss.*

b Beginnen Sie die Sätze aus der Übung 2a mit dem *dass*-Satz.

1. *Dass du ständig zu spät kommst, ärgert mich.*
2. *Dass ich meine H/W machen muss, langweiligt mich.*
3. _____
4. _____
5. _____
6. _____

3 Formen Sie die dass-Sätze in Infinitivsätze mit *zu* um.

1. Ich freue mich darüber/dass ich Sie kennenlerne. *sie kennen zu lernen*
2. Ich finde es schön, dass ich Sie hier treffe. *Sie hier zu treffen*
3. Ich hoffe, dass ich Sie nicht langweile. *ich sie nicht*
4. Ich fürchte, dass ich Ihnen da widersprechen muss.
5. Ich habe geglaubt, dass ich hier auch Ihre Kollegen treffe.
6. Ich ärgere mich, dass ich Sie nächste Woche nicht besuchen kann.
7. Ich finde es gut, dass ich Sie einmal persönlich sprechen kann.
8. Ich hoffe, dass ich Sie bald wieder sehe.

1. Ich freue mich darüber, Sie kennenzulernen.

Wenn zwei sich streiten …

1a Kreuzen Sie die korrekten Verbindungen von Nomen und Verb an.

1. ☑ Kritik bekommen ✗
2. ☑ Kritik nehmen ✗
3. ☑ mit Kritik umgehen

4. ☐ Kritik verändern
5. ☐ Kritik austeilen
6. ☐ Kritik halten

7. ☑ Kritik einstecken
8. ☑ Kritik üben + an
9. ☑ Kritik sprechen ✗

LB 1.22

b Hören Sie das Interview von Aufgabe 2a im Lehrbuch auf Seite 32 noch einmal und ordnen Sie zu, wer zur Beschreibung von Kritik welche Ausdrücke benutzt.

	Tanja Block	Walter Volkmann	Simone Ritterbusch
1. ausrasten	✓		
2. wenig professionell		✓	
3. cholerisch	✓		
4. jemanden verletzen		✓	
5. klare Bewertung		✓	
6. Verbesserungsvorschläge machen			✓
7. Beschimpfung			
8. jemanden blamieren	✓		
9. mit Respekt			✓
10. jemanden anbrüllen			

c Welche Ausdrücke beschreiben positive Formen, welche negative Formen von Kritik? Erstellen Sie eine Liste und notieren Sie je fünf weitere passende Ausdrücke.

positiv	negativ
	ausrasten, …

d Wählen Sie drei Ausdrücke aus dem linken und drei aus dem rechten Kasten. Schreiben Sie je einen Satz, in denen die Ausdrücke vorkommen.

Wenn ich meinen Bruder kritisiere, rastet er immer gleich aus.

2a Lesen Sie die drei Gedichte laut. Welches gefällt Ihnen am besten?

Warum sich Raben streiten

Weißt du, warum sich Raben streiten?
Um Würmer und Körner und Kleinigkeiten,
um Schneckenhäuser und Blätter und Blumen
und Kuchenkrümel und Käsekrumen,
und darum, wer recht hat und unrecht, und dann
auch darum, wer schöner singen kann.
Mitunter streiten sich Raben wie toll
darum, wer was tun und lassen soll,
und darum, wer erster ist, letzter und zweiter
und dritter und vierter und so weiter.
Raben streiten um jeden Mist.
Und wenn der Streit mal zu Ende ist,
weißt du, was Raben dann sagen?
Komm, wir wollen uns wieder vertragen!

Frantz Wittkamp

Streit

Streit
macht mich lahm
Streit
voller Gram
Streit
dann die Leere in mir
Streit
bin gar hässlich zu dir
Streit
lass mich nicht mehr provozieren
Streit
schließe endlich alle Türen
Streit
und lauf mit dem Hund
NA UND
morgen ist die Welt wieder bunt

Heidemarie
Rottermanner

Keine Zeit

Niemand
Nimmt sich Zeit
Für Liebe
Nur für Streit
Bleibt die Zeit
Die nicht ist
Statt zu sein
Wer Du bist

Fiolino

b Welche Aussagen enthalten die Gedichte? Notieren Sie zu jedem Gedicht einen Satz. Lesen Sie vor, die anderen ordnen Ihre Aussagen den Gedichten zu.

Die Menschen verschwenden ihre Zeit mit negativen Momenten.

c Schreiben Sie selbst ein kurzes Gedicht auf Deutsch zum Thema „Streit".

3a Lesen Sie den folgenden Text. Leider ist der rechte Rand unleserlich. Rekonstruieren Sie den Text, indem Sie jeweils das fehlende Wort an den Rand schreiben.

Frauen streiten anders, Männer auch ...

„Wir verstehen uns einfach nicht.", ist ein Satz, den man oft hören kann, **_wenn_** | 01

ein Paar sich streitet. Und sie haben recht damit. Beobachtungen zeigen, dass **_bei_** | 02

Männern in der Regel die Sach-, Ziel- und Ergebnisorientierung _____ | 03

Vordergrund steht. Männer berücksichtigen die Beziehungsebene weniger, _____ | 04

sie glauben, dass sie den Konflikt auf der Sachebene lösen können. Aber _____ | 05

funktioniert oft nicht. Zwar hat jeder Konflikt meist eine Sachebene, hinter _____ | 06

aber ganz häufig auch ein Beziehungsthema steckt. Die Parteien streiten _____ | 07

diesem Grund oft aneinander vorbei. Er sagt dann: *„Jetzt bleib mal auf* _____ | 08

Sachebene!", sie entgegnet: *„Du verstehst mich doch gar nicht!"*.

Frauen sind geschult, stets auf der Beziehungsebene zu argumentieren. Ihnen _____ | 09

es sehr wichtig, über das Problem zu reden, um Unterstützung zu finden, sich _____ | 10

dem anderen zu verstehen und Mitgefühl zu wecken. Sie denken nicht sofort _____ | 11

eine Lösung des Problems. Frauen erwarten von Männern vor allem, dass _____ | 12

ihnen einfach nur zuhören, ohne gleich an die Problemlösung zu denken.

---

b Vergleichen Sie mit Ihrem Nachbarn / Ihrer Nachbarin. Welcher Lösung stimmen Sie zu? Warum?

c Stimmen Sie den Aussagen im Text zu? Nennen Sie Beispiele dafür und dagegen und diskutieren Sie im Kurs.

TIPP **Testaufgaben selbst machen**
Suchen oder schreiben Sie Texte mit ca. 200 Wörtern und erstellen Sie einen Text mit Lücken wie in Übung 3a. Für jede Lücke sollte nur eine richtige Lösung möglich sein. Tauschen Sie die Testaufgaben im Kurs und besprechen Sie gemeinsam die Lösungen. Mit diesem Verfahren können Sie im Kurs gemeinsam viel Trainingsmaterial erstellen. Dieses Vorgehen ist auch für andere schriftliche Prüfungsteile möglich.

So schätze ich mich nach Kapitel 2 ein: Ich kann ...	+	0	–	Modul/ Aufgabe
... wichtige Informationen in einem Radiobeitrag zum Thema „Körpersprache" verstehen.				M1, A2c
... Smalltalk-Gespräche und eine Expertenmeinung zu den Gesprächen verstehen.				M3, A2
... in einem Radiofeature zum Thema „Kritik" die Einstellungen einzelner Personen verstehen.				M4, A2a, b
... die unterschiedlichen Ansichten in einem Artikel zum frühen Fremdsprachenlernen verstehen.				M2, A2a, b
... in einem Artikel zum Thema „Richtig streiten" neue und detaillierte Inhalte verstehen.				M4, A3a–c
... Informationen aus einem Text zum frühen Fremdsprachenlernen zusammenhängend wiedergeben.				M2, A2
... in einer Diskussion eigene Erfahrungen und Ansichten beschreiben und Argumente für die eigene Meinung nennen.				M2, A2c–e
... eine Analyse zu einem Gesprächsverlauf wiedergeben.				M4, A4b
... eigene Gedanken und Gefühle in einem Rollenspiel beschreiben.				M4, A6
... während eines Kommentars oder eines Dialogs Notizen machen.				M3, A2b
... eine zusammenhängende Geschichte schreiben.				M4, 5b

Das habe ich zusätzlich zum Buch auf Deutsch gemacht: (Projekte, Internet, Filme, Texte, ...)		
	Datum:	Aktivität:

Arbeit ist das halbe Leben?

Wortschatz wiederholen und erarbeiten

1 Wer macht was? Ordnen Sie zu.

1. Erzieherin
2. Staatsanwältin
3. Flugbegleiter
4. Bankkauffrau
5. Altenpfleger
6. Immobilienmakler

a berät Kunden über Geldanlagen und Kreditformen __4__

b führt Besichtigungstermine durch __6__

c instruiert in einer Notfallsituation die Fluggäste __3__

d unterstützt alte Menschen in ihrem Alltag __5__

e erhebt Anklage vor Gericht __2__

f betreut Kinder im Kindergarten __1__

g eröffnet ein Konto _____

h serviert Mahlzeiten und Getränke __3__

i fördert und unterstützt Kinder in ihrer Entwicklung __1__

j begleitet alte Menschen bei Behördengängen und Arztbesuchen __5__

k vermittelt Häuser, Wohnungen und Grundstücke __6__

l leitet ein Ermittlungsverfahren _____

2 Ergänzen Sie die passenden Wörter.

> Herausforderung   Einarbeitung   Nebenjob   Teilzeitstelle
> Abteilung   Beförderung   Lebenslauf   Vorstellungsgespräch

1. Mein Studium habe ich teilweise durch einen __Nebenjob__ finanziert.

2. Bis zur Geburt meines Sohnes habe ich Vollzeit gearbeitet. Jetzt geht Benni in den Kindergarten und ich suche eine _____.

3. Ich habe schon ziemlich viele Bewerbungen verschickt. Deshalb freue ich mich, dass ich endlich zu einem _____ eingeladen wurde.

4. Zu einer Bewerbung gehört neben dem Bewerbungsschreiben und den Zeugniskopien natürlich auch ein _____.

5. Ich suche immer nach einer neuen _____. Zu viel Routine, das ist mir zu langweilig.

6. Wenn man eine neue Stelle antritt, braucht man aber erst einmal eine gewisse Zeit zur _____.

7. Ich hoffe, ich finde eine Firma, wo ich mich trotz Teilzeit weiterentwickeln kann. In vielen Firmen ist eine _____ nur möglich, wenn man Vollzeit arbeitet.

8. Mein Mann arbeitet seit drei Jahren im Marketing. Aber er ist schon seit fast sieben Jahren in der gleichen Firma, vorher allerdings in einer anderen _____.

3 Jeweils zwei Wörter haben eine ähnliche Bedeutung. Finden Sie die Paare.

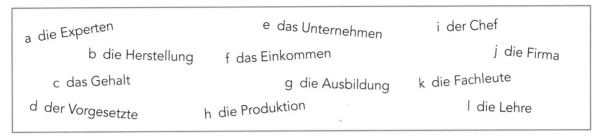

a die Experten   e das Unternehmen   i der Chef

b die Herstellung   f das Einkommen   j die Firma

c das Gehalt   g die Ausbildung   k die Fachleute

d der Vorgesetzte   h die Produktion   l die Lehre

4a In dem Suchrätsel finden Sie acht Substantive (auch Komposita). Markieren Sie sie.

B	E	R	U	F	S	E	R	F	A	H	R	U	N	G	I	M	V	S
P	T	U	Z	L	E	B	E	N	S	U	N	T	E	R	H	A	L	T
I	U	V	S	A	B	G	R	U	T	I	N	A	D	I	N	O	B	E
Q	F	G	E	H	A	L	T	S	E	R	H	Ö	H	U	N	G	K	L
U	N	T	I	L	M	A	W	B	U	E	A	N	E	G	O	B	L	L
B	U	N	T	W	O	L	K	D	E	I	K	A	R	R	I	E	R	E
A	R	B	E	I	T	S	V	E	R	T	R	A	G	M	K	R	P	J
L	O	V	U	N	I	B	E	K	N	L	C	H	I	N	H	U	Ö	R
D	U	H	M	K	O	L	L	F	E	E	T	H	O	F	B	F	Ä	B

b Welches der Substantive aus Übung 4a gehört zu welchem Verb? Setzen Sie ein.

1. einen _____ ausüben

2. sich um eine _____ bewerben

3. einen _____ unterschreiben

4. _____ sammeln

5. _____ machen

6. den _Lebensunterhalt_____ verdienen

7. eine _____ bekommen

8. _____ bezahlen

5 Kombinieren Sie und notieren Sie die Substantive.

-ablauf   -eifer   -verkehr   -losigkeit   -weise   -tätigkeit

ARBEIT(S) -	BERUF(S) -

-anfänger   -erlaubnis   -kollege   -geheimnis   -schule   -technik

-woche   -zeit   -wahl   -vertrag   -ausbildung   -tempo

der Arbeitsablauf, ...

Mein Weg zum Job

1 Hören Sie den Beitrag von Aufgabe 2b im Lehrbuch auf Seite 42 noch einmal und entscheiden Sie, ob die Aussagen richtig oder falsch sind.

LB 1.27

	r	f
1. Cornelia Folkers hat ihre alte Stelle selbst gekündigt.	☑	☒
2. Sandy Wagner hat nach einer abwechslungsreicheren Tätigkeit gesucht.	☑	☐
3. Jan Hoffmann hat schnell wieder eine neue Stelle gefunden.	☐	☑
4. Meike Wiking wurde nach ihrem ersten Praktikum nicht gleich übernommen.	☑	☐
5. Aylin Demir arbeitet nur während des Semesters. In den Semesterferien macht sie Urlaub.	☐	☑
6. Bernd Pechner wollte nicht in dem Betrieb bleiben, wo er seine Ausbildung gemacht hat.	☑	☐
7. Julian Freihof hat schon während des Studiums angefangen, wichtige Kontakte zu knüpfen.	☑	☐
8. Sonja Badener ist in einer Firma angestellt, die Kinderkleidung herstellt.	☐	☑

2 Welche Eigenschaften wünschen sich Personalchefs wohl von Bewerbern? Ergänzen Sie die Artikel und kreuzen Sie an.

☐ _die_ Unselbstständigkeit   ☐ _____ Unsicherheit

☐ _____ Verantwortungsbewusstsein   ☐ _____ Freundlichkeit

☐ _____ Desinteresse   ☐ _____ Schüchternheit

☐ _____ Kreativität   ☐ _____ Einfallslosigkeit

☐ _____ Antriebsschwäche   ☐ _____ Engagement

☐ _____ Selbstbewusstsein   ☐ _____ Trägheit

☐ _____ Naivität   ☐ _____ Fantasie

3 Was ist Ihr Traumberuf? Recherchieren Sie Informationen und erstellen Sie ein Berufsporträt. Schreiben Sie über:

– Voraussetzungen
– Ausbildung
– Aufgaben und Tätigkeiten
– Arbeitszeiten
– Einkommen
– Zukunftsaussichten
– ...

4 Ergänzen Sie die fehlenden Konnektoren.

sowohl ... als auch	weder ... noch	je ... desto	nicht nur ... sondern auch
entweder ... oder	zwar ... aber	einerseits ... andererseits	

1. _Je_ besser man qualifiziert ist, _desto_ leichter findet man eine Stelle.

2. Melina hat _zwar_ eine Ausbildung als Reisekauffrau gemacht, _aber_ jetzt arbeitet sie als Texterin in einer Werbeagentur.

3. _Zwar_ würde Udo gern freiberuflich arbeiten, _aber_ hat er Angst vor der damit verbundenen Unsicherheit.

4. Florian ist seit sechs Monaten arbeitslos. Bisher hat er _sowohl_ über eine Zeitarbeitsagentur _als auch_ über die Zeitung einen neuen Job gefunden.

5. Die Praxis sucht momentan _____ eine Auszubildende _____ eine Ärztin in Teilzeit.

6. In einem Bewerbungsgespräch sollte man _nicht nur_ über sich selbst sprechen, _sondern auch_ Interesse an dem Unternehmen zeigen.

7. _~~Einerseits~~ ~~Entweder~~_ bekomme ich endlich eine Gehaltserhöhung _~~andereseits~~ oder_ ich suche mir eine neue Stelle.

5 Ergänzen Sie die Sätze.

1. Martha findet ihre Arbeit zwar langweilig, aber ... _auch sehr einfach_
2. Je mehr Bewerber es für eine Stelle gibt, desto ... _harter ist die konkurrenz_
3. Bei einem Praktikum im Ausland sammelt man nicht nur Berufserfahrung, sondern ... _auch Lebenserfahr_
4. Tom ist gerade arbeitslos. Deshalb kann er jetzt weder ... _das Land verlassen noch ~~verlieren~~_
5. Der Bewerber für diese Stelle sollte sowohl gern im Team arbeiten, als auch ... _als individuell._
6. Einerseits macht das Unternehmen im Moment große Gewinne, andererseits ... _sind die Arbeiter_
7. Arbeitssuchende informieren sich über Stellen entweder über die Agentur für Arbeit oder ... _unglücklich._ _in einer zeitung._

6 Welcher Konnektor passt wo? Setzen Sie ein.

~~als~~	~~während~~	~~obwohl~~	während	~~ob~~	nachdem	wenn

1. _während_ ich Bewerbungen schreibe, faulenzt mein Bruder den ganzen Tag.

2. Ich weiß noch nicht genau, _ob_ ich nach der Schule studiere.

3. _Nachdem ~~Wenn~~_ Katrin ihre Lehre beendet hatte, wollte sie das Abitur nachmachen.

4. _Wenn_ ich diese Stelle bekomme, mache ich ein Riesenfest!

5. _Als_ Paul seinen Job verloren hat, war er ziemlich frustriert.

6. Viele Schulabgänger finden keine Lehrstelle, _obwohl_ sie gute Noten haben.

7. _während_ Jonas in Besprechungen das Wort an sich reißt, sagt Mike fast gar nichts.

Motiviert = engagiert

1 Lesen Sie den Text aus Aufgabe 1b im Lehrbuch auf Seite 44/45 noch einmal und ergänzen Sie dann die Zusammenfassung.

Jeder Arbeitgeber wünscht sich

(1) _motivierte_

Mitarbeiter. Ausschlaggebend dafür sind aber vor

allem die (2) _die Arbeitsbedingungen_,

und nicht die Persönlichkeit der Mitarbeiter. Ganz

entscheidend dabei ist, dass die

(3) _persönliche Entwicklung_ gefördert wird und

(4) _____ vorhanden sind. Auch sollte die Arbeit

(5) _abwechslungsreich_ sein.

Die Anforderungen sollten weder zu (6) _hoch_ noch zu

(7) _niedrig_ sein.

Überraschenderweise spielt das (8) _Gehalt_ keine so große Rolle,

sollte aber der Leistung angepasst sein.

Außerdem trägt auch ein guter Führungsstil dauerhaft zur (9) _____

der Mitarbeiter bei. Bekommt man dann noch (10) _____

Probleme in den Griff, steht dem glücklichen Mitarbeiter nichts mehr im Weg.

2 Welche Sätze gehören zusammen?

1. _d_ Bei uns in der Agentur ist es ganz normal, länger als bis 17 Uhr zu arbeiten.

2. ____ Das Schlimmste für mich ist Routine und die immer gleichen Aufgaben.

3. ____ Ich habe schon immer gern mit Kollegen zusammen an Projekten gearbeitet.

4. ____ Bei meiner neuen Stelle bin ich der Vorgesetzte von zehn Mitarbeitern.

5. ____ Oft bleibt nicht genügend Zeit, um alle Aufgaben gut überlegt bewältigen zu können.

6. ____ In dem alten Unternehmen gab es keine Aufstiegschancen für mich.

7. ____ Unser Chef erwartet unglaublich viel Einsatz und ständig neue Ideen.

8. ____ Seit zwei Monaten arbeite ich nur noch Teilzeit.

a Manchmal ist es schwer, unter diesem ständigen Leistungsdruck zu arbeiten.
b Ich bin froh, dass ich jetzt mehr Freizeit habe.
c In meiner jetzigen Firma wird Teamarbeit groß geschrieben.
d Überstunden werden als selbstverständlich angesehen und mit Gleittagen vergütet.
e Dieser Zeitdruck macht die Arbeit dann hektisch.
f So viel Verantwortung zu tragen, finde ich doch ziemlich stressig.
g Ich brauche einfach die Abwechslung.
h Deshalb habe ich mich bei einer anderen Firma beworben. Hier kann ich Karriere machen.

1a In fast jedem Team gibt es verschiedene Typen – insgesamt unterscheidet man sechs Grund-charaktere. Lesen Sie die Typenbeschreibungen und ordnen Sie die Texte zu.

1. das Alpha-tier 2. der Klassen-clown 3. der Stän-kerer 4. der Tritt-brettfahrer 5. der Harmo-niesüchtige 6. die Schlaf-mütze

A Probleme, Probleme, Probleme. Der Termin ist ungünstig. Das Vorhaben ist zu kompliziert und zu aufwendig. […] Er ist der klassische Bedenkenträger […] und zerlegt mit größter Energie jeden Vorschlag der anderen so lange in Einzelteile, bis die völlige Untauglichkeit zweifelsfrei erwiesen ist. Er zieht so nicht nur die Stimmung in der Gruppe herunter, sondern kann im Extremfall auch den gesamten kreativen Prozess lahmlegen.

B Lieber Himmel, dieser Mensch ist ja so nett und zuvorkommend: Sich mit ihm zu streiten, gleicht dem Versuch, einen Pudding an die Wand zu nageln. […] Er kämpft nicht für eigene Vorschläge, auch wenn sie brillant sind. Dafür gewinnt er fremden Vorschlägen nur das Beste ab, auch wenn sie unfassbar dämlich sind.

C Mangelndes Selbstbewusstsein kennt er nicht […]. Er kann alles, weiß alles – und das natürlich auch noch viel, viel besser als der lästige Rest um ihn herum. Davon ist er jedenfalls selbst fest überzeugt. […] Er kann zweifellos viel, und vor allen Dingen […] kann er eines: führen. […] Das Problem ist nur: Um seinem Führungsanspruch gerecht zu werden, tritt er oft so dominant auf, dass andere Gruppenmitglieder eingeschüchtert werden und ihre Kreativität gar nicht erst abrufen.

D Er kommt oft zu spät […] und döst gerne vor sich hin oder starrt träumend aus dem Fenster, anstatt sich an der Diskussion zu beteiligen. Seine Überlegung: Einen, der nix tut, kann jede Gruppe gerade noch verkraften.

E Er […] hält sich für den geborenen Entertainer. […] Deshalb reißt er ununterbrochen Witze – zu jeder passenden und unpassenden Gelegenheit. […] Wenn in der Gruppe alles aus dem Ruder läuft, findet er das lustig und erfrischend. Wenn alles einigermaßen gut läuft, ist er erst recht gut drauf.

F Während die anderen intensiv diskutieren, sitzt er ruhig und scheinbar teilnahmslos da. Doch er ist sehr aufmerksam. Wann immer – sei es auch nur in einem Nebensatz – eine gute Idee zur Sprache kommt, merkt er auf. […] Er wartet noch einige Minuten. Dann schlägt seine Stunde: „Für mich ist die Sache völlig klar. Mein Vorschlag ist, dass …" – wobei er mit anderen Worten die fremde Idee referiert. Kurzum: Er erkennt gute Ideen sofort und gibt sie als die eigenen aus.

b Welche Adjektive passen Ihrer Meinung nach zu welchem Typ? Ergänzen Sie weitere passende Adjektive aus dem Text in Übung 1a.

langweilig	selbstsicher	engagiert	gemütlich	hektisch	zurückhaltend
geschickt	skeptisch	harmoniesüchtig	arrogant	faul	nervig	berechnend

Typ 1: selbstsicher, …

🔑 **c** Wie würden Sie mit den Typen in einer Teamarbeit umgehen? Überlegen Sie sich Tipps.

🔑 **2** Ergänzen Sie in der E-Mail die passenden Konnektoren.

trotzdem	sondern	ohne dass	(an)statt zu	damit

ohne zu   ohne zu   um zu   aber   aber   damit

Hallo Swenja,

wir haben in der Arbeit doch so ein Team-Seminar gemacht, (1) _____ wir

„wieder ein starkes Team" werden. (2) _____ übertreiben kann ich sagen, dass

das am Anfang alle ziemlich doof fanden. Wir waren uns einig, dass unser Chef uns lieber

bessere Computer besorgen sollte, (3) _____ das Geld für so ein Team-Seminar

aus_____geben. (4) _____ ich muss sagen, das Seminar war echt super!

Wir sind in einen Hochseilpark gefahren. Da muss man in fünf bis zehn Metern Höhe über

Seile balancieren und Hindernisse überwinden, natürlich (5) _____

runter_____fallen. Man ist zwar sehr gut gesichert, aber (6) _____ hatte ich

ganz schön Angst! Das Schlimmste waren wackelige, schaukelnde Autoreifen, über die man

klettern musste, (7) _____ zur nächsten Plattform _____ kommen.

(8) _____ am Anfang haben wir auch Spiele am Boden gemacht. Am besten

war die Station, wo wir in einer Gruppe auf die andere Seite eines löchrigen Netzes

kommen mussten, (9) _____ dasselbe Loch mehr als einmal gebraucht wird.

Zuerst musste also ein starker Mann auf die andere Seite, (10) _____ wir die

nächste Person durch ein Loch oben im Netz heben konnten, und er sie auffangen konnte.

Es war wirklich super und hat nicht nur Spaß gemacht, (11) _____ wir sind jetzt

wirklich wieder „ein starkes Team". ;-)

Christian

---

3 Ergänzen Sie die Sätze. Verwenden Sie die angegebenen Konnektoren.

1. Manche Firmen bieten Team-Seminare an, um … zu …
2. Team-Seminare werden oft durchgeführt, damit …
3. Für erfolgreiche Teamarbeit ist es wichtig, dass jedes Teammitglied motiviert wird, ohne … zu
   …
4. Oft ist es besser, ein offenes Gespräch zu führen, anstatt dass …
5. Wenn mehrere Leute in einer Gruppe eine Aufgabe übernehmen, ist es manchmal schwer, zusammen zu arbeiten, ohne dass …
6. Wenn man einen „Trittbrettfahrer" im Team hat, sollte man sein Gespür für gute Vorschläge
   nutzen, anstatt … zu …

1 Der Arbeits- und Ausbildungsmarkt in Deutschland ist breit gefächert und das Aus- und Fortbildungsangebot ebenso wie das Jobangebot ist recht vielfältig – auch wenn es nicht so einfach ist, eine Stelle zu bekommen.
Was glauben Sie, für welche der acht Anzeigen (A–H) würden sich die einzelnen Personen (1–5) interessieren?
Es gibt jeweils nur eine richtige Lösung.
Es ist möglich, dass nicht für jede Person etwas Passendes zu finden ist. Notieren Sie in diesem Fall zu der Person „negativ".
Welche der acht Anzeigen wäre wohl interessant für jede der folgenden Personen?

1. Michael K., der zwar gelernter Architekt ist, aber dessen Leidenschaft das Schreinern ist und der gerne und sehr fachkundig alte Möbel restauriert?

2. Kerstin H., die, bevor sie Kinder bekommen hat, lange in einem Büro gearbeitet hat, das Messeveranstaltungen organisiert, und jetzt gerne wieder arbeiten möchte?

3. Ingo W., Architekturstudent, der Praxiserfahrung sammeln möchte?

4. Knut N., der mit seiner Arbeit als Steuerberater nicht mehr zufrieden ist, aber für sich noch nicht herausgefunden hat, was er am liebsten machen will?

5. Claudia L., die künstlerisch begabt ist, sehr gut mit Kindern umgehen kann und gerne zwei Tage die Woche mit Kindern arbeiten möchte?

A Da Vinci gesucht

Sie sind künstlerisch begabt und lieben es, kreativ mit verschiedenen Materialien umzugehen? Dann melden Sie sich. Wir, der Creativ-Clan, fertigen Auftragsbilder für städtische und private Einrichtungen – vom Kindergarten bis zum Sportzentrum, von der Kantine bis zum Besprechungsraum. Unser Firmenkonzept sieht vor, dass wir unsere Kunden zunächst vor Ort besuchen und dann verschiedene Konzepte ausarbeiten, aus denen die Kunden dann wählen können. Unsere Arbeiten können die verschiedensten Formate haben und bestehen aus unterschiedlichsten Materialien – Sie können Ihre Fantasie bei der Kundenberatung und der Realisierung der Ideen also voll entfalten.

B Architektonische Kniffelarbeiten

Unser Unternehmen „Wohnraum GmbH" hat sich zum Ziel gesetzt, das Unmögliche möglich zu machen. Der immer enger werdende Wohnraum in den Städten erfordert neue und auch überraschende Lösungen. Wir meinen, eine Drei-Zimmer-Wohnung im zweiten Stock kann wachsen – sei es durch Stelzenanbauten, Balkonerschließungen, Kellerausbauten oder anderes. Wenn Sie über ein abgeschlossenes Studium und mindestens drei Jahre Berufserfahrung verfügen, dazu gerne neue Wege beschreiten und keine Angst haben, unkonventionelle Vorschläge zu erarbeiten, dann sind Sie bei uns richtig.

C Gruselige Piratengesichter

Suche für mein kleines Gewerbe für zwei bis drei Tage die Woche Unterstützung. Mit meinem Unternehmen biete ich Unterhaltung für Groß und Klein. Ich richte Kinderfeste aus und betreue Freizeitprogramme für einzelne Kinder oder ganze Gruppen. Wenn Sie Lust haben, mit den Kleinen Abenteuer im Wald oder im Tierpark zu erleben, geschickt im Schminken von gruseligen Masken oder zauberhaften Feengesichtern sind und sich etwas dazuverdienen möchten, rufen Sie an.

Werben Sie für sich!

D Weg mit dem alten Plunder?

Bricht es Ihnen auch das Herz, wenn Sie sehen, wie gute alte Einrichtungsgegenstände einfach so auf dem Sperrmüll landen, nur weil sie nicht mehr topaktuell sind? Unterstützen Sie uns bei der Renovierung und Restaurierung antiker und anderer Möbel – z.B. aus den 70er-Jahren. Wir sind ein kleines Team von engagierten Handwerkern und suchen fachlich kompetente Unterstützung.

E Zugeschaut und mitgebaut!

Für unser Baubüro „Himmelhoch" suchen wir Studentinnen und Studenten, die Lust auf ein viermonatiges Praktikum bei uns haben. Wir sind ein modernes Büro, das sich vor allem auf den Bau von Kinos und Veranstaltungshallen im gesamten deutschsprachigen Raum spezialisiert hat. Bei uns können Sie als Bauingenieur, Statiker oder Architekt wertvolle Einblicke in den Berufsalltag gewinnen – sowohl im Büro als auch direkt vor Ort auf einer unserer sieben Baustellen.

F Bereit für Größeres?

Sie haben es satt, jeden Tag das Gleiche zu machen und in Ihrem Beruf immer nur trockene Zahlen zu berechnen oder Kaffee für die Kollegen zu kochen? Wagen Sie einen Neuanfang! Kommen Sie zu „Neustart" und finden Sie mit unserer Hilfe Ihre wahren Talente und Interessen. Wenn wir diese Talente und Interessen herausgefunden haben, dann können Sie den beruflichen Neuanfang mit unserer Unterstützung angehen – und einem Leben mit einem Beruf, der Ihnen Spaß macht und zu Ihnen passt, steht nichts mehr im Wege!

G Jetzt ist Praxis angesagt!

Studenten aller Fachrichtungen sind aufgerufen, Beitragsvorschläge für den Praxistag im kommenden September zu liefern. Wir bitten alle, die Erfahrungen in Betrieben gesammelt haben und Tipps und Ratschläge für andere Studenten geben können, uns eine kurze E-Mail zu schicken und darin zu schildern, was sie studieren, in welchen Betrieb sie „reingeschnuppert" haben, wie sie einen Praktikumsplatz gefunden haben, welche Tipps sie geben können und ob sie bereit wären, einen kurzen Vortrag zu halten. Am Veranstaltungstag werden ausgewählte „Praxisexperten" Kurzvorträge halten und alle geeigneten schriftlichen Beiträge werden in einer kleinen Broschüre gesammelt und verteilt.

H Fit für die Messe?

Gerade Messen bieten Unternehmen interessante Möglichkeiten, um Neukundenakquisition professionell zu betreiben. Viele Unternehmen scheuen keine Ausgaben für beeindruckende Messe-Stände, erstklassige Werbemittel und unterhaltende Veranstaltungen. Bei all dem Aufwand wird jedoch eines oft vergessen: die richtige Qualifizierung der Messemitarbeiter. Wussten Sie, dass die ersten Sekunden am Stand entscheiden, ob sich ein Kunde für die Produkte der Firma interessiert – oder nicht? „Die Messeprofis" bieten qualifizierte Schulungsprogramme, um Ihre Mitarbeiter fit für die Messe zu machen – damit Ihre Messe ein Erfolg wird.

2 Ergänzen Sie das Bewerbungsschreiben.

| beigefügten Unterlagen   benötige   beschäftigt   bewerbe mich   Bewerbung als einer persönlichen Vorstellung   genannten Voraussetzungen   auf Ihre Anzeige mich beruflich zu verändern   praktische Erfahrungen sammeln   Sehr geehrte Tätigkeit gerne und erfolgreich ausübe   suchen   zu erteilen |

(1) _____ **Kaufmann**

(2) _____ Damen und Herren,

im Jobcenter bin ich (3) _____ aufmerksam geworden, mit

der Sie zum 1. Dezember einen Kaufmann (4) _____. Seit

nunmehr fast drei Jahren bin ich bei der Firma Adelsperger in einer vergleichbaren Position

(5) _____. Da ich meine (6) _____

_____, bin ich überzeugt, die (7) _____

erfüllen zu können und (8) _____ hiermit um diese Stelle als

Kaufmann. Mein Wunsch, (9) _____,

hängt damit zusammen, dass ich seit dem Umzug der Firma Adelsperger jeden Tag fast drei

Stunden für die Fahrt zwischen Wohnung und Arbeitsplatz (10) _____.

Mein Chef, Herr Maurer, ist über meinen angestrebten Arbeitsplatzwechsel aus den oben an-

geführten Gründen informiert und gerne bereit, Auskünfte über mich (11) _____

_____.

Wie Sie aus den (12) _____ ersehen können, habe ich vor

Antritt meiner jetzigen Stellung die Berufsschule besucht und in drei verschiedenen Firmen

(13) _____ können.

Über die Gelegenheit zu (14) _____ freue ich mich sehr.

Mit freundlichen Grüßen

TIPP **Bewerbung schreiben**
Lassen Sie Ihre Bewerbungsunterlagen immer von jemandem Korrektur lesen. Ein Fehler im Anschreiben ist oft schon einer zu viel und man wird erst gar nicht zu einem Gespräch eingeladen.

3 Hören Sie noch einmal den Expertenkommentar von Aufgabe 5b im Lehrbuch auf Seite 51. Erstellen Sie eine Liste mit positiven und negativen Beispielen zur Selbstdarstellung.

LB 1.39

positiv	negativ
neue Dinge über sich erzählen, die für die Firma interessant sein können; …	unwichtige Aussagen (Alter, Geburtsort), …

4   Lesen Sie die Auszüge aus einem Arbeitsvertrag und kreuzen Sie an, ob die Aussagen richtig oder falsch sind.

§ 2 Probezeit
Das Arbeitsverhältnis wird auf unbestimmte Zeit geschlossen. Die ersten drei Monate gelten als Probezeit. Während der Probezeit kann das Arbeitsverhältnis beiderseits mit einer Frist von 2 Wochen gekündigt werden.

§ 4 Arbeitsvergütung
Der/Die Arbeitnehmer/in erhält eine mtl. Bruttovergütung von … Euro.
Ein Rechtsanspruch auf eine Gewinnbeteiligung in Form einer jährlichen Prämie besteht nicht. Wenn eine solche gewährt wird, so handelt es sich um eine freiwillige Leistung, auf die auch bei mehrfacher Gewährung kein Rechtsanspruch besteht. Voraussetzung für die Gewährung einer Prämie ist stets, dass das Arbeitsverhältnis am Auszahlungstag weder beendet noch gekündigt ist.

§ 6 Urlaub
Der Urlaubsanspruch beträgt 30 Arbeitstage im Kalenderjahr.
Der Urlaub ist grundsätzlich innerhalb eines Kalenderjahres zu nehmen und zu gewähren, in Ausnahmefällen spätestens bis zum 31. März des folgenden Jahres.
Bei der Wahl des Urlaubstermins sind die Belange des Betriebes vorrangig, soweit möglich sollen dabei aber die Wünsche des/der Arbeitnehmers/in berücksichtigt werden.

§ 7 Krankheit
Ist der/die Arbeitnehmer/in infolge unverschuldeter Krankheit arbeitsunfähig, so besteht Anspruch auf Fortzahlung der Arbeitsvergütung bis zur Dauer von 6 Wochen nach den gesetzlichen Bestimmungen. Die Arbeitsverhinderung ist dem Arbeitgeber unverzüglich mitzuteilen. Außerdem ist vor Ablauf des 3. Kalendertags nach Beginn der Erkrankung eine ärztliche Bescheinigung über die Arbeitsunfähigkeit und deren voraussichtliche Dauer vorzulegen.

§ 11 Kündigung
Nach Ablauf der Probezeit beträgt die Kündigungsfrist 4 Wochen zum Ende eines Kalendermonats. Jede gesetzliche Verlängerung der Kündigungsfrist zugunsten des Arbeitnehmers gilt in gleicher Weise auch zugunsten des Arbeitgebers. Die Kündigung bedarf der Schriftform. Vor Antritt des Arbeitsverhältnisses ist die Kündigung ausgeschlossen.
Das Arbeitsverhältnis endet, ohne dass es einer Kündigung bedarf, mit Ablauf des Kalendermonats, in dem der/die Arbeitnehmer/in eine Vollrente wegen Alters beziehen kann.

	r	f
1. Man kann das Arbeitsverhältnis in den ersten drei Monaten innerhalb von zwei Wochen kündigen, danach mit einer Frist von vier Wochen zum Monatsende.	☐	☐
2. Man erhält jährlich eine garantierte Prämie.	☐	☐
3. Wenn man seinen jährlichen Urlaub nicht spätestens bis zum 31.3. des nächsten Jahres genommen hat, verfällt er.	☐	☐
4. Man kann den Zeitpunkt seines Urlaubs frei wählen.	☐	☐
5. Wenn man krank ist, muss man den Arbeitgeber innerhalb von drei Tagen informieren.	☐	☐
6. Eine Kündigung ist ungültig, solange sie nur mündlich erfolgt.	☐	☐

So schätze ich mich nach Kapitel 3 ein: Ich kann …	+	0	–	Modul/ Aufgabe
… einen Radiobeitrag verstehen, in dem es um verschiedene Möglichkeiten geht, eine Stelle zu finden.				M1, A2
… detaillierte Anweisungen aus einer längeren Nachricht auf dem Anrufbeantworter notieren.				M3, A2
… Beispiele für eine Selbstdarstellung in einem Bewerbungsgespräch analysieren und einen Expertenkommentar dazu verstehen.				M4, A5
… Informationen aus einem Artikel über Motivation im Beruf sammeln und verstehen.				M2, A1b, A2
… einen Lebenslauf kritisch lesen und diesem Kommentare einer Bewerbungstrainerin zuordnen.				M4, A1
… eine Stellenanzeige und ein Bewerbungsschreiben dazu verstehen und erkennen, worauf der Bewerber in seinem Schreiben eingegangen ist.				M4, A2, 3
… über Möglichkeiten sprechen, eine neue Arbeitsstelle zu finden.				M1, A1
… über motivierende und demotivierende Faktoren in der Arbeit sprechen.				M2, A3
… über Mitarbeiter-Events zur Teambildung sprechen.				M3, A1
… mich in einem Vorstellungsgespräch selbst darstellen.				M4, A6
… einen Lebenslauf schreiben.				M4, A1c
… ein Bewerbungsschreiben verfassen.				M4, A4

Das habe ich zusätzlich zum Buch auf Deutsch gemacht: (Projekte, Internet, Filme, Texte, …)		
	Datum:	Aktivität:

Zusammen leben

Wortschatz wiederholen und erarbeiten

🗝 **1a** Die Wörter im Kasten gehören zu verschiedenen Aspekten, die unser Zusammenleben prägen und bestimmen. Lesen Sie sie und ordnen Sie sie den Kategorien zu.

Jugendliche Schule Karriere Rentner Freunde Arbeitslose	
Verwandte Lehrstelle Abschluss Studium Polizei	
Arbeitsplatz Kinder Erwachsene Regierung	
Amt Gericht Nachbarn Verein Berufstätige	

Menschen

Ausbildung/Beruf

Institutionen

🗝 **b** Welche Wörter haben eine ähnliche Bedeutung?

1. die Senioren   _die Rentner_   4. die Behörde _____

2. die Teenager _____   5. der Staat _____

3. die Arbeitnehmer _____   6. der Klub _____

🗝 **2** Wie heißen die Adjektive zu den Substantiven?

1. der Egoismus _____   6. die Toleranz _____

2. die Rücksicht _____   7. die Höflichkeit _____

3. die Ignoranz _____   8. die Aggression _____

4. die Gewalt _____   9. die Gerechtigkeit _____

5. die Freiheit _____   10. das Ideal _____

3 Wie heißen die Gegensätze?

1. die Unabhängigkeit _____
2. der Krieg _____
3. die Armut _____
4. die Gesundheit _____
5. die Umweltzerstörung _____
6. die Ungerechtigkeit _____
7. die Sicherheit _____
8. das Vertrauen _____
9. die Freiheit _____
10. die Erlaubnis _____

4 Lesen Sie den Text und ergänzen Sie die Lücken.

Von Männern und Frauen

Männer und Frauen sind anders, nicht nur im biologischen Sinne. Zu beiden gibt es innerhalb einer Gesellschaft typische Rollenbilder, d.h. Stereotypen oder Klischees:

Bei den (1) Män___ ___ ___ ___ sind z.B. zwei sehr unterschiedliche Typen beschrieben: Es gibt die höflichen und charmanten Gentlemen mit guten (2) Mani___ ___ ___ ___, die fast schon unmodern und antiquiert wirken. Das (3) Gegen___ ___ ___ ___ ist der Macho, der in jeder Situation Stärke und (4) Här___ ___ demonstriert. Eine (5) Vari___ ___ ___ ___ dieses Typs ist der Mann, der alle (6) Gefa___ ___ ___ ___ von der (7) Fr___ ___ fernhält, der Beschützer.

Bei den stereotypen Frauenbildern spielen die (8) Emoti___ ___ ___ ___ eine große Rolle. Rationales (9) Den___ ___ ___ und Entscheiden wird nicht als weibliche (10) Stä___ ___ ___ hervorgehoben. Schon die (11) Tats___ ___ ___ ___, dass Frauen als das schwache (12) Gesch___ ___ ___ ___ ___ bezeichnet werden, sagt viel über mögliche Sichtweisen in der (13) Gesell___ ___ ___ ___ ___ ___. Frauen sind einerseits die liebevollen (14) Gatti ___ ___ ___ ___, die ihre Männer bewundern und unterstützen. Andererseits finden wir auch das (15) Klis___ ___ ___ ___ der emotionalen Frau, die feurig liebt, aber auch zur (16) Hyst___ ___ ___ ___ neigt. Am typischsten ist das Bild der (17) Haus___ ___ ___ ___, die die (18) Fami___ ___ ___ und das soziale (19) Umf___ ___ ___ pflegt.

Die Diskussion um die Gleichberechtigung von Frau und Mann versucht, diese Stereotypen aufzubrechen und klarzumachen, dass Eigenschaften wie „Gefühle zeigen" und „nach beruflichem Erfolg streben" nicht angeboren sind, sondern gesellschaftlich festgelegt werden. Dennoch sind viele Klischees aber auch noch heute in zahlreichen Gesellschaften zu finden.

Sport gegen Gewalt

1 Textzusammenfassung – Lesen Sie den Text von Aufgabe 1b im Lehrbuch auf Seite 58 und ergänzen Sie die fehlenden Informationen.

Der 37-jährige Fahim Yusufzai arbeitete viele Jahre lang in einem (1) _Einkaufszentrum_ in Hamburg als Sicherheitsleiter. Bei dieser Tätigkeit hat er immer wieder (2) _Jugendliche_ erwischt, die Diebstähle begingen, Graffiti sprühten oder randalierten. Es nützte sehr wenig, die (3) _Polizei_ zu rufen, denn genau dieselben Jugendlichen machten am nächsten Tag wieder Ärger im Einkaufszentrum. Fahim Yusufzai verstand, dass er auf diese Weise die Ursachen für das Verhalten der Jugendlichen nicht ändern konnte. Deshalb fasste er den Plan, ein Training für (4) _Jugendliche_ anzubieten. So gründete der gebürtige Afghane den Verein (5) _Sport gegen Gewalt_ und stellte die Jugendlichen vor die Wahl, sie zur Polizei zu bringen oder mit ihm zusammen zu (6) _trainieren_ .
Auf diese Weise lernen die Jugendlichen, sich an (7) _Respekt/Regeln_ zu halten und (8) _die Konflikte_ ohne Waffe zu bewältigen. Außerdem ist Fahim Yusufzai immer für seine Kids da. Bei Problemen können sie mit ihm (9) _jederzeit_ sprechen. Die Erfolge seiner Arbeit sind verblüffend, denn die Zahl der (10) _Sachbeschädigung und Diebstähle_ ist stark zurückgegangen.

2 Was lernen die Jugendlichen im Verein „Sport gegen Gewalt"? Ordnen Sie die Verben aus dem Kasten zu.

vermeiden ✓	lernen ✓	halten ✓	entwickeln
respektieren ✓	~~bewältigen~~	vertreiben	übernehmen ✓

1. Stress-Situationen _bewältigen_
2. Verantwortung für das eigene Handeln _übernehmen_
3. Selbstbeherrschung _lernen_
4. sich an die Regeln _halten_
5. sich die Langeweile sinnvoll _vertreiben_
6. andere Meinungen _respektieren_
7. Gewalt _vermeiden_
8. Zukunftspläne _entwickeln_

3 Ergänzen Sie die Relativpronomen *der, die, das* in der korrekten Form.

1. Immer wieder ist von Jugendlichen zu hören, ___die___ auf die schiefe Bahn geraten.

2. Oft ist es Gruppenzwang, durch ___~~die~~ den___ Jugendliche zu Straftätern werden.

3. Sie wollen Freunde, ___die___ ihnen sehr wichtig sind, beeindrucken.

4. Eine gute Alternative ist die sportliche Betätigung, bei ___der___ Jugendliche zeigen können, welche Kräfte in ihnen stecken.

5. Der Kampfsport, ___der___ in den letzten Jahren immer beliebter geworden ist, eignet sich besonders dazu.

6. Das Einfügen in die Gemeinschaft lernt man am schnellsten im Team, ___das___ immer eine erzieherische Funktion hat.

4 Bilden Sie Relativsätze mit *wer*.

1. Sport treiben – gesund leben

2. Sport treiben – seine Grenzen kennenlernen

3. Sport treiben – sich fit fühlen

4. sich fit fühlen – leistungsfähig sein

5. leistungsfähig sein – Erfolg im Beruf haben

6. Erfolg im Beruf haben – ...

7. ...

1. Wer Sport treibt, (der) lebt gesund.

5 Formen Sie die Sätze um. Schreiben Sie Relativsätze mit *wer*.

1. Jemand treibt regelmäßig Sport. Ihm gelingt es, seine Kondition zu steigern.

2. Jemandem gefällt es, andere Menschen zu trainieren. Er könnte in einem Sportverein tätig sein.

3. Jemand sucht soziale Kontakte. Ihm hilft die Mitgliedschaft in einer Sportgruppe.

4. Jemand hat Kreislaufprobleme. Ihm rät der Arzt zu mehr Bewegung.

5. Jemanden interessiert Yoga. Er kann sich zu einem Kurs anmelden.

1. Wer regelmäßig Sport treibt, dem gelingt es, seine Kondition zu steigern.

6 Ergänzen Sie in den Sätzen die richtige Form von *wer* und *der*.

1. ___Wer___ täglich Sport treibt, ___(der)___ wird von Krankheiten verschont.

2. ___Wer___ sich oft müde fühlt, ___dem___ ist Sport zu empfehlen.

3. ___Wem___ langweilig ist, ___der___ sollte Sport treiben.

4. ___Wen___ Ballsport interessiert, _____ hat viele Möglichkeiten, sich sportlich zu betätigen.

5. Für ___wen___ Ausdauersport zu anstrengend ist, ___der___ sucht sich eine andere Sportart.

7 Die Sprichwörter sind durcheinandergeraten. Ordnen Sie zu.

1. _c_ Was ich nicht weiß,	x a lacht am besten.
2. _e_ Wer die Wahl hat, *dann*	b muss fühlen.
3. _f_ Was lange währt,	x c macht mich nicht heiß.
4. _a_ Wer zuletzt lacht,	x d das liebt sich.
5. _b_ Wer nicht hören will,	x e hat die Qual.
6. _d_ Was sich neckt, *2*	x f wird endlich gut.

8 Kennen Sie diese Sportarten? Lösen Sie das Kreuzworträtsel (ß = ss).

1. F U S S ß A L L

waagrecht:

1. ... ist ein Ballsport, bei dem zwei Mannschaften mit je elf Spielern gegeneinander antreten. Der Ball darf dabei nicht mit der Hand berührt werden.   2. ... ist ein Kampfsport, bei dem sich zwei Personen derselben Gewichtsklasse unter festgelegten Regeln nur mit den Fäusten bekämpfen.   3. .... ist der Sport, bei dem mehrere Teilnehmer eine Strecke im Wasser zurücklegen.   4. ... ist eine Disziplin in der Leichtathletik, bei der ein Athlet versucht, beim Sprung über eine Latte die größtmögliche Höhe zu erzielen.   5. ... ist eine Sportart, bei der zwei Mannschaften aus je sieben Spielern gegeneinander spielen. Ziel des Spiels besteht darin, den Ball ins gegnerische Tor zu bringen. Die Spielzeit beträgt zweimal 30 Minuten.   6. ... ist eine Sportart, bei der man Berge erklimmt.   7. ... sind Sportarten, die mit dem Fahrrad ausgeübt werden.   8. ... ist ein Ballspiel, das von zwei oder vier Spielern mit Schlägern gespielt wird. 9. ... ist ein Torspiel, das im Winter auf Eis, im Sommer auf Rasen gespielt wird.   10. ... ist eine Sportart, bei der Spieler eine Kugel über eine Bahn rollen lassen, um die am Ende der Bahn aufgestellten neun Kegel umwerfen.   11. ... ist eine Sportart, bei der man einen Ball, Schläger, ein Tischnetz und einen Tisch benötigt.   12. ... ist eine Sportart, bei der ein Gewicht hochgestemmt wird.   13. ... ist ein Kraftsport mit Ganzkörpereinsatz ohne weitere Hilfsmittel. Ziel ist, den Gegner mit beiden Schultern auf die Matte zu bringen.   14. ... ist eine Sportart, bei der man durch Übungen versucht, den Körper zu stärken.

senkrecht: ... ist eine Sammelbezeichnung für verschiedene Lauf-, Sprung- und Wurfdisziplinen.

1a Ordnen Sie die Wörter aus dem Kasten mit Artikel in die Tabelle ein.

> Wohlstand   Mangel   Überfluss   Vermögen
> Reichtum   Not   Elend   Sorgen

positiv	negativ
der Reichtum, …	

b Bilden Sie mithilfe des Wörterbuchs zu vier Substantiven Komposita.

die Notsituation, das Wohlstandsdenken, die Existenzsorgen, …

2a In dem folgenden Suchrätsel sind waagerecht sieben Adjektive (auch Komposita) versteckt. Welche?

M	I	T	T	E	L	L	O	S	U	J	H	X	Q	Q
J	M	S	T	E	I	N	R	E	I	C	H	E	M	G
Q	B	E	T	T	E	L	A	R	M	O	E	Y	R	N
Z	A	H	L	U	N	G	S	K	R	Ä	F	T	I	G
M	F	B	E	D	Ü	R	F	T	I	G	I	C	P	E
W	T	V	E	R	M	Ö	G	E	N	D	H	R	G	C
A	I	U	H	G	W	O	H	L	H	A	B	E	N	D

b Ordnen Sie die Wörter in die Tabelle von Übung 1a ein.

3 Was drücken die folgenden Wendungen aus? Sind sie positiv oder negativ? Geben Sie eine kurze Erklärung. Das Wörterbuch hilft.

> von der Hand in den Mund leben   Geld wie Heu haben
>
> in schlechten/guten Verhältnissen leben   es zu etwas bringen   vor dem Nichts stehen
>
> ein gutes Auskommen haben   sich einschränken müssen   bessere Tage gesehen haben
>
> pleite sein   den Gürtel enger schnallen

„Von der Hand in den Mund leben" bedeutet, dass man gerade das Nötigste hat, um zu leben, und dass man deswegen nichts sparen kann.

Armut ist keine Schande

TELC

4 Lesen Sie den folgenden Text und entscheiden Sie, welches Wort aus dem Kasten (a–o) in die Lücken 1–10 passt. Sie können jedes Wort im Kasten nur einmal verwenden. Nicht alle Wörter passen in den Text.

Essen für Arm und Reich

Im Restaurant „Zum kleinen Zinken" in Ottensen sitzen Arm und Reich

(1) _____ einem Tisch und speisen solidarisch: Die Reichen

(2) _____ die vollen Preise, die Armen nur die Hälfte. Die Gastronomie

mit 70 Plätzen in schönem Ambiente mit mediterranen Spezialitäten (z.B. Fettucini mit

grünem Spargel und Garnelen, 6,60 Euro) ist nicht nur Deutschlands erstes Restaurant für

Arm und Reich, (3) _____ auch bundesweit der erste Betrieb, der mit

Unterstützung des Europäischen Sozialfonds, der Behörde für Wirtschaft und Arbeit und

der Arbeitsagentur 15 jungen Menschen eine verkürzte Ausbildung im Gastgewerbe

(4) _____. Seit Februar werden dort im Schichtbetrieb acht junge

Frauen – zwei davon sind alleinerziehend – und sieben junge Männer in Küche und Service

zu Fachkräften (5) _____.

Der Träger des Projektes, der Verein „KoALA – Kooperation Arbeiten und Lernen in

Altona", verfolgt mit dem „Kleinen Zinken", mit (6) _____ Stadt-

teilkantine „La Cantina" und der „Suppenküche" in Ottensen arbeitsmarkt- und sozial-

politische Ziele: Ausbildungsplätze für junge Menschen mit (7) _____

Schulabschluss oder in schwierigen Lebenssituationen, Jobs für Langzeitarbeitslose und

Essen (8) _____ Menschen mit wenig Geld.

Mit Genuss können die Restaurantgäste diese Ziele unterstützen: Ihre Zeche fließt in die

Projekte. Sozialschwache, (9) _____ mit weniger als 800 Euro im

Monat auskommen müssen, erhalten im Restaurant die „Zinkencard" und bezahlen nur die

Hälfte. Im „La Cantina" bekommen Arme (10) _____ für drei Euro

einen Mittagstisch mit Drei-Gänge-Menü und in der „Suppenküche" nachmittags für

40 Cent eine warme Mahlzeit, die Ein-Euro-Jobberinnen frisch zubereiten.

---

a) AN	b) AUSGEBILDET	c) BIETET	d) DARAUS	e) DENN
f) DIE	g) FÜR	h) GRATIS	i) MENSCHEN	j) NIEDRIGEM
k) SCHÖNE	l) SEINER	m) SONDERN	n) TÄGLICH	o) ZAHLEN

1 Sehen Sie sich die Grafik an und beschreiben Sie sie. Welche Informationen sind für Sie interessant? Fassen Sie diese Informationen schriftlich zusammen.

Die Grafik beschreibt den Anteil der Deutschen, der ...

Außerdem kann man erkennen, wie viele Haushalte ...

Ich finde interessant, dass über ein Drittel ...

In meinem Land dagegen ...

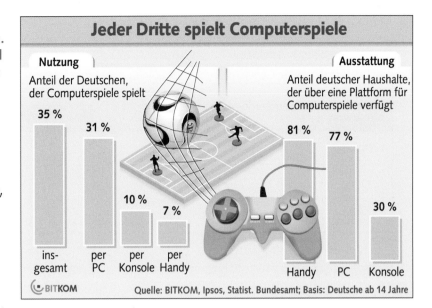

Jeder Dritte spielt Computerspiele

Nutzung
Anteil der Deutschen, der Computerspiele spielt

35 %
31 %
10 %
7 %

insgesamt | per PC | per Konsole | per Handy

Ausstattung
Anteil deutscher Haushalte, der über eine Plattform für Computerspiele verfügt

81 %
77 %
30 %

Handy | PC | Konsole

BITKOM   Quelle: BITKOM, Ipsos, Statist. Bundesamt; Basis: Deutsche ab 14 Jahre

2a Schreiben Sie die Sätze mit *indem*.

1. Immer mehr Menschen nutzen die Möglichkeiten des Computers. Sie gehen online.
2. Viele informieren sich über Neuigkeiten aus aller Welt. Sie nutzen das Internet täglich.
3. Internetnutzer kaufen oft preisgünstig ein. Sie suchen nach dem billigsten Angebot.
4. Viele Firmen machen das Einkaufen im Internet attraktiv. Sie bieten Ratenzahlung an.
5. Oft verschulden sich Menschen beim Einkaufen im Netz. Sie kaufen zu viel auf Kredit.

1. Immer mehr Menschen nutzen die Möglichkeiten des Computers, <u>indem</u> sie online gehen.

S 69 4 для zusammenfass.

b Verbinden Sie die Sätze mit *dadurch ..., dass*.

1. Viele Firmen erreichen ihre Kunden schneller. Sie schicken ihnen eine E-Mail.
2. E-Mails werden immer beliebter. Sie können ohne großen Aufwand verschickt werden.
3. E-Mails können lästig werden. Sie bringen täglich viele Werbebotschaften ins Haus.
4. E-Mails können gefährlich sein. Sie enthalten manchmal angehängte Computerviren.
5. Vor solchen Viren kann man sich schützen. Man installiert ein Virenschutzprogramm.

1. Viele Firmen erreichen ihre Kunden <u>dadurch</u> schneller, <u>dass</u> sie ihnen E-Mails schicken.

3 Erweitern Sie die Sätze. Verwenden Sie dabei *indem* oder *dadurch ..., dass*.

1. Menschen werden vom Computer abhängig, ...
2. Kinder sind stärker gefährdet, ...
3. Man kann virtuelle Kontakte knüpfen, ...
4. Surfen macht Spaß, ...
5. Computerspiele sind interessant, ...
6. Das Internet ist für den Menschen wichtig, ...

Der kleine Unterschied _____

🔑 **1a Mann oder Frau? Ordnen Sie die Begriffe zu.**

| Junggeselle | ~~Verlobter~~ | Dame | Freundin | Kerl | Weib | Vater |
| Prinzessin | Typ | Tochter | Held | Gattin | Braut | Knabe |

ein Mann	Übung 1b		eine Frau	Übung 1b
Verlobter				

🔑 **b Bei welchen Begriffen gibt es auch eine männliche bzw. eine weibliche Bezeichnung?
Ergänzen Sie in den rechten Spalten.**

🔑 **c Männer oder Frauen? Schreiben Sie Aussagen, wer was hat, kann, bekommt usw.**

| Bart | Kinder | Stimmbruch | Primaballerina | Tenor | Bikini tragen |

Männer haben _____

_____

_____

_____

**2a Was hat sich bei der Rollenverteilung von Frauen
und Männern in den letzten 10, 20, 50 Jahren
geändert? Formulieren Sie je eine Aussage zu
den vier Begriffen im Kasten und vergleichen Sie.**

Kindererziehung	Beruf/Karriere
Aufgaben im Haushalt	Politik
	Gleichberechtigung

*Vor fünfzig Jahren haben sich vor allem die Frauen um
die Erziehung der Kinder gekümmert. Heute ...*

b Lesen Sie die Überschrift und sehen Sie das Foto an. Notieren Sie zu zweit Vermutungen, welche Themen in dem Text angesprochen werden.

Frauen werden männlicher

1   Wie steht es heute um die Rollen von Frauen und Männern in der Gesellschaft?

    Fest steht nunmehr, dass die Jahrhunderte vorbei sind, während derer sich die Männer den
5 Frauen körperlich und geistig überlegen wähnten, und auch die Jahrzehnte, in denen Frauen sich im Kampf gegen Benachteiligung und Unterdrückung selbst fanden. Der große Unterschied liegt heute wohl kaum in der Körperkraft; weniger als je zu-
10 vor in dem Umstand, dass die einen Kinder bekommen können und die anderen nicht; ehrlich gesagt, auch nicht mehr darin, dass noch zu wenige Professorinnen und Chefredakteurinnen berufen werden. Wer wollte denn ernsthaft daran
15 zweifeln, dass sich das ändern wird?

    Natürlich gibt es immer noch viele Frauen, die von Feminismus und Frauenbewegung nicht profitieren konnten. Es gibt ungleiche Löhne. Es gibt (...) Gewalt gegen Frauen. Der Kampf gegen all
20 dies bleibt die Aufgabe jeder zivilisierten Gesellschaft.

    Doch schauen wir unbelastet auf weibliche und männliche Lebensläufe, stellt sich die Frage: Wer möchte eigentlich noch ein Mann sein? (...) Ihnen
25 kann nur genommen werden, und zwar von den Frauen; den Frauen mit ihren besseren Bildungsabschlüssen und ihrem seit Urzeiten antrainierten Organisationstalent. Die Frauen sind jetzt das Geschlecht des Wachstums (...). Sie wissen, dass sie
30 die Voraussetzungen – und jedes Recht – haben, um alles zu erreichen, was bisher den Männern vorbehalten war. (...) Es ist in gewisser Weise tra-

gisch, dass Männer die Dynamik der weiblichen Entwicklung nur als Bedrohung erleben können.
35 (...)

    Gerade weil Frauen dieses Gefühl der Aussichtslosigkeit noch aus eigener Erfahrung kennen, sollten sie nicht allzu unsensibel auftrumpfen. Angesichts all ihrer gewonnenen Möglichkeiten
40 müsste es ihnen gelingen, klarzumachen, dass männliche Verhaltensweisen – sich der Karriere zu widmen, zu forschen, zu schreiben, sich etwas weniger um die geliebten Kinder und die alten Eltern und den Garten zu sorgen – für Frauen ein Gewinn
45 sein können. Dass aber weibliche Verhaltensweisen – etwas weniger Stress im Beruf haben zu wollen und sich etwas mehr um die geliebten Kinder und die alten Eltern und den Garten zu kümmern – für Männer kein Verlust sein müssen.

50   Susanne Gaschke

c Lesen Sie den Text. Welche Vermutungen waren richtig? Welche Themen hatten Sie nicht erwartet?

 d Mit welchen sprachlichen Mitteln verstärkt die Autorin ihre Meinung? Markieren und notieren Sie Wörter/Phrasen, die im Text vorkommen. Vergleichen Sie zu zweit.

Fest steht, wohl kaum,

___

TIPP   **Meinungen in einem Text identifizieren**
Lesen Sie Texte und suchen Sie nach Wörtern und Phrasen, die eine Meinung ausdrücken oder hervorheben. Markieren Sie diese z.B. grün für positiv und rot für negativ/skeptisch. So können Sie leichter erkennen, welche Meinung ein Autor / eine Autorin äußert.

GI

e Stellen Sie fest, wie die Autorin des Textes folgende Fragen beurteilt: (a) positiv, (b) negativ bzw. skeptisch.

Wie beurteilt die Autorin …	
1. … die Annahme der Männer, den Frauen gegenüber im Vorteil zu sein?	
2. … den aktuellen Stand der Gleichberechtigung von Frauen im Arbeitsleben?	
3. … die Voraussetzungen von heutigen Frauen Positionen von Männern zu übernehmen?	P
4. … die Reaktion der Männer auf die Entwicklung der Frauen?	∧
5. … die Vorstellung, dass sich Frauen an männlichen Verhaltensmustern und Männer sich an weiblichen Verhaltensmustern orientieren?	

f Wählen Sie eine Aussage aus dem Text und nehmen Sie kurz schriftlich Stellung.

Zustimmung	Ablehnung
Ich stimme … zu, denn …	Ich bin ganz anderer Ansicht als …
Ich finde, dass die Autorin recht hat, weil …	Ihre These ist nicht richtig, denn …
Es ist richtig, dass …, da …	Ich bezweifle, dass …
Ich vertrete ebenfalls die Auffassung, dass …	Die Ansicht, dass …, kann ich nicht unterstützen.

LB 2.5

3 Hören Sie den Text von Horst Schroth von Aufgabe 4 im Lehrbuch auf Seite 66 noch einmal. Was meint er mit den folgenden Ausdrücken? Ordnen Sie zu.

> eine Person stört etwas nicht   in Angst und Schrecken versetzt werden
>
> eine Sache ertragen   über etwas nachdenken, bis man es versteht
>
> etwas ist rechtlich in Ordnung   jedes Details hören und sehen
>
> etwas, worin man nicht so gut ist, wie man sein sollte

1. sich etwas klarmachen	
2. alles mitkriegen	
3. etwas ist völlig legal	
4. die Unzulänglichkeit	
5. etwas aushalten	
6. jemandem macht etwas nichts/nix aus	
7. die Panik bekommen	

So schätze ich mich nach Kapitel 4 ein: Ich kann ...	+	0	–	Modul/ Aufgabe
... in einem Interview über Online-Spiele neue Inhalte und detaillierte Informationen verstehen.				M3, A2
... einem Kabarett-Stück zum Thema „Zusammen wohnen" folgen und viele Details verstehen.				M4, A4a
... in einem Text über ein Projekt gegen Jugendkriminalität Informationen, Argumente oder Meinungen verstehen.				M1, A2a
... in längeren und komplexeren Texten zum Thema „Armut" wichtige Einzelinformationen finden.				M2, A2
... zum Thema „Online-Spiele" meine Erfahrungen/Einstellungen darlegen.				M3, A4
... aktiv zu Diskussionen über das Verhalten von Männern und Frauen beitragen, indem ich meinen Standpunkt begründe und zu Aussagen anderer Stellung nehme.				M4, A2c
... meine Gedanken und Gefühle in einem Gespräch über Dinge, die mich stören, beschreiben.				M4, A5b–d
... einen kurzen Text schreiben, in dem ich erkläre, wann ein Mensch arm ist.				M2, A1a
... meine Gedanken und Gefühle in einem Kurs-Forum zum Thema „Was ich mir von Männern/Frauen in zehn Jahren wünsche" beschreiben.				M4, A3a

Das habe ich zusätzlich zum Buch auf Deutsch gemacht: (Projekte, Internet, Filme, Texte, ...)		
	Datum:	Aktivität:

Wer Wissen schafft, _____ macht Wissenschaft

Wortschatz wiederholen und erarbeiten

1a Begriffe rund ums Thema „Wissenschaft". Ergänzen Sie das Rätsel mithilfe der Definitionen.
(Hinweis: ä, ö, ü = ae, oe, ue)

```
                                10
                        1  H  Y [  ] O  [  ] E  [  ] E
                2 [  ] O [  ] [  ]    U
                        3  [  ] A  [  ] O
                4 [  ] [  ] E  O  [  ] I  E
                        5  U  [  ] I  [  ] E  [  ] I  [  ] A  E  [  ]
        6 [  ] E  [  ] O  [  ] E
            7 [  ] O  [  ] E
                8 [  ] E  [  ] I  [  ] A
9  E  [  ] E  [  ] I  [  ] E
```

Waagerecht: 1. eine wissenschaftliche Annahme   2. das, was Wissenschaftler betreiben
3. Ort, an dem Versuche durchgeführt werden   4. das Gegenteil von Praxis   5. Institution, an der man eine wissenschaftliche Ausbildung macht und wo auch geforscht wird   6. ein wissenschaftliches Verfahren, um ein bestimmtes Ergebnis zu erhalten   7. $E = mc^2$ ist eine …   8. eine geistes- oder sozialwissenschaftliche Lehrveranstaltung   9. ein wissenschaftlicher Versuch

Senkrecht: 10 ein besonderes Verhalten, Ereignis etc., das Wissenschaftler untersuchen

b Erstellen Sie selbst ein Rätsel wie in Übung 1a. Schreiben Sie passende Definitionen zu weiteren Begriffen. Mögliche Wörter finden Sie im Kasten.

Versuchsperson	Erfindung		These	Untersuchung	
	Nobelpreis	Studie		Entdeckung	Mikroskop

2 Das machen Wissenschaftler. Welche Verben passen? Ergänzen Sie die Lücken.

berechnen	beobachten	erforschen	erkennen	analysieren

1. Tiere in freier Natur _____ zu können ist für die Forscher nicht leicht.

2. Der Mathematiker _____ das Gewicht einer Kugel mithilfe einer Formel.

3. Heute _____ die Menschen das Weltall, um mehr Informationen über andere Planeten zu erhalten.

4. Die Lehrer von Albert Einstein haben nicht _____, dass er ein Genie war.

5. Die Laborantin _____ die Zusammensetzung eines Minerals.

3 Ordnen Sie den Substantiven Verben zu. Es gibt zum Teil verschiedene Möglichkeiten.

1. Wissenschaft _____

2. ein Experiment _____

3. eine Entdeckung _____

4. eine Methode _____

5. eine Theorie _____

6. den Nobelpreis _____

7. eine Hypothese _____

anwenden   aufstellen   formulieren   betreiben   erhalten   durchführen   machen

4a Wortschatz strukturieren. Was passt am besten in welche Gruppe? Ordnen Sie die Begriffe in die Mind-Map.

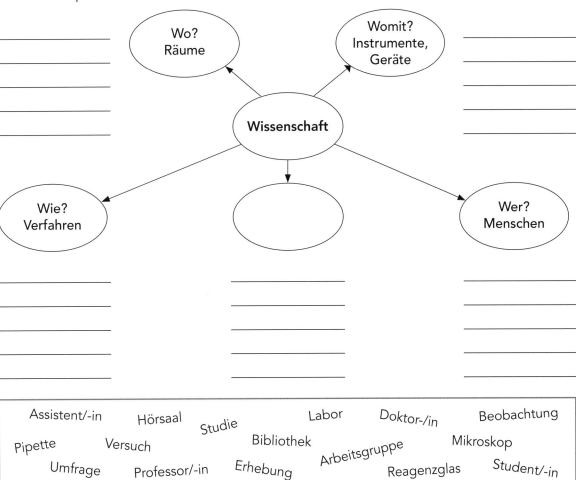

_____

_____

_____

_____

_____

Assistent/-in   Hörsaal   Studie   Labor   Doktor-/in   Beobachtung   Pipette   Versuch   Bibliothek   Arbeitsgruppe   Mikroskop   Umfrage   Professor/-in   Erhebung   Reagenzglas   Student/-in

b Erweitern Sie die Mind-Map aus Übung 4a um weitere Ober- und Unterbegriffe.

TIPP **Themenfelder lernen und behalten**
Komplexerer Wortschatz zu einem Thema lässt sich leichter merken, wenn man die Wörter strukturiert und portioniert, z.B. in Teilbereiche, Ober- und Unterbegriffe.

Wissenschaft für Kinder _____

 1a Lesen Sie die Redemittel und formulieren Sie Überschriften zu den Sprechabsichten.

1.	2.	3.
In diesem Text geht es um ... Der Artikel handelt von ... Die Hauptaussage / wichtigste Aussage des Textes ist ...	Dazu fällt mir folgendes Beispiel ein: ... Ein Beispiel hierfür ist: ... Als Beispiel kann man Folgendes nennen: ... Ich musste da an ... denken.	Ich bin der Ansicht, dass ... Ich bin anderer Meinung, ... Ich verstehe das völlig/gut/überhaupt nicht ... Ich kann dem (nicht) zustimmen. Ich halte diese Meinung/Aussage/Vorstellung/... für richtig/falsch/verkehrt/einleuchtend.

b Arbeiten Sie zu zweit. Jeder wählt einen Text und liest ihn.

> **Internet als Babysitter**
> Das Internet löst nach und nach das Fernsehen als viel beklagten „Babysitter" ab. Wie aktuelle Umfragen zeigen, verbringen Kinder und Jugendliche im Schnitt mehr als 20 Stunden pro Woche online. Die Kontrolle der Eltern fällt meist sehr begrenzt aus und die meisten Erziehungsberechtigten überlassen ihren Nachwuchs bei der Internetnutzung ganz sich selbst. Die Experten fordern daher verbesserte Jugendschutzbestimmungen.

> **Kinder und Fernsehen**
> Untersuchungen haben gezeigt, dass Kinder, die einen eigenen Fernseher im Zimmer haben, durch häufigeres und längeres Fernsehen schulische Schwächen und deutliche Beeinträchtigungen in ihrer Gesundheit entwickeln können. Je länger Kinder vor dem Fernseher sitzen, desto größer ist das Risiko für gesundheitliche Störungen.

P
GI

c Präsentieren Sie Ihrem/r Gesprächspartner/in Thema und Inhalt des Textes. Nehmen Sie kurz persönlich Stellung:

Welche Aussage enthält der Text?

Welche Beispiele fallen Ihnen dazu ein?

Welche Meinung haben Sie dazu?

Sprechen Sie circa 2–4 Minuten.

2a **Bilden Sie Passivsätze.**

1. Naturwissenschaftler und Pädagogen haben das Konzept des Lernlabors erarbeitet.

   Das Konzept des Lernlabors ist von Naturwissenschaftlern und Pädagogen erarbeitet worden.

2. Nachdem die Stadtverwaltung die finanzielle Unterstützung zugesagt hatte, eröffnete die Universität das Labor vor einigen Jahren.

   _____

3. Schulklassen und Kindergärten besuchen die Experimentierkurse des Labors.

   _____

4. Man führt Kinder dort spielerisch an die Wissenschaft heran.

   _____

5. Die Kinder führen gemeinsam verschiedene Versuche durch.

   _____

6. Die Pädagogen leiten die Experimente genau an.

   _____

7. Man kann so das Interesse der Kinder an Naturphänomenen wecken.

   _____

8. Viele andere Institute haben das bewährte Konzept bereits übernommen.

   _____

b **Schreiben Sie jeweils einen eigenen Beispielsatz in die Übersicht.**

Passiv
Präsens:
Präteritum:
Perfekt:
Plusquamperfekt:

3 **Ihr Nachbar bittet Sie, seine Sätze zu korrigieren, in die sich einige Passivfehler eingeschlichen haben.**

1. Das Experiment <u>wird</u> letzte Woche in Leipzig durchgeführt.	1. _wurde_
2. Die These des Wissenschaftlers ist bestätigt geworden.	2. _____
3. Der Kongress soll noch heute abgesagt wird.	3. _____
4. Die Forschungsgruppe aus Asien werden von ortsansässigen Fachleuten betreut.	4. _____
5. Die akuten Probleme haben trotz aller Bemühungen nicht gelöst worden.	5. _____

4 Formulieren Sie das Aktiv ins Passiv und das Passiv ins Aktiv um.

Unter dem Motto „Wir suchen die Forscher von morgen" wurde der Wettbewerb „Jugend forscht" 1965 von Henri Nannen, damaliger Chefredakteur der Zeitschrift „stern", initiiert. Durch den Wettbewerb werden besondere Leistungen und Begabungen in Naturwissenschaft, Mathematik und Technik gefördert. Man will Jugendliche für diese Themen begeistern und darüber hinaus in ihrer beruflichen Orientierung unterstützen. Die Geschäftsstelle der Stiftung „Jugend forscht e.V." in Hamburg koordiniert die bundesweiten Aktionen. Die laufenden Kosten der Geschäftsstelle werden vom Bundesministerium für Bildung und Forschung getragen. Der Wettbewerb wird außerdem von 250 Partnern aus Wirtschaft und Wissenschaft gesponsert. Viele Unternehmen stiften Preise und Gewinne. Auch Räume werden von den Partnern zur Verfügung gestellt. Zudem wird „Jugend forscht" von 6.000 ehrenamtlichen Lehrern unterstützt. Bei dem jährlich stattfindenden Wettbewerb werden die Projekte von den Jungforschern vorgestellt und von einer Jury beurteilt. Neben Geld- und Sachpreisen werden von den beteiligten Unternehmen auch Forschungsaufenthalte und Praktika vergeben.

Henri Nannen, damaliger Chefredakteur der Zeitschrift „stern", …

5 Formen Sie die Passivsätze mit den angegebenen Passiversatzformen um.

1. Wissenschaftlicher Nachwuchs kann bereits im Kindesalter gefördert werden. (*sich lassen* + Infinitiv)

   _____

2. Naturwissenschaftliche Probleme können im Lernlabor leicht nachvollzogen werden. (Adjektiv mit Endung *-bar*)

   _____

3. Scheinbares Desinteresse kann im Lernlabor schnell in Neugier verwandelt werden. (*sich lassen* + Infinitiv)

   _____

4. Auch größere Zusammenhänge können von Kindern schon begriffen werden. (Adjektiv mit Endung *-bar*)

   _____

5. Bei manchen Experimenten müssen gewisse Sicherheitsvorkehrungen eingehalten werden. (*sein* + *zu* + Infinitiv)

   _____

   _____

6. Es muss überlegt werden, wie Kinder in Schulen und Kindergärten einen besseren Zugang zur Wissenschaft erhalten können. (*sein* + *zu* + Infinitiv)

   _____

   _____

Wer einmal lügt ...

1 Lesen Sie die Aussagen und ordnen Sie die kursiv gesetzten Ausdrücke einer Bedeutung (a–e) zu.

1. Jetzt sag schon, was los ist, du musst *kein Blatt vor den Mund nehmen*.
2. In der Firma läuft es nicht so gut. Ich glaube, der Chef *hält mit vielem hinter dem Berg*.
3. Da bist du ihm aber schön *auf den Leim gegangen*.
4. Ich bin so enttäuscht von ihm, er hat mich jahrelang *hinters Licht geführt*.
5. Pass gut auf und lass dir *keinen Bären aufbinden*.

a ____ jemand verschweigt Informationen

b ____ offen sagen, was man denkt

c ____ jemanden bewusst täuschen

d ____ jemandem wird eine Lügengeschichte erzählt

e ____ jemand hat eine Lüge geglaubt

2a Was könnte passieren, wenn Sie eine Woche immer ehrlich wären? Stellen Sie Vermutungen an.

b Lesen Sie den Text und vergleichen Sie mit Ihren Vermutungen.

Wie fühlt es sich an, richtig ehrlich zu sein?

¹ Eine Woche lang nicht lügen, nur die Wahrheit sagen, auch wenn's unbequem oder verletzend ist. Autorin Anna Zeitlinger wagte den Selbstversuch.

⁵ Es ist 9.13 Uhr. Ich bin erst eine Stunde wach und habe es schon dreimal getan. Mit meinem Freund Stefan. Dem Mann von nebenan und dem Bäcker meines Vertrauens. Ich habe gelogen. Die nächsten Lügen sind ¹⁰ schon im Anmarsch. Verkleidet im Deckmantel aus Höflichkeiten, Ausreden und Bequemlichkeiten. Ich bin bisher ganz gut damit durchgekommen – mal abgesehen von dem schalen Beigeschmack, den jede Lüge, auch wenn sie noch so klein ist, bei mir hin-¹⁵ terlässt.

Damit ist jetzt Schluss! Ich werde die Probe aufs Exempel machen und die Wahrheit sagen. Eine ganze lange Woche. Und um ²⁰ ehrlich zu sein, habe ich kein gutes Gefühl dabei. Bleibt die Frage: Warum tue ich mir dieses Experiment überhaupt an? Vielleicht weil ich mit 33 Jahren immer mehr zu mir selbst und meinen Bedürfnissen stehen ²⁵ möchte und mein „wahres" Gesicht nicht hinter Notlügen verstecken will – außerdem erwarte ich auch von anderen Menschen, gerade von Freunden, dass sie ehrlich zu mir sind.

³⁰ Die erste Herausforderung begegnet mir in Form eines weißen Turnschuhs. Auf dem U-Bahn-Sitz gegenüber von mir. Ein Typ hat's sich mit seinem Sneaker bequem gemacht. Mich macht das ärgerlich. Schließlich ³⁵ wollen andere Leute auch einen sauberen Platz.

Sie finden mich spießig? Ich mich auch irgendwie. Trotzdem sage ich meine Meinung: „Könnten Sie bitte Ihre Füße auf den ⁴⁰ Boden stellen? Ich finde das nicht passend ..." Nicht passend? Habe ich das jetzt wirklich gesagt? Ich möchte sofort im Erdboden versinken. Stille. „Alles klar." Der Turnschuh verschwindet vom Sitz. Eins zu null für die ⁴⁵ Ehrlichkeit. Endlich habe ich mich nicht selbst belogen, sondern mich zu meiner Spießigkeit bekannt. Mein Selbstbewusstsein wächst gen Himmel.

50 Weiter geht's mit meinem Selbstversuch bei einer Shoppingtour mit meiner Freundin. Als sie strahlend mit ihrem Traumtop vor mir steht, sage ich ihr – natürlich so schonend wie möglich –, dass sie nicht die richtige Figur dafür habe und es nicht zu ihr passe. Kaum 55 habe ich das ausgesprochen, fühle ich mich schuldig. Das Funkeln in den Augen meiner Freundin ist erloschen, die Shoppingtour beendet. Ich gestehe: So ehrlich zu sein ist in diesem Fall für mich weder hilfreich noch 60 angebracht gewesen.

Bei einem Telefonat mit meinem besten Freund kommt meine neue Ehrlichkeit besser davon. Ich bin völlig erledigt, er möchte mir sein Herz ausschütten. Früher habe ich 65 Ausreden erfunden oder gutmütig zugehört. Heute bleibe ich bei der Wahrheit – und siehe da, er zeigt zu meinem Erstaunen volles Verständnis. Ich erlebe eine Mischung aus Erleichterung, Stolz und Glück. Die Freund-70 schaft habe ich dadurch weder missachtet noch verloren. Manchmal ist die Wahrheit auch ein Zeichen von Respekt: gegenüber Freunden und vor allem gegenüber sich selbst.

75 Zum Wochenende sind wir zu einer der langweiligen Partys unseres Nachbarn eingeladen. Stefan und ich möchten aber lieber den Abend für uns haben. Früher hätte ich mich aus Anstand hingeschleppt. Jetzt spiele 80 ich die Absage in Gedanken durch. Es kostet mich Überwindung den Klingelknopf zu drücken, um dann zu erklären, dass wir nicht kommen. Das mit der Langeweile verschweige ich – Ehrlichkeit bedeutet ja nicht Un-85 verschämtheit. Seine Reaktion: „Kein Problem!"

Ich entspanne mich in meiner Woche der Wahrheit und bemerke, wie viel Zeit ich plötzlich für mich habe – nur weil ich nicht 90 mehr lüge, um anderen zu gefallen. Was Stefan betrifft, hatten wir erst heute ein Gespräch. Stefan: „Trinkst du noch immer dein Wahrheitselexier?" Ich: „Ja." Stefan: „Und habe ich abgenommen?" Ich: „Ja, ein 95 bisschen." Ich denke: „Nein. Aber ehrlich gesagt, ich liebe dich so oder so. Und manchmal haben Lügen eben auch dicke Bäuche."

 c Welche positiven und welche negativen Erfahrungen macht die Autorin?

3 Kennen Sie das? Die Wahrheit zu sagen ist nicht angemessen, sie wollen aber auch keine Lüge erzählen. Was können Sie tun? Beschreiben Sie eine Situation und wie Sie sich verhalten haben.

1 Und wer ist am Ende schuld? Ergänzen Sie mit Indefinitpronomen.

Das hätten die Wissenschaftler doch (1) i_____

sagen müssen. Das ist (2) e_____ gar nicht klar

gewesen.

Sie hätten (3) i_____ informieren sollen. Dann

wäre (4) i_____ schon eine Lösung eingefallen.

Dass (5) e_____ die Tatsachen verschwiegen

wurden, ist schon unglaublich. Das Fernsehen hat

(6) e_____ aber auch wieder nur die halbe

Wahrheit erzählt. Wie immer! Es sagt ja wieder keiner

(7) i_____ irgendwas.

2 Sagen Sie es allgemeiner. Formen Sie die Sätze wie im Beispiel um und verwenden Sie Indefinitpronomen.

1. Wir alle müssen neue Ideen für den Umweltschutz entwickeln.
2. In Zukunft wird die Natur sehr große Schäden aufweisen.
3. Wir müssen Aktionen zum Schutz der Natur unternehmen.
4. Eine kaputte Natur wird dem Menschen bald zu schaffen machen.
5. Es wird immer einige Personen geben, die nur an ihren Profit denken, statt an die Umwelt.
6. Jeder kann verschiedene Dinge verbessern und wir können an verschiedenen Orten beginnen.

1. Irgendwer muss neue Ideen für den Umweltschutz entwickeln.

3a Antworten Sie mit dem Gegenteil.

1. „Hast du schon etwas von Alan Weisman gelesen?"
2. „Und wie ist die Umwelt-Initiative? Ist jemand da, den wir kennen?"
3. „Hast du schon jemanden für unsere Aktion angesprochen?"
4. „Gibt es nichts, was wir im Privatbereich für die Umwelt tun können?"
5. „Kennst du niemanden, der ein Experte ist?"
6. „Die Aktionen laufen so langsam. Ich glaube, wir haben nie Erfolg."

Nein, ich habe noch nichts von ihm gelesen.

b Wie gehen die Sätze weiter? Ergänzen Sie frei.

1. Viele Menschen sagen, dass sie nichts _____
2. Um etwas für die Umwelt zu tun, ist es nie _____
3. Nach einer Katastrophe wird sich niemand _____
4. Es gibt nirgendwo einen Ort, wo _____
5. Alan Weisman will die Menschen informieren und niemanden _____
6. Es wird niemals eine Welt _____

Gute Nacht!

1 Welches Verb passt wo?

dösen	verschlafen	übernachten	ausschlafen

1. „Mensch, ich freu mich vielleicht aufs Wochenende. Endlich wieder _____.“

2. „Mist, jetzt habe ich diese Woche zum zweiten Mal _____ und komme schon wieder zu spät.“

3. „Wir waren letztes Wochenende in Berlin und haben dort bei Freunden _____.“

4. „Richtig schlafen kann ich mittags eigentlich nicht, aber ein bisschen _____ gibt mir schon wieder Energie.“

2 Hören Sie noch einmal den ersten Abschnitt aus dem Interview aus Aufgabe 3 im Lehrbuch auf Seite 81. Was sagt der Moderator wann? Ordnen Sie zu.

A: Was kann man daraus also schließen?
B: Aha, und wie kommt das an?
C: Tja, aber das ist ja leider im Alltag nicht möglich, bei einem vollen Arbeitstag.
D: Nun liest man in letzter Zeit häufiger über die Forderung nach Mittagsschlaf für Erwachsene.
E: Herzlich Willkommen zu unserer Sendung „Gesundheit aktuell“. Am Mikrofon heute Alexander Wilme und bei mir im Studio die Wiener Schlafexpertin Frau Dr. Gesa Hartmann.
Frau Hartmann, Sie beschäftigen sich schon sehr lange mit dem Thema „Schlaf“ und haben bereits einige Artikel zu diesem Thema geschrieben.
F: Wussten die Leute denn immer, wann Mittag und wann Abend ist?

Wilme	Hartmann
	1. Ja, das ist richtig. Entspannender Schlaf, Schlafmangel und seine Folgen haben mich schon durch meine Arbeit als Ärztin von jeher interessiert und tja, irgendwann habe ich dann begonnen, da mehr zu recherchieren und darüber zu schreiben.
	2. Ja, das ist ein sehr interessanter Aspekt in der Schlafforschung. Der Leiter des Schlafmedizinischen Zentrums an der Universität Regensburg, Jürgen Zulley, hat dazu bereits vor zwanzig Jahren ein interessantes Experiment gemacht: Er sperrte einige Menschen für vier Wochen unter der Erde ein, nahm ihnen die Uhren ab und ließ sie schlafen, so viel sie wollten. Dabei stellte sich schnell heraus: Egal, wie alt oder wie jung, wie faul oder fleißig die Leute waren – sie alle hielten Mittagsschlaf.
	3. Nein, sie hatten ja keine Uhren und schon nach wenigen Tagen hatten sie jegliches Gespür für die Tageszeiten verloren. Sie dachten, sie würden sich zur Nachtruhe legen, dabei schliefen sie nur ein halbes Stündchen.
	4. Jürgen Zulley schließt daraus, dass der Mensch zweimal pro Tag ruht, wenn er auf seinen Körper hört, und nicht nur einmal.
	5. Na ja, Zulley kämpft genau dafür, für die Rückkehr des Mittagsschlafs auch in den Firmen.
	6. Nun, so langsam setzt sich die Erkenntnis durch, dass Arbeitnehmer nachmittags einfach leistungsfähiger sind, wenn sie sich nach dem Essen hinlegen, anstatt das Kantinenkoma mit Kaffee zu bekämpfen.

3a Sehen Sie sich die folgenden Sprichwörter und Ausdrücke an. Was bedeuten sie?

1. Wer schläft, sündigt nicht.

2. Hey, du Schlafmütze!

3. mit offenen Augen schlafen

4. Lass uns nochmal darüber schlafen.

5. Schlaf ist die beste Medizin.

6. wie ein Murmeltier schlafen

b Welche Sprichwörter/Ausdrücke zum Thema „Schlaf" gibt es in Ihrer Sprache?

4 Ordnen Sie die Sprechabsichten den Redemitteln zu und markieren Sie in jeder Rubrik mindestens eine Formulierung, die Sie in dem Gespräch verwenden möchten.

zu einer Entscheidung kommen   einem Vorschlag zustimmen   einen Gegenvorschlag machen   einen Vorschlag machen   einen Vorschlag ablehnen

eine Lösung aushandeln	
1.	Wie wäre es, wenn wir ... Mein Vorschlag wäre ... Ich finde, man sollte ... Was halten Sie von folgendem Vorschlag: ... ? Wenn es nach mir ginge, würde ... Könnten Sie sich vorstellen, dass ...
2.	Das ist sicherlich keine schlechte Idee, aber kann man nicht ... ? Gut, aber man sollte überlegen, ob es nicht besser wäre, wenn ... Okay, aber wie wär's, wenn wir es anders machen. Und zwar ... Ich habe einen besseren Vorschlag. Also ...
3.	Das hört sich gut an. Einverstanden, das ist ein guter Vorschlag. Ja, das könnte man so machen. Ich finde diese Idee sehr gut. Ich kann diesem Vorschlag nur zustimmen.
4.	Das halte ich für keine gute Idee. Ich halte diesen Vorschlag für nicht durchführbar. Das kann man so nicht machen. Das lässt sich nicht realisieren. So geht das auf keinen Fall!
5.	Lassen Sie uns Folgendes vereinbaren: ... Darauf könnten wir uns vielleicht einigen. Wie wäre es mit einem Kompromiss: ... Was halten Sie von folgendem Kompromiss: ... Wären alle damit einverstanden, wenn wir ... ?

5   Lesen Sie den Artikel und ergänzen Sie den Leserbrief.

Familiendenken in Unternehmen
Die Bundesregierung appelliert an die deutsche Wirtschaft, mehr für familienfreundliche Arbeitsbedingungen zu tun. Familienfreundlichkeit zahle sich aus, für die Wirtschaftlichkeit einer Firma ebenso wie für die Zufriedenheit und Motivation der Mitarbeiter. Mitarbeiter nach der Elternzeit zurückzugewinnen spare zum Beispiel viele Kosten für die Suche nach geeignetem Personal. Auch an die Väter muss gedacht werden. Obwohl viele Männer ihren Job und die Familie in Einklang bringen wollten, müssten gerade junge Väter überdurchschnittlich viel arbeiten, damit die Familie über die Runden kommt. Auch wenn Väter das nicht wollen, geraten sie oft in die Rolle des Alleinernährers. Um dies zu ändern, müssten endlich auch Väter in der Arbeitswelt gefördert werden.

Heidelberg, 19. 04. 20 ...

Ihr Artikel „Familiendenken in Unternehmen"

Sehr geehrte Damen und Herren,

Mit großem Interesse habe ich Ihren Artikel „Familiendenken in Unternehmen" gelesen, den ich ...

Ich vertrete den Standpunkt, dass Familie und Beruf ...

Aus meiner persönlichen Erfahrung heraus kann ich nur unterstreichen, ...

Auf der einen Seite ...

An folgendem Beispiel kann man besonders gut sehen, ...

Deshalb sollte man unbedingt ...

Abschließend möchte ich noch sagen, ...

Mit freundlichen Grüßen
...

So schätze ich mich nach Kapitel 5 ein: Ich kann ...	+	0	−	Modul/ Aufgabe
... ausführliche Erläuterungen zum Thema „Lügen" in einem Radiofeature verstehen.				M2, A2
... in einem Interview zum Thema „Mittagsschlaf" detailliert dargestellte Sachverhalte verstehen.				M4, A3
... neue und detaillierte Informationen in einem Text zum Thema „Wissenschaft und Kinder" verstehen.				M1, A1
... in einem Artikel zum Thema „Die Erde ohne Menschen" neue und ausführliche Informationen verstehen.				M3, A2a
... Vermutungen darüber anstellen, wie die Zukunft der Erde ohne Menschen aussehen würde.				M3, A1a
... Vorschläge zu einem besseren Umgang mit der Umwelt machen.				M3, A4
... über Schlafgewohnheiten und -verhalten berichten.				M4, A1
... in einem Rollenspiel, in dem über bessere Arbeitsbedingungen diskutiert wird, Vorschläge machen und Argumente vorbringen.				M4, A6
... einen Leserbrief schreiben und meine Meinung darin äußern.				M4, A5
... einen Text schreiben, der eine interessante Geschichte erzählt, die erfunden oder wahr sein kann.				M2, A4
... mir während eines Interviews zum Thema „Mittagsschlaf" Notizen machen.				M4, A3b

Das habe ich zusätzlich zum Buch auf Deutsch gemacht: (Projekte, Internet, Filme, Texte, ...)		
	Datum:	Aktivität:

Lösungen

Kapitel 1: Heimat ist …

Wortschatz

Ü1: 1. Haus, in dem viele Dinge ausgestellt sind, die aus einer bestimmten Region sind – oft auch historische Dinge, z.B. Gebrauchsgegenstände, Kunsthandwerk usw., 2. eine Heimat, die sich jemand freiwillig ausgesucht hat, 3. Gefühl von Sehnsucht, wenn man seine Heimat, Familie und Freunde vermisst, 4. Gefühle, dass bestimmte Orte oder Menschen für einen selber Heimat bedeuten, 5. wenn jemand keine Heimat hat

Ü4:

	V	E	R	H	A	L	T	E	N		A
									R		U
	E	I	N	W	A	N	D	E	R	E	R	S
		E	R	F	A	H	R	U	N	G		L
	A	U	S	W	A	N	D	E	R	E	R	A
		F	E	R	N	W	E	H		L		N
		U	N	T	E	R	S	C	H	I	E	D
	G	E	F	Ü	H	L					
		E	N	T	S	C	H	E	I	D	U	N	G

1. der Einwanderer, die Einwanderer, 2. der Auswanderer, die Auswanderer, 3. das Ausland, 4. der Unterschied, die Unterschiede, 5. das Fernweh, 6. die Entscheidung, die Entscheidungen, 7. die Erfahrung, die Erfahrungen, 8. das Gefühl, die Gefühle, 9. die Regel, die Regeln, 10. das Verhalten

Ü5a: Zum Beispiel: 1. zufrieden sein, glücklich sein; 2. alles haben, Neues finden, entdecken; 3. weggehen, verlassen; 4. fremd sein, unbekannt sein, neu sein; 5. sich erinnern, wissen, vor Augen haben, denken an

Modul 1 Neue Heimat

Ü1a: 1. Lena ist zurückgekehrt, weil sie die Arztpraxis ihrer Eltern übernehmen konnte. 2. Ihr Leben ist angenehm, weil alles vertraut ist, sie sich sicher fühlt und das soziale Netz gut funktioniert. Aber andererseits ist sie trotzdem manchmal einsam und hat Probleme, neue Leute kennenzulernen. 3. Für sie ist Heimat ein Gefühl von Vertrautheit und Zugehörigkeit.

Ü2: 1. voneinander, 2. unbedingt, 3. schön, 4. ganz, 5. dem, 6. damit, 7. ob, 8. unternehmen, 9. mich, 10. soll

Ü3: 2. Das Reisebüro hat sie ihm gegeben. 3. Der Beamte hat sie ihr erklärt. 4. Das Konsulat hat es ihr dann zugeschickt.

Ü4: 2. Ich habe ihn dir doch schon zurückgegeben. 3. Ich habe sie ihm schon gegeben. 4. Ja, ich habe ihn ihr schon gebracht. 5. Ich habe ihn ihm doch schon erklärt.

Ü5a: 2. Das Flugzeug startete aufgrund eines Unwetters mit großer Verspätung vom Flughafen Frankfurt. 3. Mir war während des langen Fluges wegen des Sturmes ziemlich schlecht. 4. Wir fuhren nach unserer Ankunft ziemlich erschöpft zu Doris' Haus. 5. Wir haben an unserem ersten Urlaubstag mit dem Bus eine Stadtrundfahrt gemacht. 6. Wir lagen an den nächsten Tagen wegen der starken Hitze meistens faul am Strand. 7. Die Zeit ist im Urlaub viel zu schnell vergangen. 8. Wir haben vor unserem Abflug noch schnell am Flughafen ein paar Andenken gekauft. 9. Wir flogen nach drei Wochen gut erholt wieder nach Hause zurück.

Ü5b: 2. Aufgrund eines Unwetters startete das Flugzeug mit großer Verspätung vom Flughafen Frankfurt. 3. Während des langen Fluges war mir wegen des Sturmes ziemlich schlecht. 4. Ziemlich erschöpft fuhren wir nach unserer Ankunft zu Doris' Haus. 5. An unserem ersten Urlaubstag haben wir mit dem Bus eine Stadtrundfahrt gemacht. 6. Wegen der starken Hitze lagen wir an den nächsten Tagen meistens faul am Strand. 7. Viel zu schnell ist die Zeit im Urlaub vergangen. 8. Am Flughafen haben wir vor unserem Abflug noch schnell ein paar Andenken gekauft. 9. Gut erholt flogen wir nach drei Wochen wieder nach Hause zurück.

Ü6: 2. Der Kursleiter teilte uns das Ergebnis … 3. Ich habe die E-Mail sofort an meine Freundin weitergeleitet. Oder: Ich habe die E-Mail an meine Freundin sofort weitergeleitet. 4. Ich habe sie ihm erst gestern vorgestellt. 5. Ich habe meinem Chef eine Karte aus Neuseeland …

Modul 2 Ausgewanderte Wörter

Ü1a: positiv: B, C

eingeschränkt positiv: A

negativ: D, E

Ü1c: ein Argument einleiten: Man hört ja oft, dass …, Viele Untersuchungen haben gezeigt, dass …, Es ist eine gängige Erfahrung, dass …, Jeder weiß, dass … usw.; einem Argument widersprechen: Es ist nicht richtig, dass …, Es ist ein

Irrtum, zu glauben, dass …, Ich (persönlich) bin nicht der Meinung, dass …, Andererseits ist …, (Meine) Erfahrungen haben aber gezeigt, dass … usw.

Modul 3 Missverständliches

Ü2a: 1. f, 2. r, 3. f, 4. r

Ü3: 3. gehen können, 4. dort bleiben, 5. gelernt, 6. ein, 7. die, 8. Sie, 9. wann, 10. Teilnehmer, 11. die, 12. Ihnen

Ü4a: un-: unharmonisch, untypisch, unorganisiert, unakzeptabel, unverständlich; in-: intolerant, inakzeptabel, indiskret; -los: humorlos, fantasielos; miss-: missverständlich; a-: atypisch, anormal; dis-: disharmonisch

Ü5: 2. Das habe ich noch nie erlebt. 3. Das ist untypisch für diese Gruppe. 4. … nichts Interessantes gesagt. 5. … hat viel Neues erzählt. 6. Louis hat nichts Gutes von …. 7. … hat schon oft schlechte Erfahrungen gemacht. 8. … heute Abend nicht mehr. 9. Ich habe Claudia (noch) nicht gefragt, …

Ü6a: 2. Ich fand das Thema nicht interessant. 3. Ich finde nicht, dass die Schauspieler … / Ich finde auch, dass die Schauspieler die interkulturellen Missverständnisse nicht authentisch dargestellt haben. 4. Die Situationen waren nicht realistisch und ich fand die Szenen (auch) nicht spannend umgesetzt. 5. Ich glaube, den Film sehe ich mir nicht noch einmal an.

Ü6b: Musterlösung: 2. Nicht ich komme heute mit, sondern mein Kollege. 3. Nicht Peter hat sich zum Seminar angemeldet, sondern Roland. 4. Peter hat sich zum Seminar nicht angemeldet, sondern er hat sich Informationen darüber besorgt. 5. Peter hat sich nicht zum Seminar angemeldet, sondern zum Ausflug am Wochenende.

Modul 4 Zu Hause in Deutschland

Ü1: 1. Land, 2. Herkunft, 3. Migrationshintergrund, 4. ausländischer Herkunft, 5. Staatsbürgerschaft, 6. Zugewanderten, 7. Schulabschluss, 8. Arbeitslosigkeit

Ü2: a: Meines Erachtens …, Ich bin der Ansicht, dass …, Ich stehe auf dem Standpunkt, dass …

b: Das sehe ich genauso., Ich bin der gleichen Meinung wie …, Das kann ich nur bestätigen., Du hast / Sie haben völlig recht.

c: Ich kann dieser Meinung nicht zustimmen, da …, Diese Einstellung halte ich für problematisch …, Ich zweifle an der Richtigkeit dieser Aussage., Das ist völlig an den Haaren herbeigezogen., Das stimmt überhaupt nicht., Das ist völliger Unsinn!

Ü3: 1. f; 2. b, h; 3. i; 4. b, d, g; 5. j; 6. e; 7. g; 8. a, b, k; 9. b; 10. c; 11. a, e, g, h, j

Ü4: 2F, 3A, 4C, 5B, 6D

Kapitel 2: Sprich mit mir!

Wortschatz

Ü1a: neutral: sagen, … reden, erzählen, sich äußern, mitteilen; laut: schreien, brüllen, rufen, grölen; leise: flüstern, tuscheln; undeutlich: stottern, murmeln, stammeln; traurig: wimmern, schluchzen; böse: schimpfen, zanken, tadeln

Ü1b: flüstern – das Geflüster, erzählen – die Erzählung, zanken – der Zank, stottern – das Stottern, rufen – der Ruf, reden – das Gerede, tadeln – der Tadel, mitteilen – die Mitteilung, murmeln – das Gemurmel, schimpfen – die Schimpferei / das Schimpfen, wimmern – das Gewimmer, stammeln – die Stammelei, grölen – die Grölerei / das Gegröle, sich äußern – die Äußerung, schluchzen – das Schluchzen / der Schluchzer, tuscheln – die Tuschelei, brüllen – die Brüllerei

Ü2: 1. Ferngespräch, 2. Stadtgespräch, 3. Unterrichtsgespräch, 4. Beratungsgespräch, 5. Verkaufsgespräch

Ü3: trennbar: ansprechen, mitsprechen, vorsprechen, durchsprechen, zusprechen, absprechen; untrennbar: versprechen, besprechen

Modul 1 Gesten sagen mehr als tausend Worte …

Ü1: Lösungsvorschlag: 1. d, 2. f, 3. g, 4. e, 5. b, 6. a, 7. c, 8. h

Ü2: 1. f, 2. r, 3. r, 4. f, 5. r, 6. r, 7. f, 8. r, 9. r, 10. r

Ü3: 1. ohne, 2. Mit, 3. was, 4. demnach, 5. unterrichtet, 6. als, 7. zum, 8. entschlüsseln, 9. eigenen, 10. sowie

Ü4: 1. wie, 2. als, 3. wie, 4. als, 5. wie, 6. als

Ü6: 1. besser – bewusster; 2. aufgeregter – wichtiger; 3. weniger – mehr; 4. natürlicher – erfolgreicher

Ü7: 2. Je mehr man liest, desto/umso deutlicher nimmt der Wortschatz zu. 3. Je öfter man Wörter wiederholt, desto/umso besser prägt man sie sich ein. 4. Je deutlicher man spricht, desto/umso besser wird man verstanden. 5. Je mehr man übt, desto/umso schneller wird die Angst vor dem Sprechen verschwinden.

Modul 2 Früh übt sich …

Ü1a: 6 bis 8 Wochen: genau zuhören;

2 bis 6 Monate: erste Vokale und Silben, lachen, Gebärden verstehen;

5 bis 9 Monate: Lallphase, Silben werden verdoppelt, Wörter ohne Absicht;

10 bis 20 Monate: Einwortäußerungen, ca. 50 Wörter, bis 18. Monat, dann Wort-Explosion: Wortschatz von 50 auf 200;

ab 2 Jahre: Zweiwortsätze, Missverständnisse, Ausbau Wortschatz auf 3.000 Wörter;

ab 3 Jahren: vollständige Sätze, Verben, Präpositionen, Adjektive, Pronomen. Auch Imitation von Phrasen/Aussprache;

ab 5 Jahren: Spracherwerb abgeschlossen, trotzdem Grammatik nicht perfekt, weitere Sprachen werden anders gelernt: Aussprache, Regeln verstehen und anwenden

Ü2a: Fachsprache, Sprachkurs, Sprachlehrer, Muttersprache, Aussprache, Fremdsprache, Sprachbarriere, Spracherwerb, Sprachschule, Sprachlabor

Ü2b: Sprachwitz, Sprachwissenschaft, Sprachgefühl, Verhandlungssprache, Umgangssprache, Sprachschatz, …

Modul 3 Smalltalk – die Kunst der kleinen Worte

Ü1: Musterlösung: Es gibt heute im Supermarkt nur wenig Frischobst. Es tut mir leid, dass ich gestern nicht kommen konnte. Es handelt sich bei dieser Pflanze um ein seltenes Exemplar. Es geht in diesem Artikel um Smalltalk.

Ü3: 2. Ich finde es schön, Sie hier zu treffen. 3. Ich hoffe, Sie nicht zu langweilen. 4. Ich fürchte, Ihnen da widersprechen zu müssen. 5. Ich habe geglaubt, hier auch Ihre Kollegen zu treffen. 6. Ich ärgere mich, Sie nächste Woche nicht besuchen zu können. 7. Ich finde es gut, Sie einmal persönlich sprechen zu können. 8. Ich hoffe, Sie bald wieder zu sehen.

Modul 4 Wenn zwei sich streiten …

Ü1a: Korrekte Kombinationen sind: 1. Kritik bekommen, 3. mit Kritik umgehen, 5. Kritik austeilen, 7. Kritik einstecken, 8. Kritik üben

Ü1b: Tanja Block: 1. ausrasten, 3. cholerisch, 7. Beschimpfung, 10. jemanden anbrüllen; Walter Volkmann: 2. wenig professionell, 4. jemanden verletzen, 5. klare Bewertung; Simone Ritterbusch: 6. Verbesserungsvorschläge machen, 8. jemanden blamieren, 9. mit Respekt

Ü1c: positive Kritik: klare Bewertung, Verbesserungsvorschläge machen, mit Respekt; negative Kritik: ausrasten, wenig professionell, cholerisch, jemanden verletzen, Beschimpfung, jemanden blamieren, jemanden anbrüllen

Ü3a: 3. im, 4. weil/da/denn, 5. das, 6. der, 7. aus, 8. der, 9. ist, 10. mit, 11. an, 12. sie/diese

Kapitel 3: Arbeit ist das halbe Leben?

Wortschatz

Ü1: a 4., b 6., c 3., d 5., e 2., f 1., g 4., h 3., i 1., j 5., k 6., l 2.

Ü2: 1. Nebenjob, 2. Teilzeitstelle, 3. Vorstellungsgespräch, 4. Lebenslauf, 5. Herausforderung, 6. Einarbeitung, 7. Beförderung, 8. Abteilung

Ü3: a – k, b – h, c – f, d – i, e – j, g – l

Ü4a: horizontal: Berufserfahrung, Lebensunterhalt, Gehaltserhöhung, Karriere, Arbeitsvertrag

vertikal: Steuern, Beruf, Stelle

B	E	R	U	F	S	E	R	F	A	H	R	U	N	G			S
	L	E	B	E	N	S	U	N	T	E	R	H	A	L	T		T
			T														E
	G	E	H	A	L	T	S	E	R	H	Ö	H	U	N	G		L
			U									B					L
			E		K	A	R	R	I	E	R	E					E
A	R	B	E	I	T	S	V	E	R	T	R	A	G				R
			N														U
																	F

Ü4b: 1. Beruf, 2. Stelle, 3. Arbeitsvertrag, 4. Berufserfahrung, 5. Karriere, 6. Lebensunterhalt, 7. Gehaltserhöhung, 8. Steuern

Ü5: der Arbeitsablauf, der Arbeitseifer, der Berufsverkehr, die Arbeitslosigkeit, die Arbeitsweise, die Berufstätigkeit, der Berufsanfänger, die Arbeitserlaubnis, der Arbeitskollege, das Berufsgeheimnis, die Berufsschule, die Arbeitstechnik, die

Arbeitswoche, die Arbeitszeit, die Berufswahl, der Arbeitsvertrag, die Berufsausbildung, das Arbeitstempo

Modul 1 Mein Weg zum Job

Ü1: 1. f, 2. r, 3. f, 4. r, 5. f, 6. f, 7. r, 8. f

Ü2: Personalchefs wünschen: Verantwortungsbewusstsein, Kreativität, Selbstbewusstsein, Freundlichkeit, Engagement, Fantasie;

das Verantwortungsbewusstsein, das Desinteresse, die Kreativität, die Antriebsschwäche, das Selbstbewusstsein, die Naivität, die Unsicherheit, die Freundlichkeit, die Schüchternheit, die Einfallslosigkeit, das Engagement, die Trägheit, die Fantasie

Ü4: 2. zwar ... aber, 3. Einerseits ... anderseits, 4. weder ... noch, 5. sowohl ... als auch / nicht nur ..., sondern auch, 6. nicht nur ... sondern auch / sowohl ... als auch, 7. Entweder ... oder

Ü6: 1. Während, 2. ob, 3. Nachdem, 4. Wenn, 5. Als, 6. obwohl, 7. Während

Modul 2 Motiviert = engagiert

Ü1: 1. engagierte/zufriedene, 2. strukturellen Faktoren / Arbeitsbedingungen, 3. persönliche Entwicklung, 4. Aufstiegsmöglichkeiten, 5. abwechslungsreich, 6. hoch, 7. niedrig, 8. Gehalt, 9. Motivation, 10. arbeitorganisatorische

Ü2: 2. g, 3. c, 4. f, 5. e, 6. h, 7. a, 8. b

Modul 3 Teamgeist

Ü1a: 1. C, 2. E, 3. A, 4. F, 5. B, 6. D

Ü1b: Musterlösung: Typ 1: selbstsicher, engagiert, arrogant; Typ 2: selbstsicher, hektisch, nervig; Typ 3: skeptisch, nervig; Typ 4: berechnend, geschickt; Typ 5: langweilig, harmoniesüchtig, zurückhaltend; Typ 6: faul, gemütlich;

Aus dem Text: Typ 1: dominant, Typ 4: aufmerksam, Typ 5: nett, zuvorkommend

Ü1c: Musterlösung: Typ 1: Er ist hilfreich für die Gruppe, wenn er viele organisatorische Aufgaben übernimmt. Typ 2: Wenn keiner über seine Witze lacht, wird er automatisch ruhiger. Typ 3: Wenn man ihn in alle Entscheidungen mit einbezieht, kann er wenig beklagen. Typ 4: Am besten fordert man ihn immer als Ersten zu einer Antwort auf. Typ 5: Man kann ihm leicht unbe-

liebte Aufgaben übertragen. Wehrt er sich dann doch, bringt er sich vielleicht auch einmal in die Gruppe ein. Typ 6: Trifft man sich in seinem Büro, kann er nicht zu spät kommen.

Ü2: 1. damit, 2. Ohne zu, 3. (an)statt ... zu, 4. Aber, 5. ohne ... zu, 6. trotzdem, 7. um ... zu, 8. Aber, 9. ohne dass, 10. damit, 11. sondern

Modul 4 Werben Sie für sich!

Ü1: 1. D, 2. negativ, 3. E, 4. F, 5. C

Ü2: 1. Bewerbung als, 2. Sehr geehrte, 3. auf Ihre Anzeige, 4. suchen, 5. beschäftigt, 6. Tätigkeit gerne und erfolgreich ausübe, 7. genannten Voraussetzungen, 8. bewerbe mich, 9. mich beruflich zu verändern, 10. benötige, 11. zu erteilen, 12. beigefügten Unterlagen, 13. praktische Erfahrungen sammeln, 14. einer persönlichen Vorstellung

Ü3: positiv: Studienwahl erklären; Motivation erklären

negativ: zu persönliche Aussagen, darauf hinweisen, dass bestimmte Aussagen bereits in den Bewerbungsunterlagen zu lesen waren, sich negativ über einen Arbeitgeber äußern, zu überzeugt von sich selbst sein, den Eindruck vermitteln, man könne nicht gut im Team arbeiten

Ü4: 1. r, 2. f, 3. r, 4. f, 5. f, 6. r

Kapitel 4: Zusammen leben

Wortschatz:

Ü1a: Menschen: Jugendliche, Rentner, Freunde, Arbeitslose, Verwandte, Kinder, Erwachsene, Nachbarn, Berufstätige; Ausbildung/Beruf: Schule, Karriere, Lehrstelle, Abschluss, Studium, Arbeitsplatz; Institutionen: Polizei, Regierung, Amt, Gericht, Verein

Ü1b: 2. die Jugendlichen, 3. die Berufstätigen, 4. das Amt, 5. die Regierung, 6. der Verein

Ü2: 1. egoistisch, 2. rücksichtsvoll 3. ignorant, 4. gewaltsam/gewalttätig, 5. frei/freiheitsliebend, 6. tolerant, 7. höflich, 8. aggressiv, 9. gerecht, 10. ideal/idealistisch

Ü3: Mögliche Lösungen: 1. die Abhängigkeit, 2. der Frieden, 3. der Reichtum, 4. die Krankheit, 5. der Umweltschutz, 6. die Gerechtigkeit, 7. die Unsicherheit, 8. das Misstrauen, 9. die Unterdrückung, 10. das Verbot

Lösungen

Ü4: 1. Männern, 2. Manieren, 3. Gegenteil, 4. Härte, 5. Variante, 6. Gefahren, 7. Frau, 8. Emotionen, 9. Denken, 10. Stärke, 11. Tatsache, 12. Geschlecht, 13. Gesellschaft, 14. Gattinnen, 15. Klischee, 16. Hysterie, 17. Hausfrau, 18. Familie, 19. Umfeld

Modul 1   Sport gegen Gewalt

Ü1: 1. Einkaufszentrum, 2. Jugendliche, 3. Polizei, 4. Taekwondo, 5. „Sport gegen Gewalt", 6. trainieren, 7. Regeln, 8. Stress-Situationen, 9. jederzeit, 10. Sachbeschädigungen und Diebstähle

Ü2: 2. Verantwortung für das eigene Handeln übernehmen, 3. Selbstbeherrschung lernen, 4. sich an die Regeln halten, 5. sich die Langeweile sinnvoll vertreiben, 6. andere Meinungen respektieren, 7. Gewalt vermeiden, 8. Zukunftspläne entwickeln

Ü3: 1. die, 2. den, 3. die, 4. der, 5. der, 6. das

Ü4: 2. Wer Sport treibt, (der) lernt seine Grenzen kennen. 3. Wer Sport treibt, (der) fühlt sich fit. 4. Wer sich fit fühlt, (der) ist leistungsfähig. 5. Wer leistungsfähig ist, (der) hat Erfolg im Beruf. 6. Wer Erfolg hat, (der) verdient gutes Geld. …

Ü5: 2. Wem es gefällt, andere Menschen zu trainieren, der könnte in einem Sportverein tätig sein. 3. Wer soziale Kontakte sucht, dem hilft die Mitgliedschaft in einer Sportgruppe. 4. Wer Kreislaufprobleme hat, dem rät der Arzt zu mehr Bewegung. 5. Wen Yoga interessiert, der kann sich zu einem Kurs anmelden.

Ü6: 1. Wer täglich Sport treibt, der wird von Krankheiten verschont. 2. Wer sich oft müde fühlt, dem ist Sport zu empfehlen. 3. Wem langweilig ist, der sollte Sport treiben. 4. Wen Ballsport interessiert, der hat viele Möglichkeiten, sich sportlich zu betätigen. 5. Für wen Ausdauersport zu anstrengend ist, der sucht sich eine andere Sportart.

Ü7: 1c, 2e, 3f, 4a, 5b, 6d

Ü8: 1. Fußball, 2. Boxen, 3. Schwimmen, 4. Hochsprung, 5. Handball, 6. Bergsteigen, 7. Radsport, 8. Tennis, 9. Hockey, 10. Kegeln, 11. Tischtennis, 12. Gewichtheben, 13. Ringen, 14. Gymnastik, 15. Leichtathletik

Modul 2   Armut ist keine Schande

Ü1a: positiv: der Wohlstand, der Überfluss, das Vermögen; negativ: der Mangel, die Not, das Elend, die Sorgen

Ü2a:

M	I	T	T	E	L	L	O	S					
	S	T	E	I	N	R	E	I	C	H			
	B	E	T	T	E	L	A	R	M				
Z	A	H	L	U	N	G	S	K	R	Ä	F	T	I	G
	B	E	D	Ü	R	F	T	I	G				
	V	E	R	M	Ö	G	E	N	D				
		W	O	H	L	H	A	B	E	N	D		

Ü2b: positiv: steinreich, zahlungskräftig, vermögend, wohlhabend; negativ: mittellos, bettelarm, bedürftig

Ü4: 1. an, 2. zahlen, 3. sondern, 4. bietet, 5. ausgebildet, 6. seiner, 7. niedrigem, 8. für, 9. die, 10. täglich

Modul 3   Ich mach mir die Welt, wie sie mir gefällt

Ü2a: 2. Viele informieren sich über Neuigkeiten aus aller Welt, indem sie das Internet täglich nutzen. 3. Internetnutzer kaufen oft preisgünstig ein, indem sie nach dem billigsten Angebot suchen. 4. Viele Firmen machen das Einkaufen im Internet attraktiv, indem sie Ratenzahlung anbieten. 5. Oft verschulden sich Menschen beim Einkauf im Netz, indem sie zu viel auf Kredit kaufen.

Ü2b: 2. E-Mails werden dadurch immer beliebter, dass sie ohne großen Aufwand verschickt werden können. 3. E-Mails können dadurch lästig werden, dass sie täglich viele Werbebotschaften ins Haus bringen. 4. E-Mails können dadurch gefährlich sein, dass sie manchmal angehängte Computerviren enthalten. 5. Vor solchen Viren kann man sich dadurch schützen, dass man ein Virenschutzprogramm installiert.

Modul 4   Der kleine Unterschied

Ü1a–b: Tabelle links: Verlobter – Verlobte, Held – Heldin, Junggeselle – Junggesellin, Kerl – Weib, Vater – Mutter, Typ – /, Knabe – Mädchen; Tabelle rechts: Dame – Herr, Freundin – Freund, Weib – Kerl, Prinzessin – Prinz, Tochter – Sohn, Gattin – Gatte, Braut – Bräutigam

Ü1c: Lösungsvorschlag: Männer haben manchmal einen Bart. Frauen können Kinder bekommen. Jungen kommen in der Pubertät in den Stimmbruch. Dann bekommen sie eine tiefere Stimme. Eine Primaballerina kann nur eine Frau sein. Männer können Tenöre sein, Frauen nicht. Bikinis werden von Mädchen und Frauen getragen.

Ü2d: Mögliche Lösung: Fest steht, wohl kaum, weniger als je zuvor, ehrlich gesagt, nicht mehr, Wer wollte daran zweifeln, natürlich, Wer möchte eigentlich noch …, das Recht haben, gerade, nicht allzu, müsste es gelingen, ein Gewinn, kein Verlust

Ü2e: 1. b, 2. b, 3. a, 4. b, 5. a

Ü3:

sich etwas klarmachen	über etwas nachdenken, bis man es versteht
alles mitkriegen	jedes Detail hören und sehen
etwas ist völlig legal	etwas ist rechtlich in Ordnung
die Unzulänglichkeit	etwas, worin man nicht so gut ist, wie man sein sollte
etwas aushalten	eine Sache ertragen
jemandem macht etwas nichts/nix aus	eine Person stört etwas nicht
die Panik bekommen	in Angst und Schrecken versetzt werden

Kapitel 5: Wer Wissen schafft, macht Wissenschaft

Wortschatz

Ü1a: waagerecht: 1.Hypothese, 2. Forschung, 3. Labor, 4. Theorie, 5. Universitaet, 6. Methode, 7. Formel, 8. Seminar, 9. Experiment, senkrecht: 10. Phaenomen

Ü2: 1. beobachten, 2. berechnet, 3. erforschen, 4. erkannt, 5. analysiert

Ü3: 1. Wissenschaft betreiben, 2. ein Experiment durchführen/machen, 3. eine Entdeckung machen, 4. eine Methode anwenden/formulieren, 5. eine Theorie aufstellen/formulieren/anwenden, 6. den Nobelpreis erhalten, 7. eine Hypothese aufstellen/formulieren

Ü4a: Wo? Räume: Hörsaal, Bibliothek, Labor; Womit? Instrumente, Geräte: Mikroskop, Reagenzglas, Pipette; Wer? Menschen: Arbeitsgruppe, Assistent/-in, Doktor/-in, Professor/-in, Student/-in; Wie? Verfahren: Versuch, Beobachtung, Umfrage, Studie, Erhebung

Modul 1 · Wissenschaft für Kinder

Ü1a: 1. die Hauptaussage eines Textes nennen, 2. Beispiele nennen, 3. eigene Meinung äußern

Ü2a: 2. Nachdem die finanzielle Unterstützung (von der Stadtverwaltung) zugesagt worden war, wurde das Labor vor einigen Jahren (von der Universität) eröffnet. 3. Die Experimentierkurse des Labors werden von Schulklassen und Kindergärten besucht. 4. Kinder werden dort spielerisch an die Wissenschaft herangeführt. 5. Verschiedene Versuche werden gemeinsam (von den Kindern) durchgeführt. 6. Die Experimente werden (von den Pädagogen) genau angeleitet. 7. So kann das Interesse der Kinder an Naturphänomenen geweckt werden. 8. Das bewährte Konzept ist bereits von vielen anderen Instituten übernommen worden.

Ü2b: Musterlösung: Präsens: Die Experimente werden genau angeleitet. Präteritum: Die Experimente wurden genau angeleitet. Perfekt: Die Experimente sind genau angeleitet worden. Plusquamperfekt: Die Experimente waren genau angeleitet worden.

Ü3: 2. worden, 3. werden, 4. wird, 5. sind

Ü4: Henri Nannen, damaliger Chefredakteur der Zeitschrift „stern", initiierte den Wettbewerb „Jugend forscht" 1965 unter dem Motto „Wir suchen die Forscher von morgen". Der Wettbewerb fördert besondere Leistungen und Begabungen in Naturwissenschaft, Mathematik und Technik. Jugendliche sollen für diese Themen begeistert und darüber hinaus in ihrer beruflichen Orientierung unterstützt werden. Die bundesweiten Aktionen werden von der Geschäftsstelle der Stiftung „Jugend forscht e.V." in Hamburg koordiniert. Das Bundesministerium für Bildung und Forschung trägt die laufenden Kosten der Geschäftsstelle. Außerdem sponsern 250 Partner aus Wirtschaft und Wissenschaft den Wettbewerb. Preise und Gewinne werden von vielen Unternehmen gestiftet. Die Partner stellen auch Räume zur Verfügung. Zudem unterstützen 6.000 ehrenamtliche Lehrer „Jugend forscht". Bei dem jährlich stattfindenden Wettbewerb stellen die Jungforscher die Projekte vor

Lösungen

und eine Jury beurteilt sie. Neben Geld- und Sachpreisen vergeben die beteiligten Unternehmen auch Forschungsaufenthalte und Praktika.

Ü5: 1. Wissenschaftlicher Nachwuchs lässt sich bereits im Kindesalter fördern. 2. Naturwissenschaftliche Probleme sind im Lernlabor leicht nachvollziehbar. 3. Scheinbares Desinteresse lässt sich im Lernlabor schnell in Neugier verwandeln. 4. Auch größere Zusammenhänge sind für Kinder schon begreifbar. 5. Bei manchen Experimenten sind gewisse Sicherheitsvorkehrungen einzuhalten. 6. Es ist zu überlegen, wie Kinder in Schulen und Kindergärten einen besseren Zugang zur Wissenschaft erhalten können.

Modul 2 Wer einmal lügt …

Ü1: a 2., b 1., c 4., d 5. e 3.,

Ü2c: Lösungsvorschlag: <u>positiv:</u> Die Reaktionen auf die Wahrheit sind manchmal so, wie wir sie uns wünschen (Beispiel U-Bahn, Beispiel Absage Party); Freunde zeigen Verständnis, wenn man offen mit ihnen redet (Beispiel Telefonat); Wahrheit bedeutet auch Respekt vor anderen und sich selbst; <u>negativ:</u> Wahrheit kann zu Frustration führen (Beispiel Shopping)

Modul 3 Ist da jemand …?

Ü1a: 1. irgendwem, 2. einem, 3. jemanden, 4. jemandem, 5. einem, 6. einem, 7. irgendeinem/irgendwem/irgendjemandem

Ü2: 2. Irgendwann wird die Natur sehr große Schäden aufweisen. 3. Wir müssen irgendetwas zum Schutz der Natur unternehmen. 4. Eine kaputte Natur wird dem Menschen irgendwann zu schaffen machen. 5. Es wird immer irgendwen geben, der nur an seinen Profit denkt, statt an die Umwelt. 6. Jeder kann irgendetwas verbessern und wir können irgendwo beginnen.

Ü3a: 2. Nein, da ist niemand, den wir kennen. 3. Nein, ich habe noch niemanden angesprochen. 4. Doch, es gibt etwas, was wir im Privatbereich für die Umwelt tun können. 5. Doch, ich kenne jemanden, der ein Experte ist. 6. Doch, wir haben irgendwann Erfolg.

Modul 4 Gute Nacht!

Ü1: 1. ausschlafen, 2. verschlafen, 3. übernachtet, 4. dösen

Ü2: E 1., D 2., F 3., A 4., C 5., B 6.

Ü4: 1. einen Vorschlag machen, 2. einen Gegenvorschlag machen, 3. einem Vorschlag zustimmen, 4. einen Vorschlag ablehnen, 5. zu einer Entscheidung kommen

Kapitel 1

Modul 3 Aufgabe 1

○ Wir hatten mal Besuch von 'nem Freund aus Frankreich – der ist mit dem Flugzeug zu uns gekommen und hat sich dann am Flughafen 'n Taxi genommen. Ja, also da standen ja genug Taxis rum, er ist in eines eingestiegen, hat sich nett mit dem Fahrer unterhalten und dann, als er bei uns angekommen is, is er ausgestiegen, hat dem Fahrer freundlich gedankt und noch mal „Tschüs" gesagt – und dann wollte er zu uns in Haus.

Tja, nur der Taxifahrer, der hatte sein Geld noch nicht bekommen und stand da etwas verwirrt rum … Unserem Freund war das Ganze dann schrecklich peinlich, denn am Flughafen hatte er ein großes Schild am Taxistand gesehen, da stand „Taxi frei" drauf!

Tja, nur schade, dass mit dem Schild das Halteverbot gemeint war – das eben nicht für Taxis gilt.

● Vor zwei Jahren habe ich an einem Schüleraustausch mit Japan teilgenommen. Ich war zwei Wochen zu Gast bei einer sehr lieben und netten Familie – zu der ich auch heute noch Kontakt habe, obwohl ich gleich am Anfang in ein dickes Fettnäpfchen getreten bin.

Am ersten Tag, als ich angekommen bin, hat mir die Familie ihr kleines Haus gezeigt und auch einen wunderschönen kleinen Garten. Ich war total begeistert von diesem Garten, hab gleich die Tür nach draußen aufgerissen und bin durch den Garten gelaufen und hab die ein oder andere Pflanze angefasst.

Irgendwann hab ich dann gemerkt, dass die andern alle noch im Haus standen und mich sehr komisch angeschaut haben … Später hat sich dann rausgestellt, dass dieser Garten nicht zum Rumlaufen gedacht war, sondern zum Ansehen. Und ich, mit meinem Rumrennen und Rumhüpfen, hab natürlich diesen Ort der Ruhe und Entspannung aus japanischer Sicht recht respektlos behandelt …

□ Meine Freundin und ich, wir waren mal in Thailand im Urlaub, am Strand. Ja, und am ersten Tag, als wir es uns gerade gemütlich gemacht hatten, kam ein älterer Mann mit einem Strandtuch und fragte uns – so dachten wir zumindest – ob er sich neben uns legen kann. Wir haben natürlich durch Handzeichen zu verstehen gegeben „Klar, gerne, legen Sie sich ruhig hin!" – und ihn dann nicht weiter beachtet. Aber er sprach uns gleich darauf wieder an und forderte uns auf, doch auf seinem Handtuch Platz zu nehmen. Wir haben natürlich dankend abgelehnt und ihm gesagt, er soll sich doch hinlegen. Aber er hat immer wieder Zeichen gemacht, dass wir uns doch auf sein Handtuch legen sollen. Hm, na ja, wir haben eine ganze Weile freundlich versucht, ihm mit Handzeichen klarzumachen, dass wir uns nicht auf sein Handtuch legen wollen – dass er sich doch hinlegen soll. Wir haben schon gedacht, dass der ein bisschen spinnt und er ist irgendwann sichtlich genervt mit seinem Handtuch weiter gezogen.

Kurze Zeit später haben wir dann gesehen, dass es dort üblich war, den Touristen eine Massage anzubieten! O je, war uns das peinlich, dass wir das nicht kapiert hatten!

■ Ich war mal in der Türkei im Urlaub und bin da nur mit öffentlichen Verkehrsmitteln durchs Land gefahren. Ich hatte vorher ein bisschen Türkisch gelernt, sodass ich ganz einfache Fragen stellen konnte, wie z.B. wohin ein Bus fährt, wo ein Hotel ist und so.

Ich wollte nach Bursa und da hab ich am Busbahnhof einen Busfahrer gefragt, der seinen Bus schon gestartet hatte: „Entschuldigung, fährt der Bus nach Bursa?" Der Fahrer schaute mich an und sagte nix. Ich frag ihn also noch mal „Fährt der Bus nach Bursa?" – und der sagt wieder nix und hebt nur die Augenbrauen. Ich war dann schon langsam ungeduldig und hab ihn dann doch etwas genervt gefragt: „Fährt der Bus jetzt nach Bursa oder nicht???" – und wieder, hebt der nur die Augenbrauen!

Ein anderer Fahrgast aus dem Bus hat dann wohl Mitleid mit mir gehabt und mir dann gesagt, „Nein, der Bus fährt nicht nach Bursa!"

Ich wusste halt nicht, dass „Augenbrauenheben" so viel wie „nein" bedeutet.

Modul 4 Aufgabe 2

Abschnitt 1

○ Deutschland ist ein multikulturelles Land, in dem Menschen verschiedenster Herkunft zusammenleben. Das Statistische Bundesamt hat dazu jetzt neue Zahlen vorgelegt: Die Statistiker zählten insgesamt 15,3 Millionen Menschen mit Migrationshintergrund. Migrationshintergrund heißt, dass mindestens ein Elternteil ausländischer Herkunft ist. Von diesen 15,3 Millionen haben acht Millionen die deutsche Staatsbürgerschaft. Fast 62 Prozent der nach Deutschland Zugewanderten kommen nach den Angaben des Statistischen Bundesamtes aus Europa. Das wichtigste Herkunftsland ist die Türkei mit einem Anteil von 14,2 Prozent aller Zugewanderten, gefolgt von der Russischen Föderation mit 9,4 Prozent, Polen mit 6,9 Prozent und Italien mit 4,2 Prozent Anteil.

Die Statistiken ergaben außerdem, dass viele der in Deutschland lebenden Menschen mit Migrationshintergrund geringer qualifiziert sind: So haben fast zehn Prozent keinen Schulabschluss – bei den Deutschen ohne Migrationshintergrund sind dies nur 1,5 Prozent. 51 Prozent gegenüber 27 Prozent haben keinen Berufsabschluss. Auch die Arbeitslosigkeit liegt in der Gruppe mit Migrationshintergrund mit einem Anteil von 13 Prozent gegenüber 7,5 Prozent deutlich höher.

Abschnitt 2

● Deutschland ist seit jeher ein Land, das stark von Zuwanderung geprägt ist. Integration ist somit für uns heute und in Zukunft von zentraler Bedeutung. Zuwanderinnen und Zuwanderern soll eine gleichberechtigte Teilhabe am gesellschaftlichen, politischen, kulturellen und wirtschaftlichen Leben in Deutschland ermöglicht werden.

Im Mittelpunkt aller Bemühungen zur Integration steht der Gedanke der Chancengleichheit, die Überwindung beziehungsweise Verhinderung sozialer Benachteiligung und Abgrenzung.

Aber wie erreicht man Integration und Chancengleichheit? Diese Frage ist entscheidend für die Entwicklung unserer Gesellschaft. Wir haben uns ein bisschen umgehört, bei Menschen, die sich mit diesem Thema auseinandersetzen.

□ Also, ich arbeite als Grundschullehrerin und ich stehe auf dem Standpunkt, dass die deutsche Sprache der Schlüssel zur Integration ist. Da sollte es wirklich genügend Angebote geben. Besonders Kinder müssen so früh wie möglich gefördert werden. Ich denke, man muss damit schon im Kindergartenalter anfangen, damit es dann beim Schuleintritt keine

Sprachprobleme gibt. Und bei älteren Zuwanderern sollte der Sprachunterricht noch stärker berufsbezogen sein.

■ Hm ... ich finde, es muss mehr Möglichkeiten geben, sich gegenseitig kennenzulernen, sich zu treffen. Also, wichtig sind Begegnungsstätten und Kulturfeste, wo Deutsche und Ausländer in Kontakt kommen, wo man mehr über die Kultur des anderen erfährt. Ich selbst wohne in einem sogenannten Problemviertel. Da haben wir wirklich die Erfahrung gemacht, dass sich viele Konflikte entschärfen, wenn man sich ein bisschen besser kennt.

△ Hm, meine Eltern, die kommen aus Albanien und ich bin hier in Deutschland aufgewachsen, also quasi zwischen zwei Kulturen. Ich kenne viele junge Leute, die sich zwischen den Kulturen zerrissen fühlen. Sie wissen nicht, wohin sie gehören und sie fühlen sich nicht anerkannt, obwohl sie in Deutschland geboren und aufgewachsen sind. Meiner Meinung nach ist es wichtig, dass der Staat und die Gesellschaft ihnen zeigen, dass sie hier zu Hause und hier willkommen sind, eben dass sie ein Teil Deutschlands sind. Dabei darf man aber von den Menschen natürlich auch nicht erwarten, dass sie ihre eigene Kultur aufgeben.

▲ Nun, ich arbeite bei einer Nachbarschaftshilfe und kann nur sagen: Integration ist Annäherung von beiden Seiten. Ich bin der Ansicht, dass Toleranz dabei ein wichtiges Schlüsselwort ist. Und das gilt für alle Seiten. Wir müssen lernen, die Stärken der anderen anzuerkennen und das, was uns vielleicht nicht so gut gefällt, zu tolerieren.

◇ Ich bin der Auffassung, dass Beratungsstellen in den Stadtteilen sehr wichtig sind. In den Jugendzentren muss es unbedingt mehr Sozialarbeiter geben, die sich speziell mit Jugendlichen mit Migrationshintergrund befassen und sie unterstützen. Ich bin selber Sozialarbeiterin in einem Jugendtreff. Da merkt man ziemlich oft, wie wichtig es ist, dass diese Jugendlichen einen Ansprechpartner haben.

◆ Tja, also ich bin Lehrer an einer Berufsschule und meine, dass die jungen Leute unbedingt mehr Unterstützung brauchen, besonders bei der Suche nach einem Ausbildungsplatz. Sie sollten auch besser darauf vorbereitet werden, was sie bei einer Ausbildung erwartet und was sie selbst für Voraussetzungen brauchen. Wer Arbeit hat, der nimmt auch mehr am gesellschaftlichen Leben teil und ist nicht so schnell frustriert. Davon bin ich überzeugt.

Abschnitt 3

● Die Landesregierung von Nordrhein-Westfalen setzt genau da an. Ein Pilot-Projekt soll Migrantenkinder fördern und ihnen den Start in das Berufsleben erleichtern. Bei Erfolg wird dieses Projekt auf das ganze Land ausgeweitet. Das Projekt „14plus" soll zunächst an drei Schulen in Ahlen und Münster gestartet werden. Die Schüler im Alter ab 14 Jahren nehmen an Bewerbungstrainings teil und absolvieren Berufspraktika. Sie durchlaufen Eignungsanalysen und erhalten zudem eine individuelle Berufs- und Talentberatung. Es gibt außerdem Angebote zu politischer Bildung und Gesellschaftslehre. Ziel ist, den Übergang von der Schule in eine Ausbildung und damit die beruflichen Chancen junger Migranten zu verbessern und somit die soziale Ausgrenzung zu verhindern. Das Projekt wird zunächst mit 400.000 Euro gefördert und so können auch mehr Sozialarbeiter an den Schulen zum Einsatz kommen.

Wenn auch Sie von einem interessanten Integrationsprojekt gehört haben oder mit anderen über dieses aktuelle Thema diskutieren wollen, schreiben Sie in unserem Forum unter www.

Kapitel 2

Auftaktseiten Aufgabe 1 F

A: Martinshorn

B: „Hmmmm"

C: Knurrend-kläffender Hund

D: Jemand weint.

E: Ein Glas zerbricht.

F: Glückliches Babyquietschen

G: Schimpfen

H: Feuersirene

I: Ansteckendes Lachen

J: „Aua!!"

K: Regenschauer

L: Etwas brutzelt in der Pfanne.

Modul 1 Aufgabe 2

○ Woran liegt es, dass uns manche Menschen sympathisch sind, andere dagegen nicht? Der Grund dafür kann nicht nur sein, was sie sagen, sondern wie sie es sagen, und mit welchen Signalen sie ihre Aussagen unterstreichen oder ihnen widersprechen. Je eindeutiger diese Signale sind, desto besser verstehen wir sie. Körpersprache ist ein wesentlicher Aspekt zwischenmenschlicher Verständigung, ohne dabei verbale Ausdrucksmittel zu benutzen. Wir achten instinktiv viel mehr auf die Sprache des Körpers, als wir meinen. Sie äußert sich zum Beispiel in Körperbewegungen, Haltungen, Gesten und Mimik. Einige Experten zählen auch den Tonfall zur Körpersprache. Durch die genannten Ausdrucksformen „verraten" Menschen gewissermaßen ihre Emotionen. Denn unser Körper kann nicht lügen.

Experten sind der Meinung, dass sich die Körpersprache viel schlechter unter Kontrolle halten lässt als die Zunge. Selbst wenn jemand versucht, seinen Gesprächspartner bewusst durch Körpersignale zu täuschen, kann er das nicht lange durchhalten. Je länger ein Gespräch dauert, umso klarer wird das Ausdrucksmuster von Körpersignalen und wir können leichter erkennen, wie sich der andere fühlt. Diese Botschaften der Körpersprache nehmen wir so schnell wahr, wie wir gesprochene Sprache aufnehmen.

In diesem Zusammenhang entsteht die Frage, ob Körpersprache angeboren ist. Diese kann weder bejaht noch verneint werden. Körpersprache ist nämlich die Verbindung von beidem: genetisch vorgegebene Verhaltensmuster werden mit kulturell bedingten, erlernten, Verhaltensmustern erweitert. So benutzen fast alle Erdbewohner die gleiche Mimik. Das Anheben der Mundwinkel und das Freilegen der Zähne bedeutet überall: Ich lächle und bin ein friedlicher Mensch. Dieser Gesichtsausdruck ist ein Erbe der Evolution, denn ursprünglich haben die Affen so ausgedrückt, dass sie anderen Artgenossen friedlich gegenüberstehen. Deshalb versteht auch jedes Baby ein Lächeln als etwas Positives – obwohl es noch gar keine Sprache beherrscht. Hängende Mundwinkel versteht übrigens ebenso jeder Mensch: Sie drücken Trauer aus. Unsere Mimik transportiert also Signale, die Emotionen ausdrücken, und diese werden in sämtlichen Kulturen sehr ähnlich gezeigt.

Bei den Gesten sieht es da schon etwas anders aus, denn sie sind sehr viel kulturspezifischer: Kopfschütteln oder -nicken drücken aus diesem Grund nicht immer dasselbe aus wie bei uns. Ein Hochwerfen des Kopfes bedeutet in Griechenland und Bulgarien zum Beispiel ein Nein, wirkt auf uns aber wie ein Nicken. Körpersignale aus anderen Kulturen bedeuten also oft etwas anderes, als man denkt.

Als Antwort auf die Frage, ob Körpersprache angeboren ist, soll abschließend Prof. Samy Molcho, Experte für Körpersprache, zitiert werden: „Den größeren Teil der Mimik, Gebärden und Gesten, mit denen wir uns gegenüber anderen ausdrücken, haben wir uns durch Nachahmung oder Erziehung angewöhnt. Sie dienen dazu, unsere Gefühle darzustellen und sind, bei aller Subjektivität und Individualität, ein allgemein verbindlicher Code."

Modul 3 Aufgabe 2a

Gesprächseröffnung Herr Fritscher

Variante 1

○ Sagenhafter Andrang hier. Tja, bei den Entertainerqualitäten von Herrn Förster wundert mich das nicht.

● Na ja, in zwei Stunden haben Sie es ja hinter sich.

○ Ach, hoffentlich quält er uns nicht wieder mit seinen überkomplexen Powerpoint-Grafiken. Oder wie er sie zu nennen pflegt: „Charts!" Tj., Charts, da denke ich immer an die Hitparade!

Variante 2

○ Ich bitte vielmals um Entschuldigung, aber diese Erkältung ... Darf ich Ihnen ein Bonbon anbieten? Extrastark.

● Danke, nein. Ich bin nicht erkältet.

○ Auch nicht zur Vorbeugung?

● Nee, ich glaub, die sind mir bestimmt viel zu scharf.

○ Na das stimmt, scharf sind sie. Aber die milden wirken ja nicht. Da können Sie gleich Himbeerbonbons nehmen.

● Na, wenn Sie da ein paar haben, sag ich nicht Nein.

Gesprächseröffnung Frau Gümbel

Variante 1

● Oh Mann, hoffentlich halte ich das durch heute.

□ Den Vortrag? Na, so schlimm wird es schon nicht werden.

● Ich hab aber so einen Brummschädel. Gestern hat ein Bekannter seinen 40. gefeiert. Tja, ich hätte mal nicht so viel von dem Tequila trinken sollen. Aber wir waren so eine lustige Runde, ah da kann das schon mal passieren.

□ Ich glaube, das ist nur eine Frage der Selbstdisziplin.

Variante 2

● Na, jetzt sind wir ja immerhin schon zu dritt.

○ Ach, machen Sie sich da mal keine Sorgen. Das wird noch richtig voll hier.

□ Ich glaub auch. Die meisten kommen doch erst kurz bevor's losgeht. Und dann prügeln sie sich wieder um die Plätze.

● Da haben wir ja richtig Glück. Ich prügle mich nämlich sehr ungern.

Gesprächseröffnung Herr Trautmann

Variante 1

□ Haben Sie gestern das Pokal-Endspiel gesehen? Das war doch der Hammer, oder? Also, wenn Sie mich fragen: Der

Schiedsrichter war gekauft! Der Elfmeter war doch eine Schwalbe!

● Entschuldigen Sie, aber ich interessiere mich nicht für Fußball.

□ Und was ist mit Ihnen?

Variante 2

□ Sind Sie heute auch mit dem Auto gekommen? So schlimm war es ja noch nie mit den Parkplätzen. Wissen Sie, wo ich geparkt hab? In der Mollenbachstraße.

● Sie Ärmster! Ich bin Gott sei Dank zu Fuß gekommen. Ich wohne nämlich hier ganz in der Nähe, nur 10 Minuten Fußweg.

□ Mm, da sind Sie zu beneiden. Dann können Sie ja in der Mittagspause schnell mal nach Hause gehen.

Modul 3 Aufgabe 2c

Gesprächseröffnung Herr Fritscher

Variante 1 und Bewertung

○ Sagenhafter Andrang hier. Tja, bei den Entertainerqualitäten von Herrn Förster wundert mich das nicht.

● Na ja, in zwei Stunden haben Sie es ja hinter sich.

○ Ach, hoffentlich quält er uns nicht wieder mit seinen überkomplexen Powerpoint-Grafiken. Oder wie er sie zu nennen pflegt: „Charts!" Tj, Charts, da denke ich immer an die Hitparade!

■ Ganz schön sarkastisch der Herr Fritscher. Damit will er zeigen, ich habe Humor. Aber er weiß gar nicht, wie die andern über Herrn Förster denken, über dessen „Entertainerqualitäten" er sich da lustig macht. Und selbst wenn die andern Herrn Förster auch für einen Langweiler halten, sind solche Bemerkungen fehl am Platz. Denn der erste Eindruck, den die andern von Herrn Fritscher bekommen, ist, das ist einer, der sich gerne über andere lustig macht. Also Sarkasmus ist kein guter Einstieg für einen Smalltalk.

Variante 2 und Bewertung

○ Ich bitte vielmals um Entschuldigung, aber diese Erkältung ... Darf ich Ihnen ein Bonbon anbieten? Extrastark.

● Danke, nein. Ich bin nicht erkältet.

○ Auch nicht zur Vorbeugung?

● Nee, ich glaub, die sind mir bestimmt viel zu scharf.

○ Na das stimmt, scharf sind sie. Aber die milden wirken ja nicht. Da können Sie gleich Himbeerbonbons nehmen.

● Na, wenn Sie da ein paar haben, sag ich nicht Nein.

■ Husten ist eigentlich kein angenehmes Thema für den Einstieg, zumal nur Herr Fritscher davon betroffen ist. Trotzdem ist der Start gelungen, denn jeder kann hier eigene Erfahrungen beisteuern. Und dadurch, dass Herr Fritscher den andern die Hustenbonbons anbietet, gibt er dem Thema eine angenehme Wendung: Er zeigt sich hier einfach mal als netter, freigiebiger Zeitgenosse. So kommt man bestens in einen Smalltalk hinein.

Gesprächseröffnung Frau Gümbel

Variante 1 und Bewertung

● Oh Mann, hoffentlich halte ich das durch heute.

□ Den Vortrag? Na, so schlimm wird es schon nicht werden.

Transkript

● Ich habe aber so einen Brummschädel. Gestern hat ein Bekannter seinen 40. gefeiert. Tja, ich hätte mal nicht so viel von dem Tequila trinken sollen. Aber wir waren so eine lustige Runde, ah da kann das schon mal passieren.

□ Ich glaube, das ist nur eine Frage der Selbstdisziplin.

■ Frau Gümbel versucht auf die kumpelhafte Art zu punkten. Auch keine gute Idee, denn die beiden Herren sind nicht ihre Kumpel, sondern Arbeitskollegen, die sie noch nicht kennen. Und das Erste, was sie über Frau Gümbel erfahren, das ist: Sie trinkt gerne einen über den Durst und findet das auch noch amüsant.

Variante 2 und Bewertung

● Na, jetzt sind wir ja immerhin schon zu dritt.

○ Ach, machen Sie sich da mal keine Sorgen. Das wird noch richtig voll hier.

□ Ich glaube auch. Die meisten kommen doch erst kurz bevor es losgeht. Und dann prügeln sie sich wieder um die Plätze.

● Da haben wir ja richtig Glück. Ich prügle mich nämlich sehr ungern.

■ Na also, jetzt macht es Frau Gümbel richtig. Sie hält sich an das naheliegende und stellt einfach nur fest, was ohnehin jeder weiß: Wir sind zu dritt. An der Reaktion der andern kann sie ablesen, wie ihre Gesprächspartner einzuschätzen sind: Hier sind die Herren ja recht locker drauf, da kann Frau Gümbel schon mal eine scherzhafte Bemerkung riskieren. Hätten die beiden anders reagiert, dann wäre der Scherz vielleicht nicht am Platz gewesen.

Gesprächseröffnung Herr Trautmann

Variante 1 und Bewertung

□ Haben Sie gestern das Pokal-Endspiel gesehen? Das war doch der Hammer, oder? Also, wenn Sie mich fragen: Der Schiedsrichter war gekauft! Der Elfmeter war doch eine Schwalbe!

● Entschuldigen Sie, aber ich interessiere mich nicht für Fußball.

□ Und was ist mit Ihnen?

■ Fußball ist für Smalltalk eigentlich ein ganz gutes Thema, aber so geht es natürlich nicht. Herr Trautmann fällt mit seinem Pokalendspiel über die anderen regelrecht her, ohne zu wissen, ob sie das Thema interessiert, und das scheint ihm auch ziemlich egal zu sein. So steigt man natürlich auch nicht in einen Smalltalk ein, es sei denn, man will für einen borniertem Fußballfan gehalten werden.

Variante 2 und Bewertung

□ Sind Sie heute auch mit dem Auto gekommen? So schlimm war es ja noch nie mit den Parkplätzen. Wissen Sie, wo ich geparkt hab? In der Mollenbachstraße.

● Sie Ärmster! Ich bin Gott sei Dank zu Fuß gekommen. Ich wohne nämlich hier ganz in der Nähe, nur 10 Minuten Fußweg.

□ Mm, da sind Sie zu beneiden. Dann können Sie ja in der Mittagspause schnell mal nach Hause gehen.

■ Ein guter Einstieg von Herrn Trautmann. Denn es kann jeder etwas dazu sagen, wie er heute zur Arbeit gekommen ist, ob mit dem Auto, zu Fuß oder mit dem Bus. Das ist ein Thema, das alle betrifft und das leicht genug ist für einen Smalltalk. Und schon ist man im Gespräch.

Modul 4 Aufgabe 2

○ Kritik – das ist heute unser Thema. Jeder teilt sie aus, jeder muss sie einstecken. Kritik gehört zum Leben. Je nach Beruf gibt es aber sehr unterschiedliche Formen von Kritik. Wir haben uns umgehört und Menschen in drei Berufen befragt, wie sie mit Kritik im Beruf umgehen.

Hören Sie selbst, was Tanja Block berichtet. Sie ist Gepäckermittlerin bei einer deutschen Fluggesellschaft:

● Wenn die Koffer am Flughafen nicht auf dem Gepäckband sind, rasten einzelne Kunden schon mal aus. „Sie haben meinen Koffer verloren. Was für eine Schlamperei!", wurde ich schon angebrüllt. Da hat man dann schnell einen Stein im Magen: Wir Gepäckermittler müssen für einen Fehler gerade stehen, den andere beim Verladen der Koffer verursacht haben.

○ Und dann?

● Persönlich darf man diese Beschimpfungen nicht nehmen. Am Anfang lasse ich die Leute laut schimpfen und hör einfach nur zu. Wenn sie fertig sind, sag ich ihnen, dass ich sie verstehe und dass ich gerne behilflich sein möchte. Im Normalfall sind die Koffer in ein paar Stunden wieder da. Wenn Gepäckstücke aber länger auf sich warten lassen, melden sich die Kunden bei uns in der Telefonzentrale.

○ Gibt es auch besondere Fälle?

● Bei cholerischen Menschen hilft auch manchmal eine Verbindung mit meinem Chef. Der sagt zwar nichts anderes, aber bei Personen mit einer höheren Position sind die Menschen dann viel kooperativer. Verrückt, oder?

○ Ganz anders dagegen dürfte es im Leben von Walter Volkmann aussehen, denn sein Job ist es, seine kritische Meinung zu sagen. Er ist Literaturkritiker:

□ Ich freue mich, wenn ich einem guten Buch zu vielen Lesern verhelfen kann – und ich traue mir eine gute Urteilskraft bei meinen Kritiken zu. Rezensionen dürfen nicht langweilig sein, sie müssen leidenschaftlich geschrieben sein und sie müssen eine klare Bewertung beinhalten.

○ Haben Sie denn gar kein Mitleid?

□ An den Autor als Menschen und seine Mühen und Anstrengungen darf ich dabei nicht denken. Erst kürzlich wurde mein eigenes Buch veröffentlicht und da wurde mir klar, wie sehr manche Arten von Kritik einen verletzen können.

○ Zum Beispiel?

□ Es gibt Kritiker, die ihre individuellen Kriege führen, ihren persönlichen Vorbehalten folgen oder noch nicht einmal das ganze Buch gelesen haben. Das ist ärgerlich und wenig professionell. Aber auch, wenn ich die anderen Autoren heute besser verstehe: Ich muss weiter einen Verriss schreiben können und da kann ich keine Rücksicht nehmen – ganz im Sinne meiner Leser.

○ Unser drittes Statement kommt von einer jungen Lehrerin, Simone Ritterbusch, die täglich mit Jugendlichen zu tun hat:

■ Am Anfang war es nicht gerade leicht, meine Rolle als Lehrerin zu erfüllen. Damals war ich ja zum Teil jünger als einige meiner Schüler hier an der Berufsschule. Und denen habe ich dann auf einmal gesagt: Das war okay – aber das musst du anders machen. Erstaunlich finde ich, dass Schüler viel Kritik ertragen können.

○ Und wie reagieren die Schüler?

■ Sie reagieren sehr ruhig darauf. Es kommt selten vor, dass sie selbst Kritik am Unterricht üben. Wahrscheinlich, weil sie Angst haben, dann eine schlechte Note zu bekommen. Nur mit Fragebögen schaffe ich es, sie dazu zu bringen, mir ihre Verbesserungsvorschläge zu nennen.

○ Und wie kritisieren Sie?

■ Ich selbst versuche, meinen Schülern mit Respekt zu begegnen, wenn ich sie kritisiere. Ich finde es furchtbar, wenn man jemanden vor der gesamten Gruppe blamiert. Darin war mein alter Biolehrer ein Meister! Neulich erst haben mir meine Schüler einen meiner Kollegen zitiert. Er sagte: „Was wollt ihr denn Nachrichtensendungen ansehen, die könnt ihr doch gar nicht verstehen, da werden schließlich mehr als zwei Sätze zu einem Thema gesagt." Was soll man da noch sagen? Wir Lehrer können den Schülern jedenfalls viel Selbstvertrauen nehmen.

○ Und wie sieht ihr beruflicher Alltag aus? Stecken Sie Kritik ein oder teilen Sie eher aus? Rufen Sie uns an und berichten Sie selbst.

Modul 4 Aufgabe 4a

Dialog 1

○ Guten Morgen Herr Büchner.

● Guten Morgen.

○ Ich habe Ihr Protokoll bekommen. Können wir kurz darüber sprechen?

● Ja, sicher.

○ Gut, ich hätte da noch gerne einige Änderungen. Das Protokoll ist einfach zu lang. Ich habe schon einmal gestrichen, was nicht so wichtig ist.

● Ah ja. Tut mir leid, ich wusste nicht, dass Sie nur die Ergebnisse haben wollten.

○ In unserer Abteilung machen wir immer ein Ergebnisprotokoll, weil keiner viel Zeit zum Lesen hat.

● Ja gut, verstehe.

○ Und noch eins. Bitte achten Sie auf die Rechtschreibung. Im Protokoll sind einige Fehler. Und zwei Namen waren auch nicht korrekt.

● Oh, das ist mir aber peinlich. Das kommt nicht wieder vor.

○ Okay, dann erwarte ich das korrigierte Protokoll bis heute Mittag.

● Ja, sicher. Kein Problem.

Dialog 2

○ Hallo Marika.

● Ach, kommst du auch noch?

○ Wie? Es ist doch genau vier.

● Vier? Wir waren um halb vier verabredet.

○ Aber, wir ...

● Nix aber. Es ist immer das Gleiche. Immer muss ich warten. Weißt du, wie ich das finde?

○ Ich weiß ja, aber ...

● Saublöd find ich das. Keine Verabredung hältst du ein ...

○ Marika, jetzt halt mal die Luft an ...

● Wie bitte?

○ Ja, ich bin manchmal unpünktlich ...

● Das kann man wohl laut sagen ...

○ Aber ich komme auch oft pünktlich.

● Ha, da lachen ja die Hühner.

○ Weißt du was? Das blödeste Huhn bist du. Ich gehe.

● Also, das ist ...

○ Ich schicke dir dann die Mail, in der wir uns um vier verabredet haben.

● Ja prima, mach das!

Dialog 3

○ Nein, es gibt nicht noch mehr Taschengeld. Und Schluss.

● Ja, aber die anderen ...

○ Was interessieren mich die anderen?

□ Hey, geht's schon wieder ums Geld?

○ Ja klar, jeden Monat das Gleiche.

● Aber stimmt doch. Die anderen können sich sogar Klamotten von ihrem Taschengeld kaufen.

□ Naja, aber die bezahlen wir ja auch.

● Aber ich kann nicht alleine entscheiden, wenn ich was kaufen will.

○ Das ist auch besser so ...

□ Na, na ... Vorschlag: Wir vereinbaren für die nächsten sechs Monate einen festen Betrag für Kleidung, z.B. 180 Euro.

● Das ist viel zu wenig!

□ Warte doch mal ... dann bekommst du jeden Monat 30 Euro extra auf dein Konto. Wenn du dann Klamotten kaufen willst, nimmst du das Geld von dem Konto. Wenn nicht, dann sparst du das Geld.

● Ich weiß nicht. Mal sehen ...

○ Also, ich weiß auch nicht, ob das so eine gute Idee ist.

□ Hast du 'ne bessere? ... Wir können ja später noch mal drüber reden.

● Na gut ...

Dialog 4

○ Frau Rabe?

● Ja, was gibt's denn schon wieder?

○ Die Kalkulation ist von Ihnen, oder?

● Ja und?

○ Das hätte ich mir ja denken können bei so vielen Fehlern.

● Also, das ist ja wohl ...

○ Versuchen Sie es mal mit einem Taschenrechner.

● Was? Das ist ja eine Frechheit!

○ Frech ist diese Kalkulation. Bitte noch einmal. Und zwar sofort. Das kann nicht warten.

Kapitel 3

Modul 1 Aufgabe 2

○ Eine Arbeit zu haben, bedeutet, seinen Lebensunterhalt sichern zu können. Das ist in Zeiten hoher Arbeitslosigkeit natürlich nicht immer einfach. Auf der anderen Seite gibt es heute auch mehr Möglichkeiten, eine Arbeit zu finden als früher. Wir haben nachgefragt, was die Leute denn so gemacht haben, um einen Job zu finden.

Transkript

● Hhm, tja, also mich haben eigentlich Computer und alles, was damit zusammenhängt, schon immer interessiert. Deshalb arbeite ich auch in diesem Bereich. Meine alte Firma wurde leider vor einem Jahr aufgekauft und meine Stelle wurde dann ziemlich schnell wegrationalisiert. Ich bin dann gleich zur Agentur für Arbeit gegangen. Dort hab ich mich regelmäßig über Stellenangebote informiert und auch mit einem Berufsberater über mögliche Weiterbildungsmaßnahmen gesprochen. Na ja, und so hab ich zum Glück dann relativ schnell eine neue Stelle gefunden.

□ Meine Ausbildung als Bürokauffrau habe ich in einem Import-Export-Betrieb gemacht und die haben mich danach auch direkt übernommen. Ich mag meinen Beruf echt gerne, aber nach ein paar Jahren fand ich es dort zu langweilig, also irgendwie zu eintönig. Ich hab angefangen, regelmäßig die Stellenanzeigen in der Zeitung zu lesen und ab und zu waren wirklich interessante Angebote dabei. Bei der dritten Bewerbung hat's dann auch gleich geklappt. Ich arbeite jetzt bei einem kleinen privaten Fernsehsender und bin da total glücklich. Jetzt habe ich nicht nur nette Kollegen, sondern auch abwechslungsreichere Aufgaben als vorher.

■ Nun, ich habe lange in einem kleinen Architekturbüro gearbeitet, das aber leider wegen schlechter Auftragslage vor drei Jahren schließen musste. Danach war ich dann eine Weile arbeitslos und hab viele Bewerbungen geschrieben. Aber irgendwie hat nichts geklappt, weder über die Stellenanzeigen in der Zeitung noch über die Agentur für Arbeit. Je mehr Absagen ich bekam, desto frustrierter wurde ich natürlich. Deshalb bin ich dann zu einer Agentur für Zeitarbeit gegangen, und die haben mich gleich direkt für ein halbes Jahr in eine Firma vermittelt, die dringend kurzzeitig einen weiteren Bauzeichner suchten. Danach hatte ich noch mehrere kürzere Einsätze und dann hatte ich ein Riesenglück: Ein Ingenieurbüro hat mich nach dem Ende des Zeitvertrags fest angestellt!

○ Zeitung, Agentur für Arbeit oder auch Zeitarbeit, das sind die üblichen Wege, die die meisten Menschen gehen, die einen Job suchen. Aber wenn es so nicht klappt? Es gibt auch noch andere Möglichkeiten. Hören Sie selbst:

△ Hhm, na ja, ich hab vier Jahre Grafik an der FH studiert und schon während des Studiums drei Praktika gemacht. Und nach dem Studium ging das grade so weiter. Also, der Ausdruck „Generation Praktikum" ist schon berechtigt. Und manchmal ist es echt hart. Während die anderen für die gleiche Arbeit gutes Geld verdienen, geht man als Praktikant meist ohne einen Cent nach Hause. Aber was bleibt einem anderes übrig? Entweder man kämpft sich durch diese Praktikumszeit oder man findet wahrscheinlich nie eine Stelle. Tja, und es hat dann tatsächlich doch geklappt. Mein letztes Praktikum habe ich bei einer Zeitschrift gemacht und die haben mir dann endlich einen Vertrag angeboten.

▲ Tja, also, während der Vorlesungszeit schaff ich es einfach nicht, auch noch nebenher zu arbeiten, deshalb jobbe ich immer in den Semesterferien. Es gibt hier bei uns an der Uni eine Studentenjobvermittlung, die haben eigentlich immer ganz gute Angebote. In den letzten Ferien hab ich in einem Reisebüro ausgeholfen und davor in einem Möbelgeschäft. Diesen Sommer mache ich allerdings ein Praktikum in der Marketingabteilung eines Verlags. Da verdiene ich zwar nichts, aber ich sammle wichtige Berufserfahrung. Gefunden habe ich das Praktikum über eine Praktikumsbörse im Internet.

◇ Ich hab schon immer gern gekocht und hab dann nach der Schule eine Lehre als Koch gemacht. Leider war ziemlich schnell klar, dass der Betrieb, äh, mich nicht übernehmen kann. Dann hat mir 'n Freund erzählt, dass er gehört hat, dass in der Kantine seiner Firma 'n Koch gesucht wird. Na, und dann hab ich gleich dort angerufen und prompt die Stelle bekommen, noch bevor sie offiziell, ähm, ausgeschrieben wurde. Das war echt super! Mir gefällt die Arbeit dort gut, aber in 'n paar Jahren möchte ich schon gerne in 'nem richtig schönen Restaurant arbeiten.

◆ Hhm, das war so: Ich war schon während meines Studiums ziemlich aktiv in einem großen Online-Netzwerk und hab da unheimlich viele Kontakte geknüpft. Einerseits bleiben diese Kontakte oft oberflächlich, andererseits kann man auch wirklich wichtige berufliche Kontakte herstellen. Das war nach meinem Abschluss Gold wert, denn tatsächlich habe ich über diese Kontakte meine erste Stelle in einer großen Rechtsanwaltskanzlei bekommen.

○ Also, ich hab jahrelang in einer Schneiderei gearbeitet. Seit ich denken kann, habe ich aber davon geträumt, mich selbstständig zu machen. Na ja, und jetzt besitze ich einen Laden für Kinderkleidung. Meine Produkte kann man aber auch über das Internet bestellen.

Ja, was kann ich noch sagen. Ähm, also die Selbstständigkeit ist zwar nicht immer einfach, aber ich bin sehr froh, dass ich es gewagt habe. Meine Tätigkeiten sind jetzt vielfältiger. Ich muss mich sowohl um Design und Produktion als auch um Finanzierung und Werbung kümmern. Das ist manchmal schon sehr anstrengend, aber jetzt bin ich mein eigener Chef.

○ Wie haben Sie Ihren Job gefunden, liebe Hörerinnen und Hörer? Mit welcher der gehörten Möglichkeiten haben Sie die besten Erfahrungen gemacht? Sind Sie einen ungewöhnlichen Weg gegangen? Rufen Sie uns an. Unter 040-334455

Modul 1 Aufgabe 4a

1 Jetzt habe ich nicht nur nette Kollegen, sondern auch abwechslungsreichere Aufgaben als vorher.

2 Aber irgendwie hat nichts geklappt, weder über die Stellenanzeigen in der Zeitung noch über die Agentur für Arbeit.

3 Je mehr Absagen ich bekam, desto frustrierter wurde ich natürlich.

4 Entweder man kämpft sich durch diese Praktikumszeit oder man findet wahrscheinlich nie eine Stelle. Tja, und es hat dann tatsächlich doch geklappt.

5 Da verdiene ich zwar nichts, aber ich sammle wichtige Berufserfahrung.

6 Einerseits bleiben diese Kontakte oft oberflächlich, andererseits kann man auch wirklich wichtige berufliche Kontakte herstellen.

7 Ich muss mich sowohl um Design und Produktion als auch um Finanzierung und Werbung kümmern.

Modul 3 Aufgabe 2

Ja, Hallo, hier ist Monika, grüß dich. Du, ich ruf an, wegen dem dreitägigen Meeting nächste Woche, da hab ich jetzt das Programm von dir bekommen. Super, vielen Dank dafür. Ich hab da noch ein paar Anmerkungen dazu. Ich bin jetzt grad im Zug unterwegs und würd dir die Änderungen gern telefonisch durchgeben, um das Ganze vom Tisch zu haben. Ich hoffe, das ist für dich in Ordnung. Also, ich fange einfach mal der Reihe nach an:

Also, beim ersten Tag und ersten Programmpunkt, da ist ein Tippfehler bei der Telefonnummer von Peter Berghammer, die Vorwahl ist falsch, die muss 0179 lauten.

Dann, beim Mittagessen, da sollten wir bei der Restaurantadresse unbedingt dazuschreiben, dass das Restaurant gegenüber der Firma ist – sonst rufen die am Ende alle noch an und fragen, wie man da hinkommt … Und ich frag mich, ob wir nicht vielleicht auch die Telefonnummer vom Restaurant unter Ansprechpartner notieren sollten. Hm, mach das, wie du es für richtig hältst.

Am Nachmittag finde ich das Programm zu lang, bis 19 Uhr, das geht auf keinen Fall. Die sind ja zum Teil von weit her angereist. Also, anstatt die Armen bis 19 Uhr einzuplanen, würde ich schon um 18 Uhr Schluss machen. Dann haben sie auch noch ein bisschen Zeit für sich.

Sollen wir nicht noch den Thomas als Ansprechpartner für die Einschreibung in die Gruppen angeben? Obwohl, ich glaube, wir wollten das absichtlich nicht machen, um zu vermeiden, dass alle jetzt schon bei ihm anrufen … oder? Und sag mal, wo machst du eigentlich mit? Magst du dich auch zum Hochseilpark anmelden? Ich hätte da total Lust drauf.

Gut …, am Abend dann um 19:30 stimmt der Treffpunkt nicht, wir sollten uns auf dem Firmenparkplatz treffen, denn da steht ja dann auch der Bus. Kannst du das bitte auch noch ändern?

Und beim Programm vom Freitag fehlt noch die Kontaktperson für Gruppe B. Das ist Frau Hilde Koeker mit „K" also: K – o – e – k – e – r

So, das war's. Ich hoffe, du blickst durch bei den ganzen Korrekturen und schaffst es, alles einzutragen, ohne zu verzweifeln … Ruf mich einfach an, wenn noch irgendwas unklar ist, ansonsten kann das Programm dann von mir aus raus.

Danke dir!

Modul 4 Aufgabe 5a

○ Ja, dann erzählen Sie mir doch mal etwas über sich, schießen Sie los!"

● Mit dieser saloppen Aufforderung haben schon viele Personalchefs so manchen Bewerber ins Schleudern gebracht. Womit sollen sie beginnen? Was weglassen? Kurz: Woher sollen sie wissen, was den Interviewer interessiert?

Hören wir, wie „ausführlich" Markus Westermaier auf diese Aufforderung geantwortet hat.

○ Ich habe mir Ihre Bewerbungsunterlagen sehr genau angesehen und ich muss sagen, das hat mir alles ganz gut gefallen.

Ja, dann erzählen Sie mir doch mal etwas über sich, schießen Sie los!

□ Ja, womit soll ich denn anfangen?

○ Das liegt ganz bei Ihnen, Sie haben jetzt das Sagen.

□ Ja, also, hm, ich bin 28 Jahre alt und in einem kleinen Dorf in der Nähe von Rosenheim geboren. Mein Vater hat einen kleinen Malerbetrieb im Ort und wollte eigentlich, dass ich das Geschäft später mal übernehme. Aber das hat mich nie interessiert. Ich wollte schon immer raus aus diesem kleinen Nest.

Ähm, ja, …, wie Sie ja in meinem Lebenslauf sehen können, habe ich dann in Regensburg an der FH Architektur studiert,

das hat mir viel Spaß gemacht. Auch weil ich während des Studiums ein Zimmer in Regensburg gefunden habe und endlich meine eigenen vier Wände in einer richtigen Stadt hatte!

Also …, ja, und während meines Studiums habe ich dann auch viele Praktika gemacht, das wissen Sie ja auch bereits aus meinen Unterlagen. Besonders das Praktikum bei der Firma Lobmeyer war für mich interessant. Ich konnte dort sehr viel von dem, was ich im Studium gelernt hatte, in der Praxis anwenden. Ein bisschen schade war bei diesem Praktikum allerdings, dass mein damaliger Chef immer sehr skeptisch war, wenn ich irgendwelche Vorschläge gemacht habe. Ich hatte den Eindruck, dass er mir nichts zutraute, und das, was ich im Studium gelernt hatte, war vielleicht ein bisschen, na ja, wie soll ich sagen, zu neu und ungewohnt für ihn. Er war halt schon ein bisschen älter und schon sehr lange und erfolgreich im Geschäft. Für solche Leute ist es natürlich dann schwierig, wenn so „junge Hüpfer" wie ich in ihr Unternehmen kommen und irgendwelche Veränderungen vorschlagen. Ich kann das schon verstehen, dass es in so einer Situation für den Chef auch schwierig ist, zuzugeben, dass man im Studium auch sinnvolle Dinge lernt … Na ja.

Hm – reicht Ihnen das, oder soll ich Ihnen noch etwas erzählen?

○ Ja, vielleicht erzählen Sie mir noch eines, warum haben Sie eigentlich Architektur studiert?

□ Ja also, das war so. Am Anfang wusste ich nach dem Abi nicht so recht, was ich machen soll. Ich war so mit dem Lernen aufs Abitur beschäftigt, dass ich vor den Prüfungen überhaupt keinen Kopf dafür hatte, was ich nachher eigentlich tun soll. Na ja, und dann musste ich mich natürlich schnell entscheiden. Architektur lag irgendwie nahe, da ich ja durch den Betrieb meines Vaters auch schon immer mit dem Hausbau zu tun hatte und mir dieses Feld vertraut war. Ich hatte auch überlegt, Informatiker zu werden, aber die Vorstellung richtige Häuser zu bauen, hat mir dann doch besser gefallen, als immer nur abstrakte Computerprogramme zu entwickeln.

Modul 4 Aufgabe 5b

● Ja, schade. Mit dieser Vorstellung hat der Bewerber wohl seine Chancen verspielt. Anstatt, dass er die Chance nutzt und der Personalchefin neue Dinge über sich erzählt, die weder im Lebenslauf, noch in der Bewerbung stehen, die für die Stelle oder die Firma aber durchaus interessant sein können – z.B. warum er sich für dieses Studium entschieden hat, was ihm an seinem Beruf besonders gefällt, warum er sich genau bei dieser Firma beworben hat usw. – stattdessen beginnt er mit unwichtigen Aussagen über sein Alter und seinen Geburtsort. Man kann dann durchaus etwas über den eigenen familiären Hintergrund sagen, Markus Westermaier wird allerdings gleich zu persönlich. Die Aussage „Ich wollte schon immer raus aus diesem kleinen Nest." lässt vermuten, dass die Beziehung zu seinen Eltern nicht so gut war oder ist. Auch im weiteren Verlauf seiner Vorstellung spricht er noch einmal an, dass ihm das Studium gut gefallen hat, auch weil er endlich von zu Hause ausziehen konnte. Das ist zum einen eine zu persönliche Aussage und zum anderen wäre es hier für die Personalchefin viel interessanter zu erfahren, warum er sich für das Studium der Architektur entschieden hat und was ihm an diesem Studium – und nicht am Studieren im Allgemeinen – gefallen hat. Sie stellt ja dann später auch genau dazu eine Frage.

Ungeschickt ist auch, dass der Bewerber die Personalchefin zweimal darauf hinweist, dass er nun Dinge sagt, die sowieso in seinem Lebenslauf stehen. Man kann natürlich auch Dinge erwähnen, die im Lebenslauf stehen – vor allem dann, wenn sie für einen selber sehr wichtig sind und man sie betonen möchte – man sollte aber unbedingt vermeiden, immer darauf hinzuweisen, dass der Gesprächspartner das eh schon weiß. Durch diesen Hinweis könnte sehr leicht der Eindruck entstehen, man unterstelle dem Gegenüber, die Bewerbungsunterlagen nicht gründlich genug gelesen zu haben, nach dem Motto „Wenn Sie sich meine Unterlagen genau angeschaut haben, dann wissen Sie ja schon, dass ...". Und andererseits, wenn die Unterlagen gründlich gelesen wurden, dann gibt man dadurch gleich deutlich zu verstehen, dass man jetzt bewusst etwas sagt, was den Gesprächspartner langweilen wird.

Spätestens bei der Darstellung des Praktikums verspielt der Bewerber alle Chancen. Man sollte sich nämlich niemals negativ über ehemalige Arbeitgeber äußern – auch wenn man sich noch so im Recht fühlt. Markus Westermaier vermittelt mit seinen Äußerungen den Eindruck, dass er von sich selbst und seinen Ideen zu überzeugt ist und nicht gut in Teams arbeiten kann.

Tja, und zu guter Letzt muss ich bestimmt nicht lange begründen, wie ungeschickt seine Erklärungen zur Studienwahl sind. Seine Antwort mag zwar ehrlich sein, aber dennoch sollte man sich vor jedem Bewerbungsgespräch überlegen, wie man die eigenen Ausbildungs- und Berufsentscheidungen positiv darstellen kann.

Kapitel 4

Modul 3 Aufgabe 2a

○ Guten Morgen liebe Hörerinnen und Hörer. In unserer heutigen Sendung Kultur aktuell möchte ich der Frage nachgehen, was die Faszination von virtuellen Online-Spielen ausmacht. Dazu habe ich einen Gast im Studio, nämlich den Medienwissenschaftler Dr. Benno Stärk. Guten Morgen Herr Stärk.

● Guten Morgen Frau Schröder.

○ Herr Stärk, womit beschäftigen Sie sich beruflich?

● Ich bin wissenschaftlicher Mitarbeiter im Bereich Kommunikationsforschung. Zu meinen Forschungsschwerpunkten gehören Computerspiele, computervermittelte Kommunikation und virtuelle Figuren.

Modul 3 Aufgabe 2b

○ Also kennen Sie auch das Spiel „Second Life"?

● Natürlich. Knapp eine Million User haben sich bereits bis heute bei „Second Life" registriert und die Tendenz ist stark steigend. Ein Grund dafür ist darin zu sehen, dass sich die Spieler hier alle Träume erfüllen können: Sie können so sein, wie sie gern wären, ihre eigene Person verändern, sich eine neue Welt bauen und alles machen, was sie wollen.

○ Worin besteht eigentlich der Reiz bei virtuellen Online-Spielen?

● Einerseits faszinieren natürlich Computerspiele generell ihre Nutzer: Man kann viele verschiedene Dinge kennenlernen, es gibt jeden Tag neue Herausforderungen zu bestehen, man langweilt sich nie. Andererseits kommen bei Spielen, die online stattfinden, virtuelle Beziehungen hinzu. So werden durch Online-Spiele weltweit soziale Kontakte ermöglicht.

○ Äh, wie muss man sich denn so eine virtuelle Beziehung vorstellen?

● Das ist ziemlich trickreich, denn an die Stelle des Ichs tritt in der virtuellen Welt der Avatar. Ein Avatar ist eine künstliche Person, ein grafischer Stellvertreter einer echten Person in der virtuellen Welt. Dieser Stellvertreter ist eine nahezu ideale Figur und gleichzeitig total anonym. Aus diesem Grund haben Spieler wenig Hemmungen, draufloszureden und vieles von sich preiszugeben. Virtuelle Beziehungen entstehen also leichter als in der Wirklichkeit und werden sehr schnell intensiv.

○ Welche Menschen werden denn besonders von Online-Spielen wie „Second Life" angezogen?

● Spezielle Nutzergruppen lassen sich kaum feststellen, da Online-Spiele generell immer beliebter werden. Für das Spiel „Second Life" allerdings kann man zwei Typen unterscheiden, weil zu diesem Spiel nicht nur die Online-Welt, sondern auch eine Programmierumgebung gehört. Das reizt besonders diejenigen, die es spannend finden, selbst neue Welten für neue Spiele zu kreieren. Die anderen sind eher Spieler, die Spaß haben, in der virtuellen Welt Dinge zu erleben. Für sie sind die Beziehungen das Wichtigste. Schüchternen Menschen oder Menschen, die sich nicht für gut aussehend halten, fällt es online oft leichter, Kontakte aufzubauen.

Modul 3 Aufgabe 2c

○ Man liest und hört in den Medien ja oft, dass sich manche Menschen stundenlang in der fiktiven Welt „Second Life" aufhalten. Kann das auch gefährlich sein, wenn man z.B. an Spielsucht denkt?

● Sucht bedeutet, dass der Betroffene sein Verhalten nicht mehr bewusst steuern kann. Bei Spielern ist das eher selten. Menschen, die oft spielen, tun das, um zu genießen. Für sie ist Spielen eher ein Ritual, das zwar unbewusst werden kann, aber kontrollierbar ist.

○ Welche Folgen hat es denn, wenn Menschen immer mehr virtuelle Welten besuchen?

● Das könnte dazu führen, dass „real life"-Probleme entstehen. Das heißt, eine echte Beziehung oder wirkliche Freundschaften funktionieren nicht mehr. Das kann z.B. dadurch geschehen, dass die Menschen sich viel zu lange vor dem Computer aufhalten. Aus diesem Grund gehen Beziehungen und Freundschaften aus Zeitmangel in die Brüche. Zum anderen können die Nutzer in Schwierigkeiten geraten, weil sie ihre Online-Erfahrungen auf das reale Leben übertragen. Schnell merken sie, dass das meist nicht funktioniert.

○ Was funktioniert da zum Beispiel nicht?

● In „Second Life" sind zum einen soziale Interaktionen einfach und unproblematisch. Zum anderen lassen sich materielle Dinge erschaffen, indem man auf den Knopf drückt. Im echten Leben ist vieles komplizierter. Wenn User hier die Erwartungen aus der virtuellen Welt als Maßstäbe anlegen, werden sie enttäuscht.

○ Und was ist die Zukunft des Internets? Etwa virtuelle Welten?

● Wie man es nimmt. „Second Life" ist deswegen ein Meilenstein, weil es zwei Dinge verbindet: Kommunikation und

Interaktion. Ich glaube aber nicht, dass sich das gesamte Internet in Richtung virtueller 3D-Welten entwickeln wird. Das Internet wird bleiben, was es ist: ein Informationsmedium.

○ Vielen Dank für das interessante Gespräch, Herr Stärk.

Modul 4 Aufgabe 4a

Was sich die meisten Männer gar nicht klar machen ... wenn sie dann heiraten, dann leben sie normalerweise zusammen mit dieser Frau.

Mit einer Frau zusammen wohnen ... in einer Wohnung ... das heißt, die Frau ist immer da ... und die geht auch nicht wieder weg.

Die bleibt.

Und dann kriegt die alles mit, was man so macht ... die sieht ja alles ... die sieht zum Beispiel, ob man mit offenem Mund kaut ... zum Beispiel solche Geschichten ... und dann hört die auch alles ... Alles! ... Der kann man nix mehr vormachen, die kriegt richtig mit, wie man so ist und was man macht im Leben. ... Hört alles.

„Merkst du eigentlich ... dass du jedes Mal, wenn du mit deiner Mutter telefonierst, einen ganz anderen Ton in deiner Stimme hast? Merkst du das eigentlich?"

„Nö."

„Aber ich! ... Und deine Mutter hat immer recht. Wenn ich das Gleiche sage, ich habe nie recht, deine Mutter hat immer recht. Merkst du das eigentlich?"

„Nö."

„Aber ich!"

Ein Wahnsinn ... stellen Sie sich mal vor:

Sie kommen als Mann nach Hause. Müde, abgeschlafft, abgefischt von der Arbeit, dann ist Ihre Frau schon mal da ... Dann hat die gewartet ... Dann will die sich unterhalten!

Der Mann möchte aber einfach nur wohnen!

Oder umgekehrt ... 'n netter Kerl wie Sie schon mal zu Hause, hat 'ne Stunden lang schön gewohnt, dann kommt seine Frau nach Hause auch von der Arbeit, vielleicht auch müde, auch abgeschlafft und abgefischt, die will sich auch mal ausruhen ... und dann kommt die rein!

Die hat 'nen Schlüssel! ... Die darf das, das ist völlig legal. Die kommt rein ... die klingelt nicht an der Gegensprechanlage, sodass man sagen kann „Du, passt gerade nicht, komm nächsten März mal wieder." Nein!

Und auch die ganzen Macken und Fehler und Unzulänglichkeiten, die man im Laufe seines Lebens, seines Single-Lebens für sich angesammelt hat, das muss die ja auch alles tolerieren ... das muss man ja gegenseitig aushalten ... Macken ohne Ende.

Ein Bekannter von mir hat die Macke, dass er seine getragenen Socken ins Kopfkissen wieder reinstopft. Der schläft mit dem Kopf auf den getragenen Socken. Ich will es mal so ausdrücken ... Sein Verführungsumfeld ist dadurch relativ eingeschränkt ... Die sind doch nach zehn Minuten wieder draußen ... da kommt's ja allenfalls zu Halfnight-Stands. Wenn überhaupt.

Ich habe ja auch jede Menge Macken, ich will nur eine erzählen:

Meine Carrera-Bahn, zum Beispiel, die mir lieb und teuer ist, habe ich bei mir im Flur aufgebaut, Streckenlänge: 16 Meter 30. Mit zwei Brücken. Kommen Sie mal vorbei, können wir 'ne Runde spielen.

Aber wissen Sie was? Der Ricarda macht das nix aus. Das finde ich toll an dieser Frau, die steigt darüber weg, das ist ihr egal, die toleriert das, das finde ich super.

Dann habe ich gedacht: Das ist schön, dass Ricarda das nix ausmacht, meine ganzen anderen Fehler, Unzulänglichkeiten, Macken, dass ihr das alles nix ausmacht, find ich toll an dieser Frau und gleichzeitig habe ich Panik bekommen, und dachte, wenn ihr das alles nix ausmacht, was muss die selber erst für Macken haben, von denen ich gar nix weiß?

Kapitel 5

Modul 2 Aufgabe 2b

○ Alle Menschen lügen. Wer das Gegenteil von sich behauptet, der lügt erst recht. Das jedenfalls sagen neuere Studien. Wissenschaftler versuchen dabei auch eine Antwort auf die Frage zu bekommen, warum gut gelogen manchmal besser ist als die knallharte Wahrheit.

Einen davon begrüß ich in unserem Studio. Herr Dr. Rainer Tamm, Soziologe und Verhaltenspsychologe. Guten Tag.

● Hallo.

○ Herr Tamm, Lügen ist ja nun nicht gerade eine positive Eigenschaft. Und trotzdem lügen wir. Wie findet man so etwas heraus?

● Durch Untersuchungen wie an der Universität Massachusetts. 121 Studentinnen und Studenten beteiligten sich an einem Test. Sie hatten die Aufgabe, in einem kurzen Gespräch auf eine unbekannte Person einen möglichst sympathischen Eindruck zu machen. Alle Versuchspersonen haben diese Aufgabe erfüllt und wirkten freundlich und kompetent.

○ Und wie haben sie das geschafft?

● Ganz einfach: Sie haben ihre Gesprächspartner hemmungslos angelogen. Die Gespräche wurden gefilmt. Anschließend durften sich die Versuchspersonen dazu äußern, ob und wie oft sie gelogen haben. Das Ergebnis: 60 Prozent haben im Gespräch nicht die Wahrheit gesagt und das nicht nur einmal.

○ Inwiefern haben die Personen gelogen?

● Einige redeten positiv über Personen, die sie gar nicht kannten. Andere machten sich selbst besser, als sie in Wirklichkeit sind.

○ Gibt es da Unterschiede zwischen Männern und Frauen?

● Ja. Die wohl dickste Lüge lautete, dass die Person der Star einer Rockband sei. Und diese Lüge kam von einem Mann. Natürlich, denn die männlichen Versuchspersonen haben versucht, sich selbst in einem besonders guten Licht darzustellen. Frauen neigten eher dazu, das Gegenüber zu loben und mit kleinen Komplimenten für sich zu gewinnen.

○ Was sind nun die wesentlichen Erkenntnisse dieser Untersuchungen?

● Einerseits legen sie die Vermutung nahe, dass Lügen in der gesamten Gesellschaft und in allen Berufsgruppen durchaus stark verbreitet ist. Andererseits weisen die Untersuchungen aber auch darauf hin, dass es eine ... ja ... sagen wir ... soziale Komponente beim Lügen gibt. So haben Studentinnen häufiger gelogen, wenn sie dachten, dass ihnen eine Person mehrmals begegnen wird. Lügen scheint also eine positive Auswirkung auf längere Beziehungen zu haben.

○ Sie haben grade gesagt, dass alle lügen, also auch Kinder? Ab wann können wir denn lügen?

Transkript _____

● Professor Lukesch von der Universität Regensburg hat herausgefunden, dass Kinder erst zwischen vier und sieben Jahren die Fähigkeit zum Lügen erwerben. Lügen wird dabei auch als Indiz für die Schulreife betrachtet: Fit zum Schummeln = fit zum Lernen.

 Meist durchschauen wir die einfachen Lügen der Kleinen, trotzdem sind sie ein Hinweis auf die intellektuelle Entwicklung.

○ Aha. Können Sie den Zusammenhang genauer erklären?

● Ja. Man spricht davon, dass Kinder das „Prinzip des falschen Glaubens" verstanden haben müssen. Wenn ich meinen Sohn frage: „Hast du die Schokolade gegessen?", dann antwortet er mit Schokolade am Mund: „Nein, ich war das nicht." Er glaubt, dass er mir eine Lüge erzählen kann, weil ich ja nicht dabei war und nicht wissen kann, wieso die Schokolade nicht mehr da ist. Für dieses Umdenken brauchen Kinder die Fähigkeit zur Abstraktion – ein großer intellektueller Entwicklungsschritt, der ab vier Jahren beobachtet werden kann.

○ Das heißt also, dass Lügen gar nicht so einfach ist?

● Ja richtig. Für das Lügen müssen die Nervenzellen im Gehirn komplex miteinander vernetzt werden. Daher ist Lügen neurologisch gesehen schwieriger, als bei der Wahrheit zu bleiben. Gut lügen zu können setzt voraus, dass die Nervenzellen auch äußerst gut miteinander verbunden sind. Wenn die Kommunikation der Neuronen nicht so gut funktioniert, ist es viel schwerer zu lügen. Das wurde z.B. bei autistischen Kindern beobachtet.

 Die Wahrheit erfordert ein geringer entwickeltes Gehirn, das Lügen braucht aber eine größere intellektuelle Kapazität.

○ Ist nur der Mensch fähig zu lügen?

● Nun ja, exzellente Lügner sind Tiere nicht. Aber trotzdem gibt es die Täuschung, z.B. bei einer Schwalbenart: Das Männchen lockt sein Weibchen mit einem schrillen Warnschrei zu sich zurück. Gefahr besteht natürlich keine, aber ein mögliches Interesse an einem anderen Männchen. Oder die Murmeltiere sichern sich etwas besonders Leckeres zu Fressen, indem sie Alarm pfeifen und damit die anderen Artgenossen in die Höhle treiben.

 Aber die Beispiele aus der Tierwelt sind wirklich harmlos gegen das, was das menschliche Gehirn leisten kann. Denken Sie nur an die Lügen von Heiratsschwindlern und Betrügern.

○ Wenn so häufig gelogen wird, dann muss es dafür doch gute Gründe geben?

● Ja, richtig. Je nach Definition, was genau eine Lüge ist, lügen wir zwischen 1,8 und 200-mal am Tag. Es gibt vielfältige Gründe, zur Lüge zu greifen. Neuere Untersuchungen besagen, dass von den Versuchspersonen 41 Prozent, und damit der größte Teil, gelogen haben, um Streitigkeiten zu vermeiden oder eigene Fehler zu verdecken. Mit 14 Prozent folgen als Grund ein leichteres Zusammenleben, mit acht Prozent der Wunsch nach der Liebe anderer und mit sechs Prozent die eigene Faulheit.

○ Aber ... wenn das Lügen so verbreitet ist, kann es dann eine schlechte Eigenschaft sein?

● Ja, das ist etwas paradox. Streng definiert verstehen wir unter einer Lüge, dass die Unwahrheit gesagt wird, um jemandem zu schaden oder um einen persönlichen Vorteil aus der Lüge zu ziehen. Selbst mit dieser Definition lügt nach einer Untersuchung der Universität Regensburg jeder Mensch –

und zwar täglich. Hinzu kommt, dass das Lügen in der Gesellschaft ja abgelehnt wird: Man hat Probanden eine Liste mit Eigenschaften vorgelegt, die als wünschenswert bewertet werden sollten. Die Adjektive aufrichtig, redlich, verständnisvoll, loyal und wahrheitsliebend wurden auf die ersten fünf Plätze gewählt. Das Prädikat lügnerisch kam auf den letzten Platz.

○ Können wir eigentlich noch zwischen Lüge und Wahrheit unterscheiden?

● Jein. Es ist überraschend, dass Lügen oft nicht enttarnt werden. Dass wir Lügen nicht erkennen wollen, ist einfach zu erklären: Lügen sind ein notwendiger Bestandteil unseres sozialen Lebens. Ohne die Täuschung sei unser komplexes Beziehungsleben völlig undenkbar, sagt der Philosoph und Erziehungswissenschaftler David Nyberg.

 Heute wird das Lügen als ein Phänomen für die soziale Intelligenz gewertet. Unser Gehirn hat Strategien entwickelt, die Lügen ignorieren können, sodass nicht jede Lüge identifiziert wird und somit ihren Wert behält. Selbstverständlich könnten wir einen Großteil von Lügen erkennen. Aber wir wollen es nicht, weil ein gelogenes Kompliment eben angenehmer ist als die Wahrheit. „Nein, Liebling, du bist nicht zu dick." oder „Großartig, Ihre Präsentation." sind als Höflichkeitslügen notwendig für ein positives zwischenmenschliches Miteinander.

○ Anderen Menschen kann man ja viel vormachen. Aber manchmal nehmen wir es ja mit der Wahrheit auch nicht so genau, wenn es um uns selbst geht.

● Oh ja. Laut Experten ist das sogar eine sehr wichtige Fähigkeit. Wer sein Spiegelbild nicht ab und zu schöner macht, als es ist, wer sich nicht einmal ein übertriebenes Eigenlob gönnt oder Ähnliches, der hat es nicht leicht. Selbstlügen sind wichtig für die Psychohygiene, denn sonst droht ein Dauerstimmungstief.

○ Gibt es denn überhaupt Personen, die vor der Lüge sicher sind?

● Ja, die gibt es anscheinend wirklich. Der beste Freund oder die beste Freundin werden fast nie belogen.

○ Ob die Freunde diese Ehrlichkeit immer so gut finden? Was meinen Sie zum Thema? Rufen Sie uns an. Dr. Tamm steht für Fragen bis 19.30 Uhr zur Verfügung ....

Modul 4 **Aufgabe 3**
_____

Abschnitt 1

○ Herzlich Willkommen zu unserer Sendung „Gesundheit aktuell". Am Mikrofon heute Alexander Wilme und bei mir im Studio die Wiener Schlafexpertin Frau Dr. Gesa Hartmann.

 Frau Hartmann, Sie beschäftigen sich schon sehr lange mit dem Thema „Schlaf" und haben bereits einige Artikel zu diesem Thema geschrieben.

● Ja, das ist richtig. Entspannender Schlaf, Schlafmangel und seine Folgen haben mich schon durch meine Arbeit als Ärztin von jeher interessiert und tja, irgendwann habe ich dann begonnen, da mehr zu recherchieren und darüber zu schreiben.

○ Nun liest man in letzter Zeit häufiger über die Forderung nach Mittagsschlaf für Erwachsene.

● Ja, das ist ein sehr interessanter Aspekt in der Schlafforschung. Der Leiter des Schlafmedizinischen Zentrums an der Universität Regensburg, Jürgen Zulley, hat dazu bereits vor zwanzig Jahren ein interessantes Experiment gemacht: Er sperrte einige Menschen für vier Wochen unter der Erde ein, nahm ihnen die Uhren ab und ließ sie schlafen, so viel sie wollten. Dabei stellte sich schnell heraus: Egal, wie alt oder wie jung, wie faul oder fleißig die Leute waren – sie alle hielten Mittagsschlaf.

○ Wussten die Leute denn immer, wann Mittag und wann Abend ist?

● Nein, sie hatten ja keine Uhren und schon nach wenigen Tagen hatten sie jegliches Gespür für die Tageszeiten verloren. Sie dachten, sie würden sich zur Nachtruhe legen, dabei schliefen sie nur ein halbes Stündchen.

○ Was kann man daraus also schließen?

● Jürgen Zulley schließt daraus, dass der Mensch zweimal pro Tag ruht, wenn er auf seinen Körper hört, und nicht nur einmal.

○ Tja, aber das ist ja leider im Alltag nicht möglich, bei einem vollen Arbeitstag.

● Na ja, Zulley kämpft genau dafür, für die Rückkehr des Mittagsschlafs auch in den Firmen.

○ Aha, und wie kommt das an?

● Nun, so langsam setzt sich die Erkenntnis durch, dass Arbeitnehmer nachmittags einfach leistungsfähiger sind, wenn sie sich nach dem Essen hinlegen, anstatt das Kantinenkoma mit Kaffee zu bekämpfen.

Abschnitt 2

○ Wie sieht es denn in anderen Ländern aus? Gibt es Länder, wo ein Mittagsschlaf ganz normal ist?

● Ja, ja, das gibt's. In den USA zum Beispiel ist 'n Nickerchen während der Arbeitszeit schon Mode geworden. Das heißt dort „Power Napping", was soviel wie „Energieschlaf" bedeutet. Und in Japan gehört das Dösen zwischendurch längst zur Kultur. Berühmt sind ja die japanischen „Nap Shops", wo man sich so sargähnliche Boxen zum Schlafen mieten kann. Und die Chinesen schrieben das Grundrecht auf Mittagsschlaf sogar in ihrer Verfassung fest.

○ Ist es denn belegt, dass so ein Mittagsschläfchen wirklich so gesund ist?

● Ja, eine griechische Studie hat gezeigt, dass der Mittagsschlaf das Infarktrisiko von Herzkranken um 37 Prozent senkt. Und die US-Raumfahrtbehörde Nasa untersuchte die Reaktionszeit ihrer Piloten. Dabei kam heraus, dass Piloten, die zwischendurch schlafen, die besseren Piloten sind. Ihre Reaktionszeit ist um 16 Prozent kürzer als die ihrer Kollegen. Sie sind schneller und konzentrierter. Seitdem müssen bei der Nasa alle Piloten mittags ein Schläfchen halten.

○ Aber, wenn der Büroschlaf so viele Vorteile hat, warum setzt er sich dann bei uns nicht besser durch?

● Nun ja, Schlafen im Rahmen des Arbeitsalltags ist bei uns immer noch ein Tabuthema und wird ja schnell als Arbeitsverweigerungshaltung angesehen. Lassen Sie mich ein Beispiel nennen: In der niedersächsischen Stadt Vechta hat der Stadtdirektor Hartmut Gels schon Anfang 2000 seinen Mitarbeitern in der Stadtverwaltung das Recht auf einen Mittagsschlaf eingeräumt. Die Mitarbeiter dürfen im Anschluss an ihre 30-minütige Mittagspause noch für 20 Minuten eine Matte im Büro ausrollen. 85 Prozent aller Angestellten und Beamten nutzen das Angebot noch heute und darüber können ihre Vorgesetzten auch glücklich sein. Es hat sich nämlich gezeigt, dass in keiner vergleichbaren Stadt die Arbeitsproduktivität höher ist. Nirgendwo werden die Aufgaben von so wenig Personal erledigt und auch der Krankenstand liegt deutlich unter dem Durchschnitt. Trotzdem stieß der Vorstoß von Vechta nicht überall auf Begeisterung. Beamtenschlaf zwischen Schreibtisch und Aktenschrank, das wurde natürlich gerne missverstanden. Besonders das Privatfernsehen brachte recht bissige Berichte über die angebliche Faulheit der Beamten. Der Verantwortliche Hartmut Gels wurde vom Sächsischen Beamtenbund sogar wegen Rufschädigung verklagt.

Abschnitt 3

○ Bemerken Sie trotz solcher Reaktionen in letzter Zeit eine Veränderung?

● Ja, die gibt's tatsächlich. Einige Firmen wie ADAC, IBM und SAP haben Schlummer-Ecken für ihre Mitarbeiter eingerichtet. Aber viele Mitarbeiter trauen sich noch nicht, dieses Angebot wirklich zu nutzen. Der Ruf des Büroschlafs ist immer noch zu schlecht.

○ Das heißt, die Mitarbeiter würden aber schon gerne?

● Ja, eine Umfrage vor Jahren hat ergeben, dass sogar jeder dritte Deutsche gern ein Nickerchen am Arbeitsplatz halten würde. Und ein Unternehmen geht ökonomisch vor, wenn es den Arbeitsschlaf erlaubt. Es muss nur ein bisschen mehr Pausen zulassen und bekommt dadurch mehr Leistung.

○ Wie lange sollte man denn schlafen?

● Auf jeden Fall nicht zu lang, so zwischen zehn und dreißig Minuten sind ideal. Nicht länger, sonst rutscht der Kreislauf viel zu tief in den Keller und der Körper könnte bereits in den Tiefschlaf gefallen sein. Dann ist man hinterher müder als vorher und das ist ja nicht der Sinn der Sache.

○ Das heißt, ich muss jetzt immer einen Wecker mit in die Arbeit bringen?

● Jein. Besser ist, von selbst wieder aufzuwachen. Das muss man allerdings trainieren.

○ Frau Hartmann, vielen Dank für das Gespräch. Ich glaube, ich leg mich jetzt erst mal hin.

● Ja, dann schlafen Sie mal gut.

Wortschatz

Kapitel 1: Heimat ist ...

Modul 1 Neue Heimat

abenteuerlich	_____	das Heimweh	_____
ausdrücken	_____	den eigenen Horizont erweitern	_____
sich einleben	_____	sehnsüchtig	_____
die Erfahrung, -en	_____	die Umgebung, -en	_____
erledigen	_____	sich etwas vorstellen	_____
das Fernweh	_____	etwas wagen	_____

Modul 2 Ausgewanderte Wörter

aufregen	_____	spiegeln	_____
auswandern	_____	der Triumph, -e	_____
die Bereicherung, -en	_____	verbergen (verbirgt, verbarg, hat verborgen)	_____
der Niedergang	_____		
peinlich	_____	der Wettstreit	_____
		etwas zahlt sich aus	_____

Modul 3 Missverständliches

die Auseinandersetzung, -en	_____	das Phänomen, -e	_____
sich bewusst werden über	_____	die Sitte, -n	_____
die Erwartung, -en	_____	die Spielregel, -n	_____
j-m/etw. gerecht werden	_____	zu etwas tendieren	_____
kulturspezifisch	_____	die Verhaltensweise, -n	_____
die Norm, -en	_____	die Weltansicht, -en	_____
		der Wert, -e	_____

Modul 4 Zu Hause in Deutschland

die Abgrenzung, -en	_____	die Integration	_____
die Benachteiligung, -en	_____	der Migrationshintergrund	_____
die Chancengleichheit	_____	die Staatsbürgerschaft, -en	_____
die Diskriminierung, -en	_____	die Zuwanderung, -en	_____

Wörter, die für mich wichtig sind:

_____ _____ _____ _____

_____ _____ _____ _____

_____ _____ _____ _____

_____ _____ _____ _____

_____ _____ _____ _____

Kapitel 2: Sprich mit mir!

Modul 1 Gesten sagen mehr als tausend Worte ...

sich ausdrücken	_____	die Körpersprache, -en	_____
die Botschaft, -en	_____	verraten (verrät, verriet, hat verraten)	_____
die Geste, -n	_____	wahrnehmen (nimmt wahr, nahm wahr, hat wahrge- nommen)	_____
das Körpersignal, -e	_____		

Modul 2 Früh übt sich ...

die Auffassungsgabe	_____	von klein auf	_____
authentisch	_____	die Kompetenz, -en	_____
beherrschen	_____	in der Lage sein	_____
bestreiten (bestreitet, bestritt, hat bestritten)	_____	mischen	_____
das Engagement, -s	_____	die Sprachbeherrschung	_____
erwerben (erwirbt, erwarb, hat erworben)	_____	das Sprachgenie, -s	_____
imitieren	_____	mehr als üblich	_____

Modul 3 Smalltalk – die Kunst der kleinen Worte

sich darstellen	_____	der Smalltalk, -s	_____
die Gemeinsamkeit, -en	_____	sich unterhalten (unterhält, unterhielt, hat unterhalten)	_____
ins Gespräch kommen	_____		

Modul 4 Wenn zwei sich streiten ...

anregend	_____	Kritik einstecken	_____
ausnutzen	_____	Kritik üben an + D	_____
berücksichtigen	_____	etw. persönlich nehmen	_____
auf den ersten Blick	_____	recht geben	_____
die Gestaltung, -en	_____	der Respekt	_____
harmonisch	_____	Rücksicht nehmen auf	_____
konstruktiv	_____	der Verlauf, -"e	_____
Kritik austeilen	_____	zwischenmenschlich	_____

Wörter, die für mich wichtig sind:

_____ _____ _____ _____

_____ _____ _____ _____

_____ _____ _____ _____

_____ _____ _____ _____

Wortschatz

Kapitel 3: Arbeit ist das halbe Leben?

Modul 1 Mein Weg zum Job

die Absage, -n	_____	das Praktikum, Praktika	_____
abwechslungsreich	_____	sich selbstständig machen	_____
die Auftragslage, -n	_____	eine Stelle ausschreiben (schreibt aus, schrieb aus, hat ausgeschrieben)	_____
die Berufserfahrung	_____		
eintönig	_____	vermitteln	_____
Kontakte knüpfen	_____	vielfältig	_____
der Lebensunterhalt	_____	die Weiterbildungsmaß-nahme, -n	_____

Modul 2 Motiviert = engagiert

die Anforderung, -en	_____	etwas in der Hand haben	_____
die Arbeitsbedingung, -en	_____	Schaden anrichten	_____
die Aufstiegsmöglichkeit, -en	_____	die Überstunde, -n	_____
die Begeisterung	_____	der Umgang	_____
Einfluss haben auf	_____	der Vorgesetzte, -n	_____
die Führungskraft, -"e	_____	der Zeitdruck	_____

Modul 3 Teamgeist

etwas absichtlich machen	_____	das Meeting, -s	_____
die Anmerkung, -en	_____	der Reihe nach	_____
der/die Ansprechpartner/-in, -/-nen	_____	die Teambildung	_____
fördern	_____	das Veranstaltungs-programm, -e	_____

Modul 4 Werben Sie für sich!

der Abschluss, -"e	_____	etwas einbringen (bringt ein, brachte ein, hat eingebracht)	_____
eine Aufgabe übernehmen (übernimmt, übernahm, hat übernommen)	_____		
		ins Schleudern bringen	_____
ausführlich	_____	die Stellenausschreibung, -en	_____
einheitlich	_____		
der Eintrittstermin, -e	_____	teamfähig	_____
		übersichtlich	_____
		umfangreich	_____

Wörter, die für mich wichtig sind:

_____ _____ _____ _____

_____ _____ _____ _____

Kapitel 4: Zusammen leben

Modul 1 Sport gegen Gewalt

die Disziplin _____

j-n erwischen _____

das Führungszeugnis, -se _____

kriminell _____

sich die Langeweile
vertreiben (vertreibt,
vertrieb, hat vertrieben) _____

sich an die Regeln halten
(hält, hielt, hat gehalten) _____

die Selbstbeherrschung _____

stehlen (stiehlt, stahl,
hat gestohlen) _____

Stress-Situationen
bewältigen _____

einen Verein gründen _____

sein Wissen an j-n
weitergeben (gibt weiter,
gab weiter, hat weiterge-
geben) _____

sich die Zukunft verbauen _____

Modul 2 Armut ist keine Schande

die Armut _____

unterhalb der Armuts-
grenze leben _____

auf etw. aufmerksam
machen _____

die Aussicht auf etw. _____

das Bevölkerungs-
wachstum _____

die Dürre, -n _____

ehrenamtlich _____

die Ernte, -n _____

die Not, -"e _____

am Rand der Gesellschaft
leben _____

die Resonanz, -en _____

die Spende, -n _____

etw. vernichten _____

Modul 3 Ich mach mir die Welt, wie sie mir gefällt

anonym _____

die Faszination, -en _____

die Hemmung, -en _____

das Online-Spiel, -e _____

die Sucht, -"e _____

virtuell _____

Modul 4 Der kleine Unterschied

ebenbürtig sein _____

einen Fehler begehen
(begeht, beging,
hat begangen) _____

die Hausfrauenrolle, -n _____

die Macke, -n _____

die Perspektive, -n _____

das Rollenbild, -er _____

der Umgang mit etw./j-m _____

Wörter, die für mich wichtig sind:

_____ _____ _____ _____

_____ _____ _____ _____

_____ _____ _____ _____

_____ _____ _____ _____

Wortschatz

Kapitel 5: Wer Wissen schafft, macht Wissenschaft

Modul 1 Wissenschaft für Kinder

analytisch	_____	das Labor, -e	_____
die Anleitung, -en	_____	das Molekül,-e	_____
die Anziehungskraft, -"e	_____	die Nachfrage decken	_____
die Einsicht	_____	die Naturwissenschaft, -en	_____
das Experiment, -e	_____	die Scheu abbauen	_____
die Forschung, -en	_____	die Zerstreutheit	_____

Modul 2 Wer einmal lügt …

abstrakt	_____	j-m schaden	_____
etw. ignorieren	_____	schwindeln	_____
intellektuell	_____	das Sinnesorgan, -e	_____
das Kompliment, -e	_____	die Tendenz, -en	_____
die Lüge, -n	_____	täuschen	_____
der Proband, -en	_____	die Untersuchung, -en	_____
regulieren	_____	etw./j-m aus dem Weg gehen	_____

Modul 3 Ist da jemand …?

atomar	_____	der/die Ökologe/Ökologin, -n/-innen	_____
aussterben (stirbt aus, starb aus, ist ausgestorben)	_____	tröstlich	_____
sich erholen	_____	verschwinden (verschwindet, verschwand, ist verschwunden)	_____
die Erkenntnis, -se	_____	die Vision, -en	_____
die Industrialisierung, -en	_____	der Zerfall	_____

Modul 4 Gute Nacht!

die Leistungsfähigkeit	_____	schlaflos	_____
der Mittagsschlaf	_____	der Schlafmangel	_____
das Nickerchen, -	_____	der Tropfen, -	_____
die Pille, -n	_____	verpennen	_____
die Ruhezeit, -en	_____	sich wälzen	_____

Wörter, die für mich wichtig sind:

_____ _____ _____ _____

_____ _____ _____ _____

Wichtige Nomen-Verb-Verbindungen

Nomen-Verb-Verbindung	Bedeutung	Beispiel
sich in Acht nehmen vor	aufpassen, vorsichtig sein	Wir sollten uns davor in Acht nehmen, dass Umweltthemen zu sehr auf die leichte Schulter genommen werden.
Angst machen	sich ängstigen vor	Der Klimawandel macht mir Angst.
in Anspruch nehmen	(be)nutzen, beanspruchen	Wir sollten öffentliche Verkehrsmittel stärker in Anspruch nehmen.
einen Antrag stellen auf	beantragen	Familie Müller hat einen Antrag auf finanzielle Förderung für ihre Solaranlage gestellt.
in Aufregung versetzen	(sich) aufregen, nervös machen	Diese Prognose versetzt viele Menschen in Aufregung.
zum Ausdruck bringen	etw. äußern, ausdrücken	Die Beschäftigung mit Themen, die die Umwelt betreffen, bringt die Sorge vieler Menschen um die Zukunft zum Ausdruck.
zur Auswahl stehen	angeboten werden	Heute stehen viele energiesparende Geräte zur Auswahl.
Beachtung finden	beachtet werden	Alternative Energieformen finden momentan große Beachtung.
einen Beitrag leisten	etw. beitragen	Jeder kann einen Beitrag zum Energiesparen leisten.
einen Beruf ausüben	arbeiten (als), beruflich machen	Dr. Weißhaupt übt seinen Beruf als Energieberater schon seit 20 Jahren aus.
Bescheid geben/ sagen	informieren	Können Sie mir bitte Bescheid geben/sagen, wann die Solaranlage bei uns installiert wird?
Bescheid wissen	informiert sein	Über erneuerbare Energien weiß ich immer noch zu wenig Bescheid.
Bezug nehmen auf	sich beziehen auf	Mit meinem Leserbrief nehme ich Bezug auf Ihren Artikel „Umweltschutz in der Region".
zu Ende bringen	beenden/abschließen	Wir müssen wichtige Forschungsvorhaben im Bereich Energie zu Ende bringen.
einen Entschluss fassen	beschließen, sich entschließen	Einige Länder haben endlich den Entschluss gefasst, Treibhausgase deutlich zu reduzieren.
einen Fehler begehen	etw. Falsches tun	Ich beging einen großen Fehler, als ich beim Hauskauf nicht auf die Energiekosten achtete.
zur Folge haben	folgen aus etw., bewirken	Die Entwicklung der letzten Jahre hat zur Folge, dass alternative Energien stärker gefördert werden.
in Frage kommen	relevant/akzeptabel sein	Es kommt nicht in Frage, dass man nicht mehr verwendbare Medikamente im Hausmüll entsorgt.
außer Frage stehen	(zweifellos) richtig sein, nicht bezweifelt werden	Es steht außer Frage, dass neue Technologien teuer sind.
eine Frage stellen	fragen	Heute werden den Politikern deutlich mehr Fragen zu Umweltthemen gestellt.
in Frage stellen	bezweifeln, anzweifeln	Dass die Industrie genug Geld für den Klimaschutz investiert, möchte ich doch in Frage stellen.
sich Gedanken machen über	nachdenken	Jeder Einzelne sollte sich darüber Gedanken machen, wie er Energie sparen kann.
ein Gespräch führen	(be)sprechen	Es müssen international mehr Gespräche zum Umweltschutz geführt werden.

Nomen-Verb-Verbindungen

Nomen-Verb-Verbindung	Bedeutung	Beispiel
Interesse wecken an/für	sich interessieren für	Das Interesse an der Umwelt sollte bei Kindern schon früh geweckt werden.
in Kauf nehmen	(Nachteiliges) akzeptieren	Wer Wind als Energiequelle nutzt, muss in Kauf nehmen, dass er nicht immer weht.
zur Kenntnis nehmen	bemerken, wahrnehmen	Wir müssen zur Kenntnis nehmen, dass mit Erdöl und Erdgas in großen Mengen bald Schluss sein wird.
die Kosten tragen	bezahlen	Am Ende müssen wir alle die Kosten für die Umweltschäden tragen.
Kritik üben an	kritisieren	An der derzeitigen Energiepolitik wurde zu Recht schon viel Kritik geübt.
in der Lage sein	können / fähig sein	Wir sind alle in der Lage, etwas für den Klimaschutz zu tun.
auf den Markt bringen	etw. (zum ersten Mal) verkaufen	Immer mehr energiesparende Geräte werden auf den Markt gebracht.
sich Mühe geben	sich bemühen	Viele Menschen geben sich Mühe, die Umwelt zu schützen.
eine Rolle spielen	wichtig/relevant sein	Raps- oder Sonnenblumenöl spielen außerdem bei der Gewinnung von Bio-Diesel eine wichtige Rolle.
Rücksicht nehmen auf	rücksichtsvoll sein	Wir müssen stärker Rücksicht auf die Natur nehmen.
Ruhe bewahren	ruhig bleiben	Um die Umweltprobleme lösen zu können, müssen wir Ruhe bewahren und Ideen gezielt umsetzen.
Schluss machen mit	beenden	Mit der alltäglichen Energieverschwendung müssen wir endlich Schluss machen.
in Schutz nehmen	(be)schützen, verteidigen	Die Regierung darf die Industrie nicht ständig in Schutz nehmen.
Sorge tragen für	sorgen für	Die Politiker müssen Sorge für den Klimaschutz tragen.
aufs Spiel setzen	riskieren	Wir dürfen unsere Zukunft nicht aufs Spiel setzen.
zur Sprache bringen	ansprechen	Umweltthemen sollten häufiger zur Sprache gebracht werden.
auf dem Standpunkt stehen	meinen	Ich stehe auf dem Standpunkt, dass erneuerbare Energien mehr gefördert werden müssen.
Untersuchungen anstellen	untersuchen	Viele Experten haben Untersuchungen zum Klimawandel angestellt.
Verantwortung tragen für	verantwortlich sein	Heute trägt der Mensch die Verantwortung für die Klimaveränderungen.
in Verlegenheit bringen	verlegen machen	Unsere Kinder werden uns in Verlegenheit bringen, wenn wir ihnen unser Handeln erklären müssen.
zur Verfügung stehen	vorhanden sein, für jmd. da sein	Im Prinzip stehen alternative Energien unbegrenzt zur Verfügung.
Verständnis aufbringen für	verstehen	In 100 Jahren wird niemand Verständnis für unseren heutigen Umgang mit Ressourcen aufbringen.
aus dem Weg gehen	vermeiden, ausweichen	Der Manager ging den Fragen der Journalisten nach dem Umweltschutz dauernd aus dem Weg.
Zweifel haben	bezweifeln	Experten haben Zweifel, ob wir mit erneuerbaren Energien unseren Strombedarf decken können.
außer Zweifel stehen	nicht bezweifelt werden	Es steht außer Zweifel, dass der Treibhauseffekt minimiert werden kann.

Wichtige Verben, Adjektive und Substantive mit Präpositionen

Verben mit Präpositionen mit entsprechenden Substantiven und Adjektiven			
Verb	Substantiv	Adjektiv	Präposition + Kasus
abhängen	die Abhängigkeit	abhängig	von + D
achten			auf + A
ändern	die Änderung		an + D
anfangen	der Anfang		mit + D
sich ängstigen	die Angst		vor + D
ankommen			auf + A
anpassen	die Anpassung	angepasst	an + A
antworten	die Antwort		auf + A
sich ärgern	der Ärger	ärgerlich	über + A
aufhören			mit + D
aufpassen			auf + A
sich aufregen	die Aufregung	aufgeregt	über + A
ausdrücken			mit + D
sich austauschen	der Austausch		mit + D / über + A
sich bedanken			für + A / bei + D
sich begeistern	die Begeisterung		für + A
beitragen	der Beitrag		zu + D
berichten	der Bericht		über + A / von + D
sich beschäftigen	die Beschäftigung	beschäftigt	mit + D
sich beschweren	die Beschwerde		über + A / bei + D
bestehen			aus + D
sich bewerben	die Bewerbung		um + A / bei + D
sich beziehen	der Bezug		auf + A
bitten	die Bitte		um + A
danken	der Dank	dankbar	für + A
denken	der Gedanke		an + A
diskutieren	die Diskussion		über + A / mit + D
sich eignen	die Eignung	geeignet	für + A / zu + D
eingehen			auf + A
einladen	die Einladung		zu + D
sich engagieren	das Engagement	engagiert	für + A
sich entscheiden	die Entscheidung		für + A / gegen + A
sich entschließen	der Entschluss / die Entschlossenheit	entschlossen	zu + D
sich entschuldigen	die Entschuldigung		für + A / bei + D
sich erholen	die Erholung	erholt	von + D
sich erinnern	die Erinnerung		an + A
sich erkundigen	die Erkundigung		bei + D / nach + D

Verben, Adjektive und Substantive ...

Verben mit Präpositionen mit entsprechenden Substantiven und Adjektiven			
Verb	Substantiv	Adjektiv	Präposition + Kasus
erwarten			von + D
erzählen	die Erzählung		von + D
fragen	die Frage		nach + D
sich freuen	die Freude		auf + A
sich freuen	die Freude	erfreut	über + A
führen			zu + D
gehören			zu + D
sich gewöhnen	die Gewöhnung	gewöhnt	an + A
glauben	der Glaube		an + A
gratulieren	die Gratulation		zu + D
halten			an + A
(sich) halten			für + A
handeln			von + D
sich handeln			um + A
helfen	die Hilfe	behilflich	bei + D
hinweisen	der Hinweis		auf + A
hoffen	die Hoffnung		auf + A
sich informieren	die Information	informiert	über + A / bei + D
sich interessieren	das Interesse		für + A
investieren	die Investition		in + A
kämpfen	der Kampf		für + A / gegen + A
sich konzentrieren	die Konzentration	konzentriert	auf + A
sich kümmern			um + A
lachen			über + A
leiden			an + D / unter + D
liegen			an + D
nachdenken			über + A
protestieren	der Protest		gegen + A
reagieren	die Reaktion		auf + A
reden			über + A / mit + D / von + D
reden	die Rede		von + D / über + A
schmecken	der Geschmack		nach + D
siegen	der Sieg		über + A
sorgen			für + A
sich sorgen	die Sorge	besorgt	um + A
sich spezialisieren	die Spezialisierung	spezialisiert	auf + A

Verben mit Präpositionen mit entsprechenden Substantiven und Adjektiven			
Verb	**Substantiv**	**Adjektiv**	**Präposition + Kasus**
sprechen	das Gespräch		über + A / mit + D / von + D
stehen			für + A
(sich) streiten	der Streit		über + A / um + A / mit + D
suchen	die Suche		nach + D
teilnehmen	die Teilnahme		an + D
tendieren	die Tendenz		zu + D
sich treffen	das Treffen		mit + D
sich trennen	die Trennung	getrennt	von + D
(sich) überzeugen		überzeugt	von + D
sich unterhalten	die Unterhaltung		über + A / mit + D
sich unterscheiden	die Unterscheidung	unterscheidbar	nach + D, von + D
sich verabreden	die Verabredung	verabredet	mit + D
sich verabschieden	die Verabschiedung		von + D
verbinden	die Verbindung	verbunden	mit + D
vergleichen	der Vergleich	vergleichbar	mit + D
sich verlassen			auf + A
sich verlieben	die Verliebtheit	verliebt	in + A
verstehen			von + D
sich verstehen			mit + D
vertrauen	das Vertrauen		auf + A
verzichten	der Verzicht		auf + A
sich vorbereiten	die Vorbereitung	vorbereitet	auf + A
warnen	die Warnung		vor + D
warten			auf + A
werben	die Werbung		für + A
wirken	die Wirkung		auf + A
sich wundern	die Verwunderung	verwundert	über + A
zählen			zu + D
zweifeln	der Zweifel	verzweifelt	an + D

Adjektive mit Präpositionen mit entsprechenden Substantiven		
Adjektiv	**Substantiv**	**Präposition**
angewiesen		auf + A
anwesend	die Anwesenheit	bei + D
befreundet	die Freundschaft	mit + D
begeistert		von + D
bekannt		für + A

Verben, Adjektive und Substantive ...

Adjektive mit Präpositionen mit entsprechenden Substantiven		
Adjektiv	**Substantiv**	**Präposition**
bekannt	die Bekanntschaft	mit + D
beliebt	die Beliebtheit	bei + D
bereit	die Bereitschaft	zu + D
berühmt	die Berühmtheit	für + A
blass		vor + D
böse		auf + A / zu + D
charakteristisch		für + A
eifersüchtig	die Eifersucht	auf + A
einverstanden	das Einverständnis	mit + D
empört	die Empörung	über + A
erfahren	die Erfahrung	in + D
erstaunt	das Erstaunen	über + A
fähig	die Fähigkeit	zu + D
gespannt		auf + A
gleichgültig	die Gleichgültigkeit	gegenüber + D
glücklich		über + A
lieb	die Liebe	zu + D
misstrauisch	das Misstrauen	gegenüber + D
neidisch	der Neid	auf + A
neugierig	die Neugier(de)	auf + A
notwendig	die Notwendigkeit	für + A
nützlich	der Nutzen	für + A
offen	die Offenheit	für + A
reich	der Reichtum	an + D
schädlich	die Schädlichkeit	für + A
schuld	die Schuld	an + D
sicher	die Sicherheit	vor + D
stolz	der Stolz	auf + A
traurig	die Trauer	über + A
typisch		für + A
verpflichtet	die Verpflichtung	zu + D
verrückt		nach + D
verschieden		von + D
verwandt	die Verwandtschaft	mit + D
wütend	die Wut	auf + A / über + A
zufrieden	die Zufriedenheit	mit + D
zuständig	die Zuständigkeit	für + A

Wichtige unregelmäßige Verben

Infinitiv	Präsens	Präteritum	Perfekt
backen	backt/bäckt	backte	hat gebacken
sich befinden	befindet	befand	hat befunden
beginnen	beginnt	begann	hat begonnen
begreifen	begreift	begriff	hat begriffen
behalten	behält	behielt	hat behalten
bekommen	bekommt	bekam	hat bekommen
beraten	berät	beriet	hat beraten
beschließen	beschließt	beschloss	hat beschlossen
besprechen	bespricht	besprach	hat besprochen
bestehen	besteht	bestand	hat bestanden
betragen	beträgt	betrug	hat betragen
betreten	betritt	betrat	hat betreten
sich bewerben	bewirbt	bewarb	hat beworben
bieten	bietet	bot	hat geboten
bitten	bittet	bat	hat gebeten
bleiben	bleibt	blieb	ist geblieben
braten	brät/bratet	briet	hat gebraten
brechen	bricht	brach	hat gebrochen
brennen	brennt	brannte	hat gebrannt
bringen	bringt	brachte	hat gebracht
denken	denkt	dachte	hat gedacht
dürfen	darf	durfte	hat gedurft
empfangen	empfängt	empfing	hat empfangen
empfehlen	empfiehlt	empfahl	hat empfohlen
empfinden	empfindet	empfand	hat empfunden
entlassen	entlässt	entließ	hat entlassen
entscheiden	entscheidet	entschied	hat entschieden
sich entschließen	entschließt	entschloss	hat entschlossen
entstehen	entsteht	entstand	ist entstanden
erfahren	erfährt	erfuhr	hat erfahren
erfinden	erfindet	erfand	hat erfunden
erschrecken	erschrickt	erschrak	ist erschrocken

Unregelmäßige Verben

Infinitiv	Präsens	Präteritum	Perfekt
erziehen	erzieht	erzog	hat erzogen
essen	isst	aß	hat gegessen
fahren	fährt	fuhr	ist gefahren
fallen	fällt	fiel	ist gefallen
fangen	fängt	fing	hat gefangen
finden	findet	fand	hat gefunden
fliegen	fliegt	flog	ist geflogen
fliehen	flieht	floh	ist geflohen
fließen	fließt	floss	ist geflossen
frieren	friert	fror	hat gefroren
geben	gibt	gab	hat gegeben
gefallen	gefällt	gefiel	hat gefallen
gehen	geht	ging	ist gegangen
gelingen	(etwas) gelingt	gelang	ist gelungen
gelten	gilt	galt	hat gegolten
genießen	genießt	genoss	hat genossen
geschehen	geschieht	geschah	ist geschehen
gewinnen	gewinnt	gewann	hat gewonnen
greifen	greift	griff	hat gegriffen
haben	hat	hatte	hat gehabt
halten	hält	hielt	hat gehalten
hängen	hängt	hing	hat gehangen
heben	hebt	hob	hat gehoben
heißen	heißt	hieß	hat geheißen
helfen	hilft	half	hat geholfen
kennen	kennt	kannte	hat gekannt
klingen	klingt	klang	hat geklungen
kommen	kommt	kam	ist gekommen
können	kann	konnte	hat gekonnt
laden	lädt	lud	hat geladen
lassen	lässt	ließ	hat gelassen
laufen	läuft	lief	ist gelaufen

Infinitiv	Präsens	Präteritum	Perfekt
leiden	leidet	litt	hat gelitten
leihen	leiht	lieh	hat geliehen
lesen	liest	las	hat gelesen
liegen	liegt	lag	hat gelegen
lügen	lügt	log	hat gelogen
messen	misst	maß	hat gemessen
mögen	mag	mochte	hat gemocht
müssen	muss	musste	hat gemusst
nehmen	nimmt	nahm	hat genommen
nennen	nennt	nannte	hat genannt
raten	rät	riet	hat geraten
reiten	reitet	ritt	ist geritten
rennen	rennt	rannte	ist gerannt
riechen	riecht	roch	hat gerochen
rufen	ruft	rief	hat gerufen
scheinen	scheint	schien	hat geschienen
schieben	schiebt	schob	hat geschoben
schlafen	schläft	schlief	hat geschlafen
schlagen	schlägt	schlug	hat geschlagen
schließen	schließt	schloss	hat geschlossen
schneiden	schneidet	schnitt	hat geschnitten
schreiben	schreibt	schrieb	hat geschrieben
schreien	schreit	schrie	hat geschrien
schweigen	schweigt	schwieg	hat geschwiegen
schwimmen	schwimmt	schwamm	hat/ist geschwommen
sehen	sieht	sah	hat gesehen
sein	ist	war	ist gewesen
senden	sendet	sandte/sendete	hat gesandt/gesendet
singen	singt	sang	hat gesungen
sitzen	sitzt	saß	hat gesessen
sprechen	spricht	sprach	hat gesprochen
springen	springt	sprang	ist gesprungen
stehen	steht	stand	hat gestanden

Unregelmäßige Verben

Infinitiv	Präsens	Präteritum	Perfekt
stehlen	stiehlt	stahl	hat gestohlen
sterben	stirbt	starb	ist gestorben
streichen	streicht	strich	hat gestrichen
streiten	streitet	stritt	hat gestritten
tragen	trägt	trug	hat getragen
treffen	trifft	traf	hat getroffen
treiben	treibt	trieb	hat getrieben
treten	tritt	trat	hat/ist getreten
trinken	trinkt	trank	hat getrunken
tun	tut	tat	hat getan
unterhalten	unterhält	unterhielt	hat unterhalten
verbieten	verbietet	verbat	hat verboten
verbinden	verbindet	verband	hat verbunden
vergessen	vergisst	vergaß	hat vergessen
vergleichen	vergleicht	verglich	hat verglichen
verlassen	verlässt	verließ	hat verlassen
verlieren	verliert	verlor	hat verloren
vermeiden	vermeidet	vermied	hat vermieden
verzeihen	verzeiht	verzieh	hat verziehen
verschwinden	verschwindet	verschwand	ist verschwunden
wachsen	wächst	wuchs	ist gewachsen
waschen	wäscht	wusch	hat gewaschen
werben	wirbt	warb	hat geworben
werden	wird	wurde	ist geworden
werfen	wirft	warf	hat geworfen
wiegen	wiegt	wog	hat gewogen
wissen	weiß	wusste	hat gewusst
wollen	will	wollte	hat gewollt
ziehen	zieht	zog	hat gezogen

Quellenverzeichnis

Bilder

S. 8 shutterstock.com (l.); Sven Williges (o.r.); Helen Schmitz (M.l.); Ute Koithan (M.r.); Fotolia (u.)

S. 9 Dieter Mayr (o.l., u.M.); Heike Bühler (o.r.); shutterstock.com (M.l., M.r., u.r.); Fotolia (u.l.)

S. 10 Gaynor Ramsey

S. 12 Bettina Lindenberg (u.M.); DB AG/Hans-Joachim Krumnow (o.r.)

S. 14 shutterstock.com

S. 16 Ullstein Bild

S. 18 Koko N'Diabi Roubatou Affo-Tenin (o); iStockphoto (M.); Sandeep Singh Jolly (u.)

S. 20 Ullstein Bild

S. 21–22 ZDF 37° Sendung „Nichts wie weg ? – Von Auswanderern und Rückkehrern."*

S. 24 akg images (B); shutterstock.com (C o., u.l.); iStockphoto (C u.r.)

S. 25 Dieter Mayr (D); Fotolia (E l.); shutterstock.com (E M.); Corel Stock Photo Library (E r.)

S. 26 Bettina Lindenberg

S. 28 shutterstcock.com

S. 30 Fotolia

S. 32 Corbis (o.l.); Fotolia (u.l.); shutterstock.com (r.)

S. 35 Dieter Mayr

S. 36 Marion Nitsch (l.); Archiv Circus Knie (r.)

S. 38–39 ZDF „Hypokrathes Gesundheitsmagazin"*

S. 40–41 Dieter Mayr

S. 42 Fotolia (o.l.); shutterstock.com (o.M., o.r., M.l., u.r.); Ullstein (M., u.l.); iStockphoto (M.r.)

S. 45 shutterstock.com

S. 46 Benno Grams (l.); Getty (M.); photothek.net GbR (r.)

S. 48 Daniel Schmidt

S. 52 Ullstein Bild (l.); Vario Press Photoagentur (r.)

S. 54–55 ZDF Menschen „JobInn"*

S. 56 Karsten Weyerhausen / Lappan Verlag GmbH (l.); Wolf-Rüdiger Marunde (r.)

S. 57 Tom Körner (o.); Sperzel (M.); Gerhard Glück (u.)

S. 58 picture-alliance/dpa

S. 60 Fotolia

S. 62 Andrea Pfeifer (o.); Secon Life (u.)

S. 63 Helen Schmitz

S. 66 Brinkhoff/Mögenburg

S. 67 Dieter Mayr

S. 68 Ullstein Bild

S. 70–71 ZDF Drehscheibe „Weltfrauentag"*

S. 72 Polyglott (1); iStockphoto (2.l.); shutterstock (2.M., r.; 3, 5); Corel Stock Photo Library (4)

S. 73 Helen Schmitz (6); iStockphoto (7); Mauritius Bildagentur (8); akg-images (9); shutterstock.com (10);

S. 74 shutterstock.com

S. 80 Sven Williges

S. 82 shutterstock.com

S. 84 Interfoto

S. 86 Wörterbuchauszug: Bibliographisches Institut & F.A. Brockhaus AG, Mannheim

S. 86–87 ZDF NEUES „Digitale Demenz"*

S. 114 shutterstock

S. 122 Süddeutsche Zeitung Bilderdienst

S. 127 Emanuel Bloedt Fotodesign

S. 129/130 shutterstock

S. 132 Corbis (l.), shutterstock (Mi.), Fotolia.com (r.)

S. 134 shutterstock

S. 140 shutterstock

S. 142 Helen Schmitz

S. 150 picture-alliance/dpa

S. 151 Bidouze Stéphane/shutterstock

S. 155 © 2008, BITKOM

S. 156 Süddeutsche Zeitung Bilderdienst

S. 157 Getty

S. 162 Bettina Lindenberg

S. 166 Tom Körner

* alle Standfotos aus ZDF-Beiträgen: Lizenz durch: www.zdf-archive.com / ZDF Enterprises GmbH Copyright ZDFE 2008 – alle Rechte vorbehalten

Quellenverzeichnis _____

Texte

S. 13 Thomas Häusler/Die Zeit

S. 14 Katarina Steinijans/mondialogo.org, 1998–2003 Daimler

S. 18 Petzoldt, BRIGITTE/Picture Press (o.); Jörg Lau/ Die Zeit (u.)

S. 28 Prof. Dr. Reinhold Freudenstein

S. 30 Brigitte.de/Picture Press

S. 30 Hörtexte: Rudolf Haufe Verlag

S. 31 Hörtexte: Rudolf Haufe Verlag

S. 44 Nicola Holzapfel / Süddeutsche Zeitung, 01.03.2007

S. 52 Melanie Walter / Mediengruppe Main-Post GmbH

S. 64–65 Die Zeit

S. 66 Hörtext: Zusammen wohnen, aus: Horst Schroth – Katerfrühstück

S. 74 Christian Schwägerl / FAZ, 08.01.2007, © Alle Rechte vorbehalten. Frankfurter Allgemeine Zeitung GmbH, Frankfurt. Zur Verfügung gestellt vom Frankfurter Allgemeine Archiv".

S. 78 BRW-Service GmbH

S. 80 Matthias Drobinski / Süddeutsche Zeitung, 27./28.10.2007

S. 127 © Norddeutscher Rundfunk

S. 133 © Frantz Wittkamp, © Heidemarie Rottermanner, © Fiolino

S. 134 Kursbuch Familie, © Oskar Holzberg

S. 141 © Junge Karriere, Handelsblatt GmbH

S. 154 © Hinz & Kunzt Verlag

S. 155 © 2008, BITKOM

S. 157 DIE ZEIT, N°21/2005, © Susanne Gaschke

S. 165 © freundin Verlag GmbH

Aspekte Band 2, Teil 1 CD 1

Track	Kapitel und Module		Aufg.	Zeit
1.1	Vorspann		1b	0'43''
	K1	Heimat ist …		
1.2–1.5	M3	Missverständliches	1a	3'03''
1.6–1.8	M4	Zu Hause in Deutschland	2a	6'04''
1.9	M4	Zu Hause in Deutschland	3a	3'59''
	K2	Sprich mit mir!		
1.10		Auftakt Sprich mit mir!	1 F	2'26''
1.11	M1	Gesten sagen mehr als tausend Worte	2	4'08''
1.12	M1	Gesten sagen mehr als …	3b	0'39''
1.13–1.15	M3	Smalltalk – die Kunst der kleinen Worte	2a + b	2'42''
1.16–1.21	M3	Smalltalk …	2c	5'22''
1.22	M4	Wenn sich zwei streiten …	2	4'29''
1.23–1.26	M4	Wenn sich zwei streiten …	4a	3'41''
	K3	Arbeit ist das halbe Leben?		
1.27–1.35	M1	Mein Weg zum Job	2	6'18''
1.36	M1	Mein Weg zum Job	4a	1'04''
1.37	M3	Teamgeist	2	2'20''
1.38	M4	Werben Sie für sich!	5a	3'19''
1.39	M4	Werben Sie für sich!	5b	3'42''

Aspekte Band 2, Teil 1 CD 2

Track	K4	Zusammen leben	Aufg.	Zeit
2.1	M3	Ich mach mir die Welt, wie sie mir gefällt	2a	0'53''
2.2	M3	Ich mach mir die Welt, wie sie mir gefällt	2b	2'20''
2.3	M3	Ich mach mir die Welt, wie sie mir gefällt	2c	1'56''
2.4	M3	Ich mach mir die Welt, wie sie mir gefällt	3a	1'04''
2.5	M4	Der kleine Unterschied	4a	4'01''
	K5	Wer Wissen schafft, macht Wissenschaft		
2.6	M2	Wer einmal lügt …	2a	17'41''
2.7–2.9	M4	Gute Nacht!	3	6'47''

Texte und Lieder:

Kapitel 3, Modul 3: Rudolf Haufe Verlag

Kapitel 4, Modul 4: „Zusammen wohnen" aus: Horst Schroth – Katerfrühstück

Kapitel 4, Modul 4: Auszug aus „Tintenblut": Hörbuchfassung: Jumbo;
    Text: Dressler Verlag

Sprecherinnen und Sprecher:

Ulrike Arnold, Simone Brahmann, Farina Brock, Walter von Hauff,
Christoph Jablonka, Crock Krumbiegel, Evelyn Plank, Maren Rainer,
Jakob Riedl, Marc Stachel, Christine Stichler, Nico Trebbin, Peter Veit

Aufnahme und Postproduktion: Heinz Graf
Produktion: Tonstudio Graf, 82178 Puchheim

Regie: Heinz Graf und Cornelia Rademacher
Redaktion: Cornelia Rademacher